Виктор Суворов

ДЕНЬ "М"

КОГДА НАЧАЛАСЬ
ВТОРАЯ МИРОВАЯ ВОЙНА?

ИЗДАТЕЛЬСТВО
Москва
2000

УДК 882
ББК 84(2Рос-Рус)6-4
С 89

Viktor Suvorov

M-DAY

Художник Ю.Д. Федичкин

*Печатается с разрешения автора
и его литературного агента
Andrew Nurnberg Associates Limited.*

Суворов В.

С89 День «М»: Когда началась Вторая мировая война? –
М.: ООО "Фирма "Издательство АСТ", 2000. – 432 с.

ISBN 5-237-03371-7.

Книга Виктора Суворова «День "М"» переведена на 21 язык и
выдержала более 70 изданий в разных странах. Это произведение
признано лучшим журналистским расследованием десятилетия. За
«День "М"» Суворов удостоен звания профессора в Польше,
академика — в США.

Действительно ли Гитлер опередил Сталина? Виктор Суворов удтверждает, что Великая Отечественная война могла
начаться 6 июля 1941 г.

УДК 882
ББК 84(2Рос-Рус)6-4

МОНУМЕНТ ЧЕЛОВЕЧЕСКОЙ СЛЕПОТЕ

Когда я впервые встретил Виктора Суворова, он уже бредил этой книгой, сыпал цифрами и фактами, буквально ни о чем другом говорить не мог, но изложить все это на бумаге не решался еще много лет: то ли не до конца верил собственным выводам, то ли боялся испортить идею, не надеясь, что его услышат. Еще не были написаны ни «Аквариум», ни «Спецназ», принесшие ему мировую известность, и только-только вышла его первая книжка, сборник армейских сюжетов «Рассказы Освободителя». Собственно, из-за этой-то книжки мы и встретились. Так случилось, что редакция лондонской «Таймс» прислала мне ее на рецензию, и я оказался чуть ли не единственным, кто похвалил ее в печати.

Смешно вспоминать теперь, но в те далекие годы антикоммунизм, да и просто негативное отношение к Советскому Союзу, был вроде дурной болезни в глазах западной интеллигенции, и честный бытописатель матерого социализма не мог рассчитывать не то что на признание своего таланта, а и просто на рецензию. Лишь немногим из нас удалось к тому времени пробить брешь в стене молчания.

Виктору же было еще труднее, чем нам. Ведь даже мне какая-то левая мразь в одном телевизионном споре осмелилась намекнуть, что, мол, «некоторые люди» могут расценить мои взгляды как «предательство своей страны». Но то было однажды, и мне, с моей биографией, легко было разделаться с той пакостью. Ему же с самого начала пришлось жить с этим бессмысленным клеймом. К тому же, приговоренный заочно к смертной казни, он был вынужден находиться под постоянной охраной, считаться с требованиями своих ангелов-хранителей и соответственно не мог ни отстаивать свои взгляды публично, ни рекламировать свои книги, ни просто встречаться с журналистами. Даже свое настоящее имя не мог он назвать до недавнего времени, чем, разумеется, не преминули воспользоваться советские прихвостни, утверждавшие, что никакого Виктора Суворова не существует в природе, а книги под этой фамилией просто пишет Британская разведка.

Словом, долго не решался он приступить к «Ледоколу», потому что для него это была не просто книжка. А дело всей жизни. И не было бы никакого Виктора Суворова, не было бы ни «Аквариума», ни «Спецназа», ни «Рассказов Освободителя», а был бы всего лишь офицер ГРУ Владимир Резун, свято веривший, что служит своему народу и своей стране, воруя западные секреты, если бы не вот эта книга, которую вы сейчас держите в руках. А точнее сказать, если бы не то потрясающее открытие, которое в ней содержится и которое перевернуло жизнь обычного советского офицера. Воспитанный в семье фронтовика, иначе он и не мог прореагировать, узнавши страшную правду о «священной войне». Из-за этого и убежал, остался на Западе, обрек себя на жизнь с клеймом «предателя», без малейшей надежды когда-либо увидеть своих родных, друзей — все это, чтобы только до нести до людей открывшуюся ему правду.

А произошло это, по его словам, совершенно случайно. Уже в академии получилось так, что лекции по военной истории следовали сразу после лекций по стратегии. «И вот, — рассказывал он, — сижу и слушаю о том, что если ваш противник готовится к внезапному нападению, то он должен будет стянуть свои войска к границе и расположить свои аэродромы как можно ближе к линии будущего фронта. А потом, сразу же за этой лекцией, мне рассказывают, что Сталин в 1941 году был к войне не готов, допустил много серьезных ошибок, в частности, расположив свои аэродромы прямо на самой границе с немцами, стянув туда свои лучшие части... Что за наваждение? Не может быть и то, и другое правдой: или историк врет, или стратег ошибается».

Но что бы ни говорил теперь Виктор, то был повод, не причина. Ведь не один же он слушал те лекции, не говоря уж о миллионах участников описываемых событий, а впоследствии — тысячах исследователей Второй мировой войны, авторов бесчисленных диссертаций и монографий. Да ведь и мысль-то эта настолько проста, настолько самоочевидна, что просто диву даешься, как же она не пришла никому раньше?

В самом деле, неужто можно всерьез относиться к официальной версии советских историков, согласно которой получалось, что Сталин, не доверявший собственной тени, так «поверил» Гитлеру, что прозевал войну? Поверил на слово тому, по одному подозрению в связи с которым только что расстрелял свой высший командный состав? Поверил настолько, что полностью демонтировал всю свою линию обороны на западных границах? И, так сильно поверивши, продолжал бешено наращивать темп вооружения, разворачивать все новые и новые дивизии? С кем же он тогда воевать собирался?

А ведь в том, что собирался, ни у кого сомнения вроде бы нет. На это неопровержимо указывают не только факты, собранные в данной книге, не только многочисленные высказывания «вождя народов», но и мельчайшие, вполне общедоступные детали довоенного времени. Например, до войны в парках культуры и отдыха почти каждого советского города в качестве «аттракциона» стояли парашютные вышки, а после войны их, к моему глубокому огорчению, сняли. И мы изумляемся, читая Суворова, что к 1941 году Советская Армия имела 5 корпусов парашютно-десантных войск, около миллиона тренированных парашютистов. Где, когда успел Сталин подготовить такую армаду, да еще незаметно для всех?

Или вот еще деталь, которую я сам недавно вычитал и поразился: ведь не я один прочел, но никто не заметил, не задумался. А дело в том, что согласно мемуарам автора знаменитой патриотической песни «Вставай, страна огромная», той самой, что появилась в первые же дни войны (той самой, что так любят петь теперь с «благородной яростью» на своих сходках «наши»), Сталин лично заказал автору написать ее в... **феврале** 1941-го! Что говорить, мудр был вождь и учитель, даже о песне позаботился. А войны, выходит, не предвидел?

Легко понять, почему советские историки предпочитают выставлять лучшего друга историков наивным дурачком или в крайнем случае безумцем, нежели замечать все эти несоответствия. Иначе им неизбежно пришлось бы признать, что Сталин был не более безумен, чем любой коммунист, начиная с Ленина, а то и Маркса: ведь все они верили, что мировая революция произойдет вследствие мировой войны. Она для них была не катастрофой, не бедствием, а вполне желанной «исторической неизбежностью».

Более того, достаточно проглядеть написанное Лениным в 1920—21 годах, чтобы понять, в каком тупике оказались большевики, понадеявшись на мировую революцию и поторопившись с захватом власти в России. Разумеется, никто из них не собирался строить социализм в «одной отдельно взятой стране», тем более стране аграрной. Победа революции в России была, по выражению Ленина, «меньше, чем полдела». Чтобы эта победа стала окончательной и бесповоротной, «мы должны добиться победы пролетарской революции во всех или по крайней мере в нескольких основных странах капитала». Без их промышленного потенциала нечего было и думать о социализме. Отсюда и ленинский нэп, и новая тактика «осады капиталистической цитадели», использования их противоречий для ускорения пришествия мировой революции, то бишь начала мировой войны. Сталин в этом смысле был всего лишь верным учеником Маркса—Ленина.

Словом, понятно, что наши отечественные историки никак не могли признать изложенных в этой книге фактов, не признав природную агрессивность коммунизма и его ответственность в преступлении против человечества наравне с гитлеризмом. Но что же мешало западным историкам заметить столь очевидную истину?

Да ровно то же, что и их советским коллегам: конформизм. Ведь и здесь, на Западе, существуют могущественные политические силы, которые способны сделать глубоко несчастным любого умника, вылезшего с неугодными им откровениями. Признать, вслед за известным анекдотом, что Гитлер был всего лишь «мелкий тиран сталинской эпохи», здешний истеблишмент и сейчас еще не готов, а до недавнего времени автор такой теории был бы подвергнут остракизму как «фашист». Ни карьеру сделать, ни профессором стать, ни даже опубликовать книгу такой смельчак никогда бы не смог. Оттого-то и на Западе людей, решившихся открыто заявить себя антикоммунистами, нашлось немногим более, чем в бывшем СССР.

Даже сейчас, когда наконец обнажились кровавые коммунистические тайны, мы продолжаем ловить по латиноамериканским джунглям старичков, совершивших свои злодеяния полвека назад, но мы негодуем, видя Эриха Хонеккера на скамье подсудимых. Какая жестокость! Ведь он больной и старый человек! И мы сочувствуем Михаилу Сергеевичу, которого — смотрите, какая наглость! — принуждают предстать перед судом (нет, не Нюрнбергским, а всего лишь Конституционным, и не в качестве обвиняемого, а только лишь свидетеля). Да разве мы смеем назвать КПСС преступной организацией? Ну что вы, она всего лишь «неконституционна»...

Нет, эта книга запомнится нам не глубиной своего анализа, не какими-нибудь потрясающими, доселе неизвестными нам фактами — автор сознательно оперирует лишь общеизвестным и общедоступным материалом. Она останется в нашей памяти как монумент человеческой слепоте, благодаря которой самый бесчеловечный режим в истории человечества смог просуществовать 74 года. Или, точнее сказать, как монумент той странной болезни уха и глаза, распространенной в коммунистические времена, когда слышали одно, видели другое и ничуть этому не удивлялись.

Автор же, Виктор Суворов, по-прежнему продолжает жить в Англии, как он сам пишет, «между смертным приговором и казнью». Никто так и не догадался отменить вынесенный ему приговор.

Владимир Буковский,
ноябрь 1992 г.,
Кембридж

ДЕНЬ"М"

Когда началась
Вторая мировая война?

МОБИЛИЗАЦИЯ ЕСТЬ ВОЙНА.

Маршал Советского Союза *Б.М. Шапошников*

ПОСВЯЩАЮ

Богдану Васильевичу Резуну, курсанту-стажеру противотанковой батареи 637-го стрелкового полка 140-й стрелковой дивизии 36-го стрелкового корпуса 5-й армии Юго-Западного фронта

МОЕМУ ЧИТАТЕЛЮ

После выхода «Ледокола» в Германии получил три кубометра почты от бывших германских солдат и офицеров: письма, книги, дневники, фронтовые документы, фотографии.

После выхода «Ледокола» в России — получил больше.

На повестке дня — ленинский вопрос: что делать?

Писать ответы? Хватит ли жизни?

А вправе ли я ответы не писать?

Тут не долг вежливости. Каждое письмо интересно по-своему. А все вместе — сокровище. Это пласт истории, который никто не изучал. Это тысячи свидетельств, и каждое опровергает официальную версию войны.

Быть может, некое научное учреждение имеет более объемное собрание рукописных свидетельств, но верю, что моя коллекция интереснее. Фронтовики, прожив долгую трудную жизнь, вдруг на склоне лет стали писать мне, открывая душу, рассказывать то, что не рассказывали никому.

Большая часть писем не от фронтовиков, а от их потомков — детей и внуков. И все сокровенное: мой отец в кругу своих рассказывал...

Потрясло то, что ВСЕ свидетельства, как живых участников войны, так и дошедшие в пересказах близких, не стыкуются с той картиной начала войны, которую нам полвека рисовала официальная историческая наука.

Может, фронтовики и их потомки искажают истину?

Такое предположение можно было высказать, если бы почты было килограммов сто. От такого пустяка можно было бы и отмахнуться. Но писем МНОГО. Представляете себе, что означает слово МНОГО?

И все об одном. Не могли же все сговориться. Не могли авторы тысяч писем из России сговориться с авторами тысяч писем из Германии, Польши, Канады, Австралии...

Пример. Из официальной версии войны мы знали, что грянула война и художник Ираклий Тоидзе в порыве благородного возмущения изобразил Родину-мать, зовущую в бой. Плакат появился в самые первые дни войны, вскоре получил всемирную известность и стал графическим символом войны, которую коммунисты называют «великой отечественной».

А мне пишут, что плакат появился на улицах советских городов не в самые первые дни войны, а в **самый первый.**

На улицах Ярославля — к вечеру 22 июня. В Саратове — «во второй половине дня». 22 июня в Куйбышеве этот плакат клеили на стены вагонов воинских эшелонов, которыми была забита железнодорожная станция. В Новосибирске и Хабаровске плакат появился не позднее 23 июня. Самолеты тогда летали со множеством промежуточных посадок и за сутки до Хабаровска не долетали. Но если предположить, что самолет загрузили плакатами 22 июня и за ночь он долетел до Хабаровска, то возникает вопрос, когда же плакаты печатали? 22 июня? Допустим. Когда же в этом случае Ираклий Тоидзе творил свой шедевр? Как ни крути: до 22 июня. Выходит, творил не в порыве ярости благородной, а до того, как эта ярость в нем могла вскипеть. Откуда же он знал о германском нападении, если сам Сталин нападения не ждал? Загадка истории.

А вот отгадка. Письмо из Аргентины. Автор — Кадыгров Николай Иванович.

Перед войной — старший лейтенант на призывном пункте в Минске. Каждый призывной пункт хранил определенное количество секретных мобилизационных документов в опечатанных пакетах с пометкой: «Вскрыть в День М». В конце 1940 года таких документов стало поступать все больше. И вот в декабре поступили три огромных пакета, каждый — о пяти сургучных печатях. То же предписание: «Вскрыть в День М». Пакеты секретные, и положено их хранить в сейфе. Но вот беда: не помещаются. Пришлось заказать стальной ящик и использовать его вместо сейфа. Прошло шесть месяцев, 22 июня — война. Что делать с документами? Молотов по радио сказал, что война началась, но сигнала на вскрытие пакетов не поступало. Вскроешь сам — расстреляют. Сидят офицеры, ждут. А сигнала нет. Соответствующий сигнал так и не поступил. Но к вечеру по телефону — приказ: пакеты с такими-то номерами уничтожить, не вскрывая, пакеты с такими-то номерами вскрыть.

Уничтожалось сразу многое, в том числе и два из трех огромных пакетов. А как их уничтожать, если в каждом по 500 листов плотной бумаги? Жгли в металлической бочке и страховали себя актом: мы, нижеподписавшиеся, сжигали пакеты, при этом были вынуждены кочергой перемешивать горящие листы, но никто при этом в огонь не заглядывал... И подписались. А то возникнет потом у кого сомнение, не любопытствовали ли содержанием, сжигая. Потому акт: не любопытствовали.

А с одного из трех огромных пакетов было приказано гриф секретности снять, пакет вскрыть и содержимое использовать по назначению. Вскрыли. Внутри пачка плакатов: «Родина-мать зовет!». Плакаты расклеили в ночь на 23 июня.

Но поступили они в декабре 1940 года.

Вырисовывается картина: заготовили плакаты заранее, отпечатали достаточным на всю страну тиражом и в секретных пакетах разослали по соответствующим учреждениям. Что-то затевали. Но 22 июня Гитлер нанес упреждающий удар, и в один момент многие из тех плакатов, мягко говоря, потеряли актуальность. Советскому Союзу пришлось вести оборонительную войну на своей территории, а заготовленные плакаты призывали совсем к другой войне. Содержание заготовленной агитационной продукции не соответствовало духу оборонительной войны. Потому приказ: уничтожить, не вскрывая. Может, то были великие шедевры, может быть, и они стали бы всемирно знамениты. Но художникам, их создавшим, не повезло. А Ираклию Тоидзе повезло — его плакат (может, вопреки авторскому замыслу) получился универсальным: Родина-мать зовет! А куда зовет, он не написал. Потому его плакат подошел и к оборонительной войне. Потому плакат Тоидзе и приказали расклеить по стране.

Так было со всеми символами «великой отечественной» — их готовили загодя. Песня «Священная война» написана до германского вторжения. Монументальный символ «великой отечественной» — «воин-освободитель» с ребенком на руках. Этот образ появился в газете «Правда» в сентябре 1939 года, на третий день после начала советского «освободительного похода» в Польшу. Если бы Гитлер не напал, то мы все равно стали бы «освободителями». Монументальные, графические и музыкальные символы «освободительной» войны уже были созданы,

17

некоторые из них, как плакаты Тоидзе, уже выпускали массовым тиражом...

Возразят, можем ли мы верить офицеру, который попал в плен и после войны по каким-то причинам оказался не на родине мирового пролетариата, а в Аргентине?

Что ж, давайте не верить. Но те, которые после войны вернулись на родину мирового пролетариата, рассказывают столь же удивительные истории.

После выхода «Ледокола» кремлевские историки во множестве статей пытались опровергнуть подготовку Сталина к «освобождению» Европы. Доходило до курьезов. Один литературовед открыл, что слова песни «Священная война» были написаны еще во времена Первой мировой войны, Лебедев-Кумач просто украл чужие слова и выдал за свои. Мои критики ухватились за эту публикацию и повторили в печати многократно: слова были написаны за четверть века до германского нападения!

Правильно.

Но разве я с этим спорю? Разве это важно? Сталину в ФЕВРАЛЕ 1941 года потребовалась песня о великой войне против Германии. И Сталин такую песню заказал — вот что главное. А уж как исполнители исхитрились сталинский приказ выполнить: перевели с японского или с монгольского, украли или сочинили сами — это вопрос, который отношения к моей книге не имеет. Ответ на этот вопрос ничего не меняет, ничего не доказывает, ничего не опровергает. Да и не про Лебедева-Кумача речь. Песня — музыкальное произведение. Поэтому Сталин в феврале ставил задачу не Лебедеву-Кумачу, а композитору Александру Васильевичу Александрову.

В письмах, которые я получил, несколько свидетельств о том, что не один Александров писал песню о войне. И не только композиторы и поэты к «освободительной» войне готовились, но и врачи, учителя, певцы, танцоры, акробаты, фокусники. Поразительно, но официальная пресса говорит о том же. Вот свидетельство Константина Симонова, опубликованное в газете «Красная звезда» от 7 ноября 1992 г. Симонов — любимец Сталина, Хрущева, Брежнева, герой, кавалер семи орденов, лауреат четырех сталинских премий, во времена Сталина — кандидат в члены ЦК. Он свидетельствует о том, что летом 1940 года собрали гражданских писателей и начали готовить к войне. Сам Константин Симонов был во взводе поэтов роты писателей. Год готовили, а 15 июня 1941 года присвоили воинские звания. Симонову — интенданта 2-го ранга, что соответствовало подполковнику. Толпа на улице в те дни не могла понять смысл Сообщения ТАСС от 13 июня, а советские писатели и поэты в это время уже примеряли офицерскую форму, уже обували сапоги.

Симонов продолжает: «22 июня началась война, а на всех нас уже были заготовлены предписания, кому — куда, от центральных газет до дивизионных...»

Каждая из 303 сталинских дивизий имела свою дивизионную газету. Если в редакцию каждой дивизионной газеты по одному писателю отправить, то сколько их подготовили? И в корпусные газеты писатели-поэты требовались, и в армейские, флотские, окружные, фронтовые.

В Академии ГРУ меня учили: обращай внимание на мелкие подробности, на мельчайшие. Только из них можно сложить представление о происходящем. Следую своим учителям. Обращаю внимание на подробности. А подробности вопиющие: званиями воинскими Сталин не бросался. Военные летчики в те времена служили в сержантских званиях, командиры звеньев и даже заместители командиров эскадрилий — сержанты. Офицерские звания начинались с должности командира эскадрильи. А тут — гражданский человек Константин Симонов, писатель, в армии не служил, 25 лет от роду, год подготовки и первичное звание, равное подполковнику. А ведь это серьезно. И совсем не один он был. Там укладывали чемоданы и сверяли фронтовые предписания полковой комиссар Михаил Шолохов, подполковник Александр Твардовский, батальонный комиссар Алексей Сурков, бригадный комиссар Александр Фадеев, интендант 3-го ранга Леонид Первомайский, бригадный комиссар (звание соответствовало генеральскому) Всеволод Вишневский и весь Союз писателей почти в полном составе. Исключение только для неспособных носить оружие.

Представьте себя советским разведчиком-аналитиком. На ваш стол положили совсем пустяковое сообщение: Гитлер в 1940 году собрал всех германских писателей и поэтов, год их гоняли по стрельбищам и полигонам, теперь им присвоили звания до генерала включительно и готовят к отправке на советскую границу. Отправка тайная, с элементами маскарада: некоторых из них выдают за интендантов, специалистов по снабжению сапогами и шинелями. Как бы вы, советский разведчик-аналитик, отреагировали на такое сообщение? Что бы вы доложили своему начальству? Но в Германии ничего подобного не происходило, происходило в Советском Союзе. И если подобные сведения доходили до германской разведки, как она должна была на них реагировать? Что докладывать своему командованию? С одной стороны, успокаивающие сообщения ТАСС, с другой...

После упреждающего удара Гитлера необходимость маскарада отпала и всем писателям интендантские ранги поменяли на стандартные армейские. Но была же причина, по которой перед войной весь этот маскарад затевался!

Еще момент — если бы Гитлер не напал, то что намеревался делать Сталин со своими писателями и поэтами: позволил бы покрасоваться в офицерской форме год-другой, а потом бы отнял офицерские звания и вернул в Москву, или как?

Летом 1939 года тот же Константин Симонов был военным корреспондентом в армейской группе Жукова на Халхин-Голе. Тогда он вполне обходился без военной подготовки и без офицерского звания. А летом 1940 года кому-то потребовалось начать массовую подготовку к войне журналистов, писателей, поэтов. Летом 1940 года плана «Барбаросса» у Гитлера еще не было. А у товарища Сталина какие-то замыслы уже были.

Наши писатели-поэты на самую малость опоздали: курс военной подготовки завершили, звания получили, прошли распределение по фронтам, армиям, корпусам, дивизиям, чемоданы уложили и вот уже должны были разъехаться по своим фронтовым редакциям... а тут и Гитлер напал.

В момент последних приготовлений Гитлер застал не только Константина Симонова с собратьями по перу, но и всю Красную Армию: на погрузке, в пути, на разгрузке.

У Сталина все было продумано и подготовлено к вторжению. Все, вплоть до победных плакатов и фронтовых редакций, готовых воспеть великий подвиг советского народа на полях победоносных сражений. И если мы не верим бывшему офицеру из Аргентины, так давайте верить «Красной звезде» и герою-лауреату-кавалеру-интенданту.

Письма, которые я получил от своих читателей, — не мое достояние, это наша память, наша история, наше прошлое, наше будущее. Не познав прошлого, не сможем от него избавиться в будущем. Потому обещаю: однажды письма о войне опубликую. Не знаю, сколько томов, но знаю, что это самое интересное, что когда-либо было о войне написано.

Всех, кому пока не ответил лично, прошу простить. Прошу учесть ситуацию, в которой оказался. Всем, кто мне написал, благодарен. Были письма ругательные. Их авторам я более всего благодарен. Мне вдруг пришла в голову мысль стать самым главным критиком своих книг. Каждый из нас допускает ошибки, каждый грешен. С вашей помощью хочу ошибки исправить, с вашей помощью хочу отшлифовать свои книги так, чтобы их смысл был понятен каждому. Любую критику в письмах и в прессе готов выслушать. За один год собрал более трехсот рецензий на «Ледокол». Иногда это целые погромные страницы. Иногда хотелось огрызнуться, но в ГРУ приучили к смирению: уважай противника, старайся понять его доводы, старайся извлечь пользу даже из гнева своих врагов.

Стараюсь.

Всем, кто писал разгромные и похвальные рецензии, благодарен. Обещаю, что когда-то выпущу целую книгу с ответами на критику и постараюсь ответить на все поставленные вопросы. Все мы делаем одно дело. Все мы пытаемся понять наше прошлое, хотя и с разных позиций.

Виктор СУВОРОВ,
13 сентября 1993 г., Оксфорд

23

ГЛАВА 1

СО СКРИПОМ

> В истории не было ни одной войны, причины возникновения и цели которой не были представлены зачинщиками и их учеными лакеями в извращенном, фальсифицированном виде.

Советская военная энциклопедия. Т. 6. С. 554

1

Российский солдат ходил в кожаных сапогах. А коммунисты ввели заменитель — эрзац. И стал советский солдат ходить не в кожаных сапогах, а в кирзовых. Конечно, в столичных гарнизонах «придворные» полки и дивизии обували в кожаную обувь. Пусть иностранцы думают, что советскому солдату живется хорошо. И советские оккупационные войска в соцлаге: в Германии, Польше, Венгрии, обували в кожаные сапоги— пусть все верят, что Советский Союз — сверхдержава. Но всех своих солдат сверхдержава кожаными сапогами обеспечить не могла, и потому советский солдат по Союзу ходил в сапогах кирзовых. А неудобно. В прямом смысле и в переносном. Особенно неудобно, когда предстоит выполнять почетную интернациональную задачу.

Летом 1968 года меня, молодого офицерика, занесла военная судьба в Карпаты на границу с братской социалистической Чехословакией. Контрреволюция душила страну, и нашей доблестной Советской Армии надо было вмешаться и народу братскому помочь, но... В кирзах неудобно. Просто нехорошо воину-освободителю Европу топтать неполноценным сапогом. Несподручно. Понятно, у нас, офицеров, сапожки что надо — со скрипом и блеском. Но солдатики наши обуты неприлично. Изнываем мы в ожидании. Неделю в лесах ждем, другую. Месяц ждем, другой ждем. А дело уже к августу клонится. Надоело в лесах. Или бы одно решение наши вожди приняли, или другое: или вернули бы наши дивизии в лагеря и военные городки, или бы дали приказ оказать интернациональную помощь братскому народу... Но нет решения, и потому мы ждем. Весь день занятия до двенадцатого пота, а вечером ужин у костра и гадаем: пойдем в Чехословакию, не пойдем... И снова занятия с утра, а то и с вечера... И снова гадаем.

А потом эдак под вечер на просеке, вдоль которой стоял наш батальон, появились огромные автомобилища «Урал-375». На каждом хороших кожаных сапог по многу тонн: забирай! И валят те сапоги прямо на просеку, точно как самосвалы бросают скальную породу в кипящую воду, перекрывая Енисей. Много сапог. Без счета. Есть, конечно, счет, но без особой точности: забирай, всем хватит. Старшина, сколько у тебя народа? Сто двадцать девять? Вот сто двадцать девять пар! Размеры? Разберетесь. С соседями поменяетесь. А у тебя сколько? Двести пятьдесят семь? Вот тебе куча!

И по всем просекам одновременно тысячи пар валят на землю. Десятки тысяч пар. Сотни тысяч. Всех переобуть за одну ночь! Плохие кирзовые сбросить, хорошие кожаные обуть! В нашем лесу мы совсем не одни. Правее — батальон, и левее — батальон. Впереди нас — какие-то артиллеристы, дальше в ельнике — еще батальон, и еще один, и так до бесконечности. И все леса, соседние и дальние, войсками забиты. А нас ведь не батальоны, не полки и не дивизии, нас целые армии: 8-я гвардейская танковая армия переобувается, и 13-я армия, и еще какая-то позади нас. Всем враз сапог подвезли изрядно. С запасом. С перебором. И уж по всем просекам, по всем полянкам поскрипывают новыми сапожками наши солдатики. Приятно посмотреть. Кожа яловая. Высший класс. Загляденье. Из государственных резервов. Леса наши приграничные все разом переполнились скрипом кожаных сапог вроде как трелями весенних птиц. И этот скрип наводил на размышления и выводы.

Командир нашего батальона собрал офицерский состав. Матерый был такой комбатище. Подполковник Протасов. Слов лишних не любил: товарищи офицеры, говорит, надо выпить и закусить. Кто знает, что ждет нас за поворотом?

Сели мы в бронетранспортер — и в деревеньку соседнюю. А там в кабаке и артиллерийские офицеры уже пьют, и саперные, и политические. Не

26

протолкнуться. Всем ясно, что зря наша любимая Родина своих сыновей не балует. А коли так, надо выпить. Может быть, последний раз пьем. Может быть, придется воевать за свободу братского народа Чехословакии и в кровавой борьбе против капиталистов сложить голову. Подняли мы тогда наши фляги за Чехословакию, за ее свободолюбивый народ, который нашей помощи жаждет и которую мы ему окажем. Бескорыстно окажем. Мы добрые. Мы всем помогаем. Когда просят. Когда не просят, тоже помогаем. Одним словом, сидим, пьем. Приказа пока нет, но уж всем ясно: и нам, офицерам, и солдатикам нашим, и буфетчице, которая нам подливает, и старикашке, который в углу пристроился с пивной кружкой. Хочется старому в нашу компанию втесаться и ученое слово сказать, но нам в такой ситуации с гражданским населением не положено общаться, чтобы тайны военные не разгласить. Намерения нашего командования.

Сидел старикан в углу, сидел, весь извертелся: уж так ему хочется с нами поговорить. Не выгорело ему. А уж когда мы уходили, он вроде между прочим, вроде сам себе, но так, чтобы все слышали:

— Точно как в сорок первом году.

2

Такого мы никак не ожидали и понять не могли. А сказано было с вызовом, так, что надо было ответить.

27

— Ты это, старый, о чем?

— О скрипе. В июне сорок первого Красная Армия в этих местах точно так же новенькими кожаными сапогами скрипела.

Вот с того самого момента я и потерял покой.

После «освободительного похода» в Чехословакию служить мне выпало в тех же местах, в Карпатах. И выпало исходить, истоптать, исколесить и Прикарпатье, и Закарпатье. И при случае — к старикам, к старожилам, к живым свидетелям: как, мол, дело было? И подтвердилось многими свидетельствами: в 1941 году перед германским нападением Красную Армию в приграничных районах переобули в кожаные сапоги. И не только на Украине, но в Молдавии, но в Белоруссии, но в Литве, но в Карелии. А кроме того, в 1941 году завезли в приграничные районы кожаных сапог на миллионы солдат, которых в последний момент планировали перебросить из внутренних районов страны. Под прикрытием Сообщения ТАСС от 13 июня 1941 года миллионы солдат из внутренних районов двинулись к границам, а кожаные сапоги для них уже сгружали на железнодорожных станциях вблизи границ. На станции Жмеринка, например, в начале июня 1941 года кожаные сапоги выгружали из вагонов и укладывали в штабеля у железной дороги под открытым небом. Велика ли куча? — спрашивал. А до самого неба, отвечала старая крестьянка. Как пирамида Хеопса, отвечал школьный учитель.

В Славуте куча сапог никак на пирамиду Хеопса не тянула, просто была большой, как половина пирамиды Хеопса. В Залещиках в мае сорок первого на разгрузку кожаных сапог согнали чуть не все трудоспособное население в порядке приучения к бесплатному коммунистическому труду. Горы сапог помнят в Ковеле, в Барановичах, Гродно.

Начинал разговор издалека: что, мол, на станциях разгружали перед войной? Танки, отвечают, пушки, солдат разгружали, ящики зеленые и... сапоги. Не скажу, чтобы очень уж на сапоги напирали: если человек всю жизнь возле станции прожил, то мог увидеть все что угодно на путях, на платформах, на разгрузочных площадках. Всего не упомнишь. Но все же было что-то особенное и мистическое в самом факте разгрузки сапог, что заставляло людей обратить внимание и запомнить на всю жизнь.

Запомнили люди те сапоги в основном по трем причинам. Во-первых, сапог было много. Необычно много. Во-вторых, их укладывали прямо на грунт, иногда подстелив брезент, а иногда и без брезента. Это было как-то необычно. В-третьих, все это добро досталось немцам, а это именно тот момент, который запоминается.

Никто из местных жителей не знал и не мог знать, зачем в 1941 году привезли столько сапог к самой границе. И мне была непонятна цель, ради которой в 1941 году советским солдатам у границ взамен плохих кирзовых сапог выдавали хорошие кожаные. Про 1968 год все понятно: мы шли освобождать братскую Чехословакию. А в 1941 году наши отцы что намеревались делать? Кстати, мой отец прошел войну от самого первого дня до самого последнего, а потом прошел от первого до последнего дня короткую яростную войну против японской армии в Китае. Я спросил, как он вступил в войну, где, когда, в составе какой дивизии, какого корпуса? В каких сапогах?

Он рассказал. Его рассказ потом проверил по архивам. После службы в Карпатах учился в военной академии и имел возможность (и желание) копаться в архивах. Материалы о производстве сапог, о поставках в Красную Армию, о размещении запасов сапог и другого имущества были в те времена секретными. Я имел доступ к секретным материалам, но в миллионе бумаг найти одну нужную не удавалось. Приходилось собирать сведения по крупицам. Собирал и не переставал удивляться: война давно кончилась, с момента окончания войны прошло почти тридцать лет, а сведения о хранении, переброске, потерях солдатских сапог в предвоенные годы как были секретными, так секретными и остаются. Почему?

В Англии говорят: любопытство губит кота. Этой мудрости тогда не знал. Если бы и знал, то работу свою не бросил бы: кота любопытство, может, и губит, но я-то не кот. Много лет спустя понял, что любопытство губит не только кота...

3

Оказалось, что к границе по приказу советского правительства вывезли не только миллионы пар кожаных сапог, но и миллионы комплектов обмундирования, десятки тысяч тонн запасных частей для танков, сотни тысяч тонн жидкого топлива для самолетов, танков и машин, миллионы ящиков снарядов и патронов. И все это бросили у границ, когда немцы нанесли удар. И снова вопрос: с какой целью все это тащили к границам, ведь до 1939 года все эти запасы хранились далеко от границ. Так пусть бы там и лежали: начнется война, наша армия встанет в оборону, а из безопасного далека подвозить предметов снабжения ровно столько, сколько нужно, не накапливая в опасных районах ненужных излишков.

Было много вопросов, ответов не было. Продолжал искать. Результаты поисков изложил в книге «Ледокол». «День "М"» — вторая книга. Для тех, кто читал «Ледокол», «День "М"» — продолжение. Но можно «День "М"» читать как отдельную книгу.

В «Ледоколе» преднамеренно почти не использовал архивные материалы. Меня могли упрекнуть: то цитируешь и это, а как нам проверить, правильно ли цитируешь, да и есть ли такой вообще документ в архиве? Сейчас в архивы можно попасть и проверить. Поэтому в этой книге использую и архивные, и открыто опубликованные материалы. Основной упор все равно на открытые материалы, которые доступны каждому. Хочу показать: смотрите, слушайте, это не я придумал. Это коммунисты сами говорят. Нужно только внимательно их слушать.

Изучая архивные материалы и открытые публикации, сделал для себя вывод, что переброска миллионов пар сапог к границам, как и переброска боеприпасов, запасных частей, миллионов солдат, тысяч танков и самолетов, все это не ошибки, не просчеты, а сознательная политика, это процесс, в который были вовлечены десятки миллионов людей. Этот процесс был начат решением советского руководства по рекомендации Маршала Советского Союза Б.М. Шапошникова. Этот процесс имел целью подготовить промышленность, транспорт, сельское хозяйство, территорию страны, советский народ и Красную Армию к ведению «освободительной» войны на территории Центральной и Западной Европы.

Этот процесс именовался коротким термином МОБИЛИЗАЦИЯ. Это была тайная мобилизация. Советское руководство готовило Красную Армию и всю страну к захвату Германии и всей Западной Европы. Захват Западной Европы — главная цель, ради которой Советский Союз развязал Вторую мировую войну.

Окончательное решение начать войну Сталин принял 19 августа 1939 года.

ГЛАВА 2

ПОЧЕМУ СТАЛИН УНИЧТОЖИЛ СВОЮ СТРАТЕГИЧЕСКУЮ АВИАЦИЮ?

> Раз налицо имеется массовая наступательная армия, основная задача воздушной армии — содействие продвижению этой армии вперед, для чего должны быть сосредоточены все силы.
>
> *Комбриг Александр Лапчинский.*
> *«Воздушная армия». М., 1939. С. 144*

1

Сталин мог предотвратить войну.

Одним росчерком пера.

Возможностей было много. Вот одна из них.

В 1936 году в Советском Союзе был создан тяжелый, скоростной, высотный бомбардировщик ТБ-7. Это отзывы о нем.

Генерал-майор авиации П. Стефановский, летчик-испытатель ТБ-7: «Многотонный корабль своими летными данными превосходил на десятикилометровой высоте все лучшие европейские истребители той поры» (Триста неизвестных. С. 83).

Генерал-майор авиации В. Шумихин: «На высотах свыше 10 тысяч метров ТБ-7 был недосягаем для большинства имевшихся в то время истребителей, а потолок 12 тысяч метров делал его неуязвимым и для зенитной артиллерии» (Советская военная авиация. 1917—1941. С. 218).

Авиаконструктор В.Б. Шавров: «Выдающийся самолет... На ТБ-7 впервые, раньше чем в США и Англии, были подняты 5-тонные бомбы» (История конструкций самолетов в СССР, 1938—1950. С. 162).

Профессор Л. Кербер: «Машина имела сильное оборонительное вооружение из 20-мм пушек и 12,7-мм тяжелых пулеметов. В большом бомбовом люке могли подвешиваться бомбы самых крупных калибров... Недоступный на максимальном потолке своего полета ни зенитным пушкам, ни истребителям того времени, ТБ-7 был самым сильным бомбардировщиком в мире» (Ту — человек и самолет. С. 143). «Эпохальный самолет... Сейчас мы имеем все основания утверждать, что ТБ-7 был значительно сильнее знаменитой американской летающей крепости Б-17» (След в небе. С. 202).

Зарубежные историки с такими оценками согласны. Джон В.Р. Тейлор: «На высотах 26 250—29 500 футов его скорость превосходила скорость германских истребителей Ме-109 и Хе-112» (Combat Aircraft of the World. London, 1969. P. 592). Вацлав Немечек: «У этой машины была удивительно долгой жизнь. В пятидесятых годах все еще можно было встретить отдельные образцы на полярных трассах, где их использовали для транспортировки грузов» (The History of Soviet Aircraft from 1918. London, 1986. P. 134). Не надо доказывать, что долго живут и долго летают только хорошие самолеты...

Выдающиеся качества ТБ-7 были доказаны западным экспертам осенью 1941 года. Ожидалось прибытие советской правительственной делегации во главе с В. Молотовым в Великобританию и в США. Предполагалось, что единственно возможный путь — через Сибирь и Аляску. Но Молотов на ТБ-7 полетел из Москвы в Британию прямо над оккупированной Европой. Нужно вспомнить, кто господствовал в небе Европы осенью сорок первого, чтобы оценить степень доверия советского руководства этому самолету. Попади Молотов в лапы Гитлеру, и не избежать громкого процесса где-нибудь в Нюрнберге. И всплыли бы преступления интернационал-социализма, которые могли ошеломить мир на много веков. И открылось бы, что интернационал-социализм творит не меньшие злодеяния, чем его кровавый брат национал-социализм, что оба вполне достойны нюрнбергской скамьи.

Но Молотов не боялся попасть на скамью подсудимых. И Сталин, отпуская Молотова, не боялся процесса над своим режимом: Молотов летит не на чем-нибудь, а на ТБ-7, о чем же волноваться? И ТБ-7 не подвел. Он прошел над Европой, погостил в Британии, слетал в Америку и вернулся тем же путем, еще раз безнаказанно пролетев над германскими владениями. В 1942 году Молотов вновь летал над Европой и вновь вернулся невредимым. После войны советская правительственная комиссия провела анализ действий германской системы

ПВО в моменты полета Молотова. Выяснилось, что в полосе пролета истребители на перехват не поднимались, на зенитных батареях тревога не объявлялась, постами наблюдения пролет ТБ-7 не регистрировался. Проще говоря, германские средства ПВО не только не могли перехватить ТБ-7, но в этих случаях даже не смогли обнаружить его присутствия в своем воздушном пространстве.

Полковник (в те времена — капитан) Э. Пуссеп, много раз водивший ТБ-7 над Германией (не только с драгоценным телом Молотова, но и с другими грузами), рассказывал: «Зенитка достает такую высоту не очень-то прицельно: можно сказать, почти на излете. Истребитель там тоже вроде сонной мухи. Кто мне чего сделает?» (М. Галлай. Третье измерение. С. 330).

Итак, задолго до войны создан НЕУЯЗВИМЫЙ бомбардировщик и подготовлен приказ о выпуске тысячи ТБ-7 к ноябрю 1940 года. Что оставалось сделать?

Оставалось под приказом написать семь букв: И. СТАЛИН...

2

Когда первые ТБ-7 летали на недосягаемых высотах, конструкторы других авиационных держав мира уперлись в невидимый барьер высоты: в разреженном воздухе от нехватки кислорода двигатели теряли мощность. Они в буквальном смысле задыхались, как альпинисты на вершине Эвереста. Существовал вполне перспективный путь повышения мощности двигателей: использовать выхлопные газы для вращения турбокомпрессора, который подает в двигатель дополнительный воздух. Просто в теории — сложно на практике. На экспериментальных, на рекордных самолетах получалось. На серийных — нет. Детали турбокомпрессора работают в раскаленной струе ядовитого газа при температуре свыше 1000 градусов, окружающий воздух — это минус 60, а потом — возвращение на теплую землю. Неравномерный нагрев, резкий перепад давлений и температур корежили детали, и скрежет турбокомпрессора заглушал рев двигателя, защитные лаки и краски выгорали в первом полете, на земле влага оседала на остывающие детали и коррозия разъедала механизмы насквозь. Особо доставалось подшипникам, они плавились как восковые свечки. Хорошо на рекордном самолете: из десяти попыток один раз не поломается турбокомпрессор, вот тебе и рекорд. А как быть с серийными самолетами?

Искали все, а нашел Владимир Петляков — создатель ТБ-7. Секрет Петлякова хранился как чрезвычайная государственная тайна. А решение было гениально простым. ТБ-7 имел четыре винта и внешне казался четырехмоторным самолетом. Но внутри корпуса, позади кабины экипажа, Петляков установил дополнительный пятый двигатель, который винтов не вращал. На малых и средних высотах работают четыре основных двигателя, на больших — включается пятый, он приводит в действие систему централизованной подачи дополнительного воздуха. Этим воздухом пятый двигатель питал себя самого и четыре основных двигателя. Вот почему ТБ-7 мог забираться туда, где никто его не мог достать: летай над Европой, бомби кого хочешь и за свою безопасность не беспокойся.

Имея тысячу неуязвимых ТБ-7, любое вторжение можно предотвратить. Для этого надо просто пригласить военные делегации определенных государств и в их присутствии где-то в заволжской степи высыпать со звенящих высот ПЯТЬ ТЫСЯЧ ТОНН БОМБ. И объяснить: к вам это отношения не имеет, это мы готовим сюрприз для столицы того государства, которое решится на нас напасть. Точность? Никакой точности. Откуда ей взяться? Высыпаем бомбы с головокружительных высот. Но отсутствие точности восполним повторными налетами. Каждый день по пять тысяч тонн на столицу агрессора, пока желаемого результата не достигнем, а потом и другим городам достанется. Пока противник до Москвы дойдет, знаете что с его городами будет? В воздухе ТБ-7 почти неуязвимы, на земле противник их не достанет: наши базы далеко от границ и прикрыты, а стратегической авиации у наших вероятных противников нет... А теперь, господа, выпьем за вечный мир...

Так могли бы говорить сталинские дипломаты, если бы Советский Союз имел тысячу ТБ-7. Но Сталин от тысячи ТБ-7 отказался...

Можно ли понять мотивы Сталина?

Можно.

3

Если перевести тысячу ТБ-7 на язык шахмат, то это ситуация, когда можно объявить шах неприятельскому королю еще до начала игры, а если партнер решится начать игру, — ему можно объявить мат после первого хода.

Если пять тысяч тонн бомб, которые ТБ-7 могли доставить одним рейсом, перевести на язык современной стратегии, то это — ПЯТЬ КИЛОТОНН. Это уже терминология ядерного века. Если пять килотонн недостаточно, то за два рейса можно доставить десять. А двадцать килотонн — это то, что без особой точности упало на Хиросиму.

Тысяча ТБ-7 — это как бы ядерная ракета, наведенная на столицу противника. Мощь такова, что для потенциального агрессора война теряет смысл.

Итак, одним росчерком сталинского пера под приказом о серийном выпуске ТБ-7 можно было предотвратить германское вторжение на советскую территорию. Я скажу больше: Сталин мог бы предотвратить и всю Вторую мировую войну. Понятно, в августе 1939 года он не мог иметь всю тысячу ТБ-7. Но двести, триста, четыреста и даже пятьсот — иметь мог. Один вылет двухсот ТБ-7 — килотонна. Имея только двести ТБ-7, пакт Молотова—Риббентропа можно было не подписывать. Имея только двести ТБ-7, можно было не оглядываться на позицию Великобритании и Франции. Можно было просто пригласить Риббентропа (а то и самого Гитлера), продемонстрировать то, что уже есть, рассказать, что будет, а потом просто и четко изложить свою позицию: господин министр (или — господин канцлер), у нас отношения с Польшей не самые лучшие, но германское продвижение на восток нас пугает. Разногласия Германии с Польшей нас не касаются, решайте сами свои проблемы, но только не начинайте большую войну против Польши. Если начнете, мы бросим в Польшу пять миллионов советских добровольцев. Мы дадим Польше все, что она попросит, мы развернем в Польше партизанскую войну и начнем мобилизацию Красной Армии. Ну и ТБ-7... Каждый день. Пока пять тысяч тонн в день обеспечить никак не можем, это потом, но тысячу тонн в день гарантируем.

Так можно было бы разговаривать с Гитлером в августе 1939 года, если бы Сталин в свое время подписал приказ о серийном выпуске...

Справедливости ради надо сказать, что Сталин приказ подписал.

Но потом его отменил.

И подписал снова. И отменил.

И снова...

Четыре раза ТБ-7 начинали выпускать серийно и четыре раза с серии снимали (Г. Озеров. Туполевская шарага. С. 47). После каждого приказа промышленность успевала выпустить три-четыре ТБ-7, и приказ отменялся. Снова все начиналось и снова обрывалось... На 22 июня 1941 года ТБ-7 серийно не выпускался. За четыре попытки авиапромышленность успела выпустить и передать стратегической авиации не тысячу ТБ-7, а только 11 (одиннадцать). Более того, почти все из этих одиннадцати не имели самого главного — дополнительного пятого двигателя. Без него лучший стратегический бомбардировщик мира превратился в обыкновенную посредственность.

После нападения Гитлера ТБ-7 пустили в серию. Но было поздно.

4

Возникает вопрос, если бы Сталин дал приказ о выпуске тысячи ТБ-7 и не отменил его, смогла бы советская промышленность выполнить сталинский заказ? Смогла бы к концу 1940 года выпустить тысячу таких самолетов?

Создатель ТБ-7 авиаконструктор Владимир Петляков (после трагической гибели Петлякова ТБ-7 был переименован в Пе-8) ни минуты в этом не сомневался. Александр Микулин, создавший двигатели для ТБ-7, был полностью уверен, что советской промышленности такой заказ по плечу. Заместитель авиаконструктора А. Туполева профессор Л. Кербер, ведущие эксперты авиапромышленности С. Егер, С. Лешенко, Е. Стоман, главный конструктор завода, выпускавшего ТБ-7, И. Незваль, главный технолог завода Е. Шекунов и многие другие, от кого зависел выпуск ТБ-7, считали задачу выполнимой в отведенный срок. Авиаконструкторы В.Б. Шавров и А.Н. Туполев считали, что тысяча ТБ-7 могут быть готовы к ноябрю 1940 года.

Уверенность конструкторов и лидеров промышленности понятна: ТБ-7 появился не на пустом месте. Россия — родина стратегических бомбардировщиков. Это я говорю с гордостью и без иронии. В начале века, когда весь мир летал на одномоторных самолетах, Россия первой в мире начала строить самолеты двухмоторные. Мир еще не успел по достоинству оценить этот шаг, а великий русский инженер Игорь Иванович Сикорский в 1913 году построил первый в мире четырехмоторный тяжелый бомбардировщик «Илья Муромец». Уже в ходе испытаний «Муромец» бьет мировой рекорд дальности. По дальности, вооружению и бомбовой нагрузке в течение нескольких лет «Муромец» не имел аналогов во всем мире. Он имел самое передовое по тем временам навигационное оборудование, бомбардировочный прицел и первый в мире электрический бомбосбрасыватель. Для самозащиты «Муромец» имел восемь пулеметов и была даже попытка установить на нем 76-мм полевую пушку. В 1914 году Россия стала первой в мире страной, создавшей подразделение тяжелых бомбардировщиков — эскадру воздушных кораблей. Захватив власть в стране, коммунисты резко затормозили техническое развитие России, истребив и изгнав миллионы самых толковых, самых трудолюбивых, самых талантливых. Среди изгнанников оказался и Игорь Сикорский.

И все же технический потенциал России был огромен. Развитие продолжалось. Вопреки террору, вопреки коммунистическому гнету Россия продолжала оставаться лидером в области тяжелых бомбардировщиков. В 1925 году конструкторским бюро А.Н. Туполева был создан ТБ-1, первый в мире цельнометаллический бомбардировщик, он же — первый в мире бомбардировщик-моноплан со свободнонесущим крылом. Весь остальной мир в те времена строил только деревянные бомбардировщики-бипланы. Уже в ходе испытаний ТБ-1 бьет два мировых рекорда. В короткий срок было построено 218 ТБ-1, и это тоже своего рода рекорд. Это в несколько раз больше, чем тяжелых бомбардировщиков во всех остальных странах мира, вместе взятых. По мере выпуска самолетов формировались эскадрильи, полки, бригады. А Туполев в 1930 году выдает еще более мощный тяжелый бомбардировщик: ТБ-3 — первый в мире четырехмоторный моноплан со свободнонесущим крылом. Среди самолетов мира, как военных, так и гражданских, ТБ-3 был самым большим. Таких самолетов никто в мире не имел не только в производстве, но даже в проектах. А Туполев уже в 1933 году начинает эксперименты по дозаправке ТБ-3 в воздухе. На ТБ-3 было установлено несколько мировых рекордов, включая высотные полеты с грузами 5, 10 и 12 тонн. Схема ТБ-3 стала классической для этого класса самолетов на многие десятилетия вперед. Поражает скорость выполнения заказа: выпуск доходил до трех ТБ-3 в день (Е. Рябчиков, А. Магид. Становление. С. 132). Советская промышленность бьет свой собственный рекорд — в короткий срок выпускает 818 ТБ-3. Тут уже не обойдешься полками и бригадами. 23 марта 1932 года Советский Союз первым в мире начинает создание тяжелых бомбардировочных корпусов. В январе 1936 года создается первая в мире авиационная армия, в марте — вторая, чуть позже— третья. Никто другой тогда не имел ни авиационных армий, ни даже корпусов стратегической авиации.

Флот в тысячу тяжелых бомбардировщиков — это мечта стратегов, и она впервые воплощена в

Советском Союзе. Генералы и политики всех стран спорили о доктрине генерала Д. Дуэ, а Сталин не спорил...

Но это не все: планировалось перевооружить три авиационных армии новейшими бомбардировщиками и дополнительно развернуть еще три армии в Белорусском, Киевском и Ленинградском военных округах (В. Шумихин. С. 185).

Пока ТБ-3 учился летать, пока его только «ставили на крыло», около десятка конструкторских бюро уже включились в жестокую схватку за новейший стратегический бомбардировщик, который потом должен заменить тысячу туполевских ТБ-1 и ТБ-3. Сам Туполев предлагает восьмимоторный «Максим Горький». Самолет появляется на парадах, потрясая толпу своими размерами, и только немногие знают настоящее его название — ТБ-4. Павел Сухой предлагает одномоторный сверхдальний бомбардировщик ДБ-1 с невероятно большим размахом крыльев. Самолет (под другим именем) совершил несколько полетов через Северный полюс в Америку. Америка в восторге встречает советских героев-летчиков, не понимая, что идут испытания экспериментального бомбардировщика. А Сергей Козлов предлагает двенадцатимоторный «Гигант», способный поднимать несколько десятков тонн бомб или перебрасывать в тыл противника десантные подразделения с любым тяжелым оружием, включая и танки. Удивительны проекты К.А. Калинина. Виктор Болховитинов предлагает тяжелый бомбардировщик ДБ-А. По виду и характеристикам — это новый самолет, но это просто коренная переработка туполевского ТБ-3. Это классический пример того, как с минимальными затратами на базе старого самолета создать новый. ДБ-А бьет сразу четыре мировых рекорда. Это — новейший самолет, но его могут выпускать те же заводы, которые выпускают ТБ-3, без перестройки производственного цикла, без смены оборудования, без нарушения устоявшихся технологических процессов, без переучивания рабочих и инженеров, без обычного в таких случаях снижения количества выпускаемых самолетов и даже без переучивания летчиков, техников и инженеров стратегической авиации. Если время поджимало, можно было пустить ДБ-А в серию и к началу Второй мировой войны полностью обновить флот стратегической авиации. Но тут появилось настоящее чудо — ТБ-7 Петлякова. ТБ-7 затмил всех.

К моменту появления ТБ-7 производство тяжелых бомбардировщиков в Советском Союзе было отлажено, как производство автомобилей у Генри Форда. Смена модели — процесс болезненный, но это проще, чем создавать новое дело на пустом месте. Страна в страшные годы, когда миллионы умирали от голода, была лидером в области тяжелых бомбардировщиков, а когда экономическая ситуация резко улучшилась, та же страна добровольно от первенства отказалась. Когда никто стране не угрожал, она отрывала кусок у умирающих детей, но тяжелые бомбардировщики строила, но вот появился рядом Гитлер, запахло войной, а тяжелые бомбардировщики больше не строятся. И не в том вопрос: успели бы построить тысячу ТБ-7 к началу войны или нет. Вопрос в другом: почему не пытались?

К моменту появления ТБ-7 в Советском Союзе были созданы конструкторские бюро, способные создавать самолеты, опережающие свое время, промышленность, способная осуществлять массовый выпуск в количествах, превышающих потребность мирного времени, открыты академии, летные и технические школы, разработана теория боевого применения и получен боевой опыт в локальных войнах и на грандиозных учениях, построены аэродромы, базы, учебные центры, полигоны, созданы формирования, подготовлены кадры от командующего армией до бортового стрелка, от инженеров по навигационному оборудованию до фотодешифровщиков крупных авиационных штабов, выращены летчики, штурманы, бортинженеры, техники, мотористы, метеорологи, радисты, авиационные медики и пр. и пр. Сложились коллективы и родились традиции, воспитаны теоретики и практики.

И вот после всего этого страна, которая была единственным лидером в области стратегической авиации, вступила во Вторую мировую войну без стратегической авиации. Приказом Сталина в ноябре 1940 года авиационные армии были расформированы. На 22 июня 1941 года советская стратегическая авиация в своем составе больше армий не имела. Остались только пять корпусов и три отдельные дивизии. Основное их вооружение — ДБ-3ф. Это великолепный бомбардировщик, но это не **стратегический** бомбардировщик. Еще оставались на вооружении ТБ-3. Их можно было использовать как транспортные самолеты, но как бомбардировщики они устарели. А ТБ-7, как мы уже знаем, было только одиннадцать. Этого количества было недостаточно даже для того, чтобы укомплектовать одну эскадрилью.

Без ТБ-7 стратегическая авиация перестала быть стратегической. Мало того, весной 1941 года Сталин устроил настоящий разгром. До этого высший командный состав стратегической авиации комплектовался только теми, кто отличился в боях, кто в небе Китая, Испании, Монголии доказал свое право командовать. Все командующие авиационными армиями — Герои Советского Союза. В те времена звание это весило гораздо больше, чем после войны. Командующий 2-й армией С.П. Денисов имел не одну, а две Золотые звезды. В те годы таких людей можно было пересчитать по пальцам одной руки. Весной 1940 года Сталин вводит генеральские звания, но звездами не разбрасывается: начальник

Главного управления ВВС — генерал-лейтенант авиации, начальник Штаба ВВС — генерал-майор авиации. При такой скупости командующих авиационными армиями Сталин не обижает: он им дает звания генерал-лейтенантов авиации. Командующие авиационными армиями по воинскому званию равнялись самому высокому авиационному начальнику и превосходили некоторых из его заместителей, включая и начальника Штаба ВВС. Сталин верит лидерам стратегической авиации: командующий 3-й армией генерал-лейтенант авиации И.И. Проскуров становится Начальником ГРУ, перед тем как принять под командование всю стратегическую авиацию.

Но вот Сталин на что-то решился и начинается разгром. Эта тема заслуживает отдельного исследования. А сейчас только пара примеров для иллюстрации: генерал-лейтенанта авиации С.П. Денисова Сталин отправил в Закавказье командовать авиацией второстепенного округа. Дальше он будет служить на должностях, не соответствующих его званию: выше командира дивизии не поднимется. Генерал-лейтенант авиации И.И. Проскуров в апреле 41-го был арестован, подвергнут чудовищным пыткам и ликвидирован в октябре. А командовать стратегической авиацией был назначен полковник Л.А. Горбацевич (Командование и Штаб ВВС. М., Наука, 1977. С. 26). Полковник нигде ранее не отличился (и не отличится в грядущем), но Сталину не нужны не только ТБ-7, но и командиры, доказавшие умение применять тяжелые бомбардировщики.

5

Кажется, нет такой ситуации, в которой ТБ-7 окажется лишним.

Если Сталин намерен предотвратить Вторую мировую войну, ТБ-7 нужны. Если Сталин решил позволить Гитлеру развязать мировую войну, а сам рассчитывает остаться нейтральным, то тогда ТБ-7 очень нужны как гарантия нейтралитета.

Если Сталин планирует оборонительную войну, то надо не ломать укрепленные районы на «Линии Сталина», а усиливать их. Надо войскам дать приказ зарыться в землю, как это было потом сделано под Курском. Надо было загородиться непроходимыми минными полями от моря до, моря, и, пока противник прогрызает нашу оборону, пусть ТБ-7 летают на недосягаемых высотах, пусть подрывают германскую экономическую мощь. В оборонительной войне ТБ-7 нужны.

Ресурсы Сталина неограниченны, а ресурсы Гитлера ограниченны. Поэтому, если война начнется, Сталину выгодно ее затянуть: война на истощение для Германии смертельна. А чтобы ресурсы истощились быстрее, надо стратегическими бомбардировками ослаблять военно-экономический потенциал. И лучшего инструмента, чем ТБ-7, тут не придумать.

Если Сталин решил дождаться германского вторжения и потом нанести контрудары (историки очень любят эту версию — так и пишут: планировал сидеть сложа руки и терпеливо ждать, пока Гитлер не стукнет топором, а уж потом намеревался ответить), то для ответного удара ничего лучшего, чем тысячу ТБ-7, вообразить нельзя.

История ТБ-7 опровергает не только легенду о контрударах, которые якобы готовил Сталин, но и легенду о том, что Сталин боялся Гитлера. Если боялся, то почему не заказать ТБ-7? Чем больше боялся, тем быстрее должен был заказать. Пусть читатель согласится со мной: когда мы ночью боимся идти диким лесом, мы берем в руки дубину. Чем больше боимся, тем большую дубину выбираем. И помахиваем ею воинственно. Не так ли? А Сталину дубину навязывают. Личный референт Сталина авиаконструктор генерал-полковник авиации А.С. Яковлев свидетельствует, что начальник НИИ ВВС генерал-майор авиации А.И. Филин не боялся в присутствии многих доказывать Сталину необходимость серийного выпуска ТБ-7. Спорить со Сталиным — это риск на грани самоубийственного подвига. «Филин настаивал, его поддерживали некоторые другие. В конце концов Сталин уступил, сказав:

— Ну пусть будет по-вашему, хотя вы меня и не убедили» (А. Яковлев. Цель жизни. С. 182). Это один из тех случаев, когда Сталин разрешил ТБ-7 выпускать. Вскоре Сталин одумается, свое решение отменит, и вновь найдутся смельчаки спорить с ним и доказывать...

Вопрос вот в чем: почему Сталину надо доказывать? Если все мы понимаем неоспоримые достоинства ТБ-7 и необходимость его серийного выпуска, почему Сталин таких простых вещей понять не может? А между тем и самому глупому ясно, что в темном лесу с дубиной веселее, чем без нее. Если все сводится к сталинской глупости, то ТБ-7 был бы запрещен одним махом и больше к этому вопросу Сталин не вернулся. Но Сталин восемь раз свое решение меняет на прямо противоположное. Что за сомнения? Как это на Сталина не похоже. Истребить миллионы лучших крестьян, кормильцев России? Никаких сомнений: подписал бумагу и вот вам — год великого перешиба. Уничтожить командный состав армии? Без сомнений. Подписать пакт с Гитлером? Никаких проблем: три дня переговоров и — пробки в потолок. Были у Сталина сомнения, были колебания. Но пусть меня поправят: такого не было. Отказ от ТБ-7 — это самое трудное из всех решений, которое Сталин принимал в своей жизни.

Это самое важное решение в его жизни. Я скажу больше: отказ от ТБ-7 — это вообще самое важное решение, которое кто-либо принимал в двадцатом веке. Вопрос о ТБ-7 — это вопрос о том, будет Вторая мировая война или ее не будет. Когда решался вопрос о ТБ-7, попутно решалась и судьба десятков миллионов людей... Понятны соображения Сталина, когда четыре раза подряд он принял решение о серийном производстве ТБ-7. Но когда Сталин столько же раз свое решение отменял, руководствовался же он чем-то! Почему никто из историков даже не пытается высказать предположения о мотивах Сталина?

6

У ТБ-7 были могущественные противники, и пора их назвать. Генеральный штаб РККА был образован в 1935 году. До германского вторжения сменилось четыре Начальника Генерального штаба: Маршалы Советского Союза А.И. Егоров и Б.М. Шапошников, генералы армии К.А. Мерецков и Г.К. Жуков. Все они были противниками ТБ-7. Противниками не только ТБ-7, но и вообще всех стратегических бомбардировщиков были многие видные авиационные генералы, включая П.В. Рычагова, Ф.К. Аржанухина, Ф.П. Полынина. Противником ТБ-7 был Нарком обороны Маршал Советского Союза С.К. Тимошенко. Ярым противником был референт Сталина по вопросам авиации авиаконструктор А.С. Яковлев.

Ну и, понятно, противниками стратегических бомбардировщиков были почти все советские военные теоретики, начиная с В.К. Триандафиллова.

Лучше всех доводы против тяжелых бомбардировщиков изложил выдающийся советский теоретик воздушной войны профессор комбриг Александр Николаевич Лапчинский. Он написал несколько блистательных работ по теории боевого применения авиации. Идеи Лапчинского просты и понятны. Бомбить города, заводы, источники и хранилища стратегического сырья — хорошо. А лучше — захватить их целыми и использовать для усиления своей мощи. Превратить страну противника в дымящиеся развалины можно, а нужно ли? Бомбить дороги и мосты в любой ситуации полезно, за исключением одной: когда мы готовим вторжение на вражескую территорию. В этом случае мосты и дороги надо не бомбить, а захватывать, не позволяя отходящему противнику их использовать или разрушать. Бомбардировка городов резко снижает моральное состояние населения. Это правильно. Кто с этим спорит? Но стремительный прорыв наших войск к вражеским городам деморализует население больше, чем любая бомбардировка. И Лапчинский рекомендует Сталину все силы Красной Армии направить не на подрыв военно-экономической мощи противника, а на захват. Задача Красной Армии — разгром армий противника. Задача авиации — открыть дорогу нашим армиям и поддержать их стремительное движение вперед. Лапчинский рекомендует войну не объявлять, а начинать внезапным сокрушительным ударом советской авиации по вражеским аэродромам. Внезапность и мощь удара должны быть такими, чтобы в первые часы подавить всю авиацию противника, не позволив ей подняться в воздух. Подавив авиацию противника на аэродромах, мы открываем дорогу танкам, а наступающие танки, в свою очередь, «опрокидывают аэродромы противника». Цели для нашей авиации — не городские кварталы, не электростанции и не заводы, а вражеский самолет, не успевший подняться в воздух, огневая точка, мешающая продвижению нашей пехоты, колонна машин с топливом для вражеских танков, противотанковая пушка, притаившаяся в кустах. Другими словами, предстоит бомбить не **площади,** а точечные **цели,** многие из которых подвижны. Предстоит бомбить не в стратегическом тылу, а в ближайшем тактическом, а то и прямо на переднем крае. А для такой работы нужен не тяжелый бомбардировщик, а легкий маневренный самолет, который подходит к цели вплотную, чтобы опознать ее, чтобы накрыть ее точно, не задев своих, — свои рядом. Нужен самолет, который или пикирует с высоты, или подходит к цели на бреющем полете, чуть не сбивая винтом верхушки деревьев.

Если мы намерены взорвать дом соседа, нам нужен ящик динамита. Но если мы намерены соседа убить, а его дом захватить, то тогда ящик динамита нам не нужен, тогда необходим более дешевый, легкий и точный инструмент. Вот Лапчинский и рекомендует Сталину другой инструмент: легкий пикирующий бомбардировщик или маневренный штурмовик. Стратегический бомбардировщик летает с дальних стационарных аэродромов на огромные расстояния, а нам нужен такой самолет, который всегда рядом, который базируется на любом временном грунтовом аэродроме, который легко меняет аэродромы вслед за наступающими дивизиями и корпусами, который выполняет заявки танкистов немедленно. Нужен легкий самолет, пилоты которого сами видят ситуацию, мгновенно реагируют на ее изменения и вкладывают свою долю в успешный исход быстротечного боя.

Владимир Петляков кроме тяжелого четырехмоторного (точнее — пятимоторного) ТБ-7 создал и другой — небольшой, двухмоторный, скоростной, маневренный, пикирующий бомбардировщик Пе-2. Это было именно то, что нужно Сталину. И Сталин решил: «Строить двухмоторные и числом побольше» (А.С. Яковлев. Цель жизни. С. 182).

А нельзя ли строить и легкие, и тяжелые бомбардировщики одновременно? Нет, говорил Лапчинский. Нельзя. ВСЕ СИЛЫ, ВСЕ ВОЗМОЖНОСТИ должны быть сконцентрированы на решении главной задачи: завоевании полного господства в воздухе, т. е. на внезапном ударе по аэродромам противника. Если такой удар нанесем, то города и заводы бомбить незачем.

Сталин долго позволял строить и те и другие, а потом понял: надо выбрать что-то одно.

И выбрал.

7

Если железная сталинская логика нам непонятна, то проще всего объявить Сталина безумцем. Но давайте глянем на Гитлера. Это **тоже** агрессор, и именно потому стратегической авиации у него нет. Гитлер готовит молниеносный захват Франции, и потому мосты надо не бомбить, а захватывать и сохранять. Мосты нужны германским танковым дивизиям для стремительного наступления. И Париж бомбить не надо. Париж со всеми своими сокровищами достанется победителю. Гитлеру не надо разрушать судостроительные верфи Бреста, танковые и артиллерийские заводы Шербура, Шамона и Буржа, авиазаводы Амстердама и Тулузы — они будут работать на усиление военной мощи Третьего рейха!

Для блицкрига Гитлеру нужна авиация, но не та, которая разрушает города и заводы, а та, которая одним ударом накроет французскую авиацию на аэродромах, которая внезапными ударами парализует всю систему военного управления. Нужна авиация, которая откроет путь танкам и обеспечит стремительность их рывка к океану. Нужна авиация, которая висит над полем боя, выполняя заказы танкистов, авиация, которая бьет не по гигантским **площадям,** а по точечным **целям.** Для блицкрига нужен небольшой пикирующий бомбардировщик, который несет совсем немного, но бомбит точно: двухмоторный Ю-88, а то — и одномоторный Ю-87...

Потом война пошла не тем руслом, война из быстротечной превратилась в затяжную. Появились города, германским танкам недоступные: Лондон и Челябинск, Бристоль и Куйбышев, Шеффилд и Магнитогорск. Вот тут Гитлеру стратегическая авиация не помешала бы... Но ее не оказалось...

А идеи Лапчинского, высказанные задолго до прихода Гитлера к власти, Сталиным были использованы. Правда, не в 41-м году, как замышлялось, а в 45-м. Сталинские пикирующие бомбардировщики Пе-2 и штурмовики Ил-2 внезапным ударом накрыли японские аэродромы, и советские танковые клинья вспороли Маньчжурию... Страна досталась победителю. Советские десантные подразделения высаживались в китайских городах не для того, чтобы разрушать мосты, дороги и заводы, а для того, чтобы не допустить их разрушения. В такой войне стратегической авиации работы не нашлось.

В двадцатых, в начале тридцатых годов стратегическая авиация была нужна Сталину, чтобы никто не помешал свободно наращивать советскую военно-экономическую мощь. Со второй половины тридцатых Сталин все более склоняется к сценарию такой войны, результатом которой будет не уничтожение экономического потенциала Германии, а его захват.

В ноябре 1940 года Сталин окончательно решил совершить против Германии то, что через несколько лет он совершит против Японии.

ГЛАВА 3

ПРО ИВАНОВА

Мы на горе всем буржуям
Мировой пожар раздуем,
Мировой пожар в крови —
Господи, благослови.

Александр Блок

1

Исследователь порой отдает всю жизнь научному поиску. И вот однажды судьба посылает удачу: он открывает имя ранее неизвестного фараона. Именно такая удача выпала и на мою долю. В пропыленных архивах нашел сведения о некем могущественном, но мало кому известном вожде, власть которого на одной шестой части суши границ не имела. Правда, мой фараон не из забытых веков, а из двадцатого. Звали фараона — товарищ Иванов. Кто его помнит? Кто его знает? А между тем названный товарищ, судя по документам, сосредоточил в своих руках необъятную власть. Вот пример. 25 сентября 1943 года Маршалы Советского Союза Г. Жуков и А. Василевский, генералы армии К. Рокоссовский, Н. Ватутин, И. Конев и Р. Малиновский получили совершенно секретную директиву на форсирование Днепра. Документ начинается сурово и просто: «Товарищ ИВАНОВ приказал...»

У товарища Иванова было достаточно власти, чтобы ввести в сражение одновременно пять армий. Или десять. Или двадцать. Директива от 25 сентября 1943 года отдавалась одновременно четырем фронтам, в составе которых была тридцать одна армия, включая четыре танковые армии и четыре воздушные. Это, конечно, не предел. В распоряжении товарища Иванова во время войны было семьдесят общевойсковых армий, восемнадцать воздушных, пять ударных, одиннадцать гвардейских, шесть гвардейских танковых. А помимо этого — армии НКВД, армии ПВО, отдельная гвардейская воздушно-десантная армия, десять саперных и т.д. и т.д., и отдельные корпуса десятками, и отдельные дивизии сотнями. И надо сказать, что приказы товарища Иванова выполнялись всеми маршалами и генералами беспрекословно, немедленно и любой ценой.

Парадоксально, но при такой власти товарищ Иванов был мало известен даже в очень высоких сферах. Пример: перед войной А.А. Шкварцев был советским послом (в те времена именовался полпредом) в Берлине. Советский посол в фашистской Германии — это очень высокий пост. Так вот Шкварцев долгие годы понятия не имел о существовании товарища Иванова. И однажды получилось нехорошо. В 1940 году прибыла в Германию советская авиационная делегация. Советские товарищи посетили секретные заводы, включая подземные, конструкторские бюро, осмотрели новейшие образцы германской авиационной техники, купили, что понравилось, и попросили посольство (в те времена именовалось полпредством) и торговое представительство покупки оплатить. (Тут снова вопрос возникает, кто кому больше верил: германские господа продали советским товарищам образцы всех новейших самолетов, подводных лодок, зенитных и противотанковых орудий, а советские товарищи не продавали Ил-2, Пе-2, Т-34, КВ, БМ-13 и даже не показывали такие вещи своим заклятым германским друзьям.) Итак, советская делегация выбрала Ме-108, Ме-109Е, Ме-110С, Ме-209, До-215, Ю-88, Хе-100 и много еще достойных машин. Немцы не прятали своих секретов, а наши не скупились: выбрали двенадцать типов, брали по два-три экземпляра, а то — и по пять-шесть. Кроме самолетов выбрали советские товарищи образцы двигателей, приборов, аппаратуры и много еще всего набрали. А посольству и торговому представительству — платить. Нет, говорят дипломатические товарищи, так дела не делаются: надо писать в Москву, согласовать с Наркоматом обороны и Наркоматом авиационной промышленности, те направят заказ в Наркомат торговли, там вопрос обсудят эксперты, согласуют с Наркоматом иностранных дел, подключим финансистов... Тут один нетерпеливый из авиационной делегации: нам бы поскорей — дайте я в Москву шифровку шарахну. Написал текст, зашифровал и просит отослать по адресу: «Москва, Иванову». Тут уж все посольство восстало, сам товарищ Шкварцев возмутился: да не может быть такого адреса, это вроде как — на деревню дедушке. А вы пошлите — тот из делегации упорствует.

Долго ругались. Наконец шифровку отослали.

Удивительно, но в Москве шифровка адресата нашла. Очень даже быстро. И пришел ответ. Без промедления. Вроде громыхнуло над посольством. Был тот ответ краток и прост, как приговор революционного трибунала. Московский адресат, товарищ Иванов, так рыкнул, что самолеты были куплены без промедления, счета оплачены сполна, а драгоценный груз курьерской скоростью отправлен куда следует.

Товарищ Шкварцев и другие ответственные товарищи сообразили, кто в Москве скрывается под скромной фамилией. Конечно, конечно, это был ОН. За кремлевскими стенами под псевдонимом «Иванов» жил и работал сам товарищ Иванович. Он же — Васильев. Он же Чижиков, он же Коба, он же Бесошвили и Джугашвили, он же Салин и Сталин.

Много было у Сталина псевдонимов. Одни отсеклись, забылись и стерлись, другие остались. Псевдоним «Иванов» оставался до самого конца и использовался в ситуациях экстраординарных.

Все это я рассказываю вот к чему: однажды, в 1936 году, Сталин собрал авиационных конструкторов у себя на ближней даче, угостил со всем кавказским гостеприимством, а потом поставил задачу: построить самолет (лучший в мире, этого пояснять не надо) под названием «Иванов».

2

Работы над проектом «Иванов» вели одновременно многие коллективы, в том числе под руководством Туполева, Немана, Поликарпова, Григоровича. В те времена под общим руководством Туполева работали конструкторские группы Петлякова, Сухого, Архангельского, Мясищева, под руководством Поликарпова — Микоян и Гуревич, у Григоровича работали Лавочкин и Грушин. Все, что Сталин приказал Туполеву, Григоровичу или Поликарпову, автоматически распространялось и на вассальные конструкторские группы. Одним словом, вся советская авиационная конструкторская мысль сконцентрирована на выполнении единой задачи. И не думайте про кооперацию. Как раз наоборот: жестокая конкуренция — победит сильнейший, а кнутов и пряников у товарища Иванова в достатке. Излишне пояснять, что «Иванов» — боевой самолет: не мог же Сталин бросить почти всех своих конструкторов на разработку самолета для гражданских нужд.

Любой справочник по истории авиации дает исчерпывающий материал о том, что из проекта «Иванов» в конечном итоге получилось, и коммунистические историки упирают на конечный результат. А я зову своих читателей разобраться в другом вопросе: не что получилось, а ЧТО ЗАМЫШЛЯЛОСЬ. В истории советской авиации был только один самолет, который разрабатывался под сталинским псевдонимом, причем девиз проекта — не по инициативе верноподданных низов, а по инициативе самого Сталина. Авиаконструктор В. Шавров свидетельствует: «Девиз «Иванов» — по указанию Сталина (это был его телеграфный адрес)» (История конструкций самолетов в СССР. 1938—1950. М., Машиностроение, 1988. С. 45). Самолета еще нет, конструкторы еще и карандашей в руки не взяли, а Сталин уже дал самолету свое имя. А ведь это именно тот самолет, на который Сталин делает ставку в грядущей Второй мировой войне, о необходимости и неизбежности которой он говорит постоянно и открыто. Есть ли другой самолет, на разработку которого Сталин бросил столько конструкторских сил?

Что же нужно заказчику?

Может быть, «Иванов» — стратегический бомбардировщик, который создается для того, чтобы отбить у потенциальных агрессоров желание нападать? Нет. Это не так. Стратегический бомбардировщик уже создан. Вспомним: идет тот самый 1936 год, в котором Петляков завершил работу над ТБ-7. Если Сталин намерен войну предотвратить, то не надо собирать конструкторов, не надо ставить им задачу на разработку нового самолета, а надо просто пустить в серию ТБ-7. Вот его бы и назвать «Ивановым» или прямо и открыто — «Сталиным». Какая символика: тут вам и полет на заоблачных недосягаемых высотах, тут и мощь несокрушимая, и сила удара, и предупреждение врагам, и много еще всякого придумали бы поэты и пропагандисты. Но нет. Не нужен товарищу Сталину самолет для предотвращения войны.

А может быть, товарищ Сталин считает, что грядущая война будет святой оборонительной войной в защиту отечества, и потому повелел создать лучший в мире истребитель, который защитит наше мирное небо? Нет. Товарищ Сталин так не считает, страну и армию к оборонительной войне не готовит. Я даже бумагу тратить не буду на доказательства того, что «великая отечественная» случилась по недоразумению, по оплошности, вопреки сталинским планам и замыслам. А вот на что мне не жалко времени, сил и бумаги, так это на доказательства простого факта — Сталин к войне готовился. Готовился так, как никто не готовился. Весь народ богатейшей в мире страны двадцать лет ютился в бараках, недоедал, толкался по очередям, доходил до людоедства и трупоедства ради того, чтобы подготовить армию к войне. Правда, не к великой и не к отечественной. Вот смотрите, среди присутствующих на сталинской даче — Николай Поликарпов. В предыдущем 1935 году на авиационной выставке в Милане поликарповский И-15бис официально признан лучшим истребителем мира, а у Поликарпова уже в серии И-16 и кое-что в разработке. Поликарпов — лидер в мировой гонке за лучший истребитель. Оставьте Поликарпова, не мешайте ему, не отвлекайте его, он знает, как делать истребители, только не сбивайте его с темпа. Идет гонка, и каждый час, каждая минута на вес крови. Но нет. Отвлекитесь, товарищ Поликарпов. Есть работа важнее, чем создание истребителя. Не интересует товарища Сталина истребитель для оборонительной войны.

Итак, каким же рисовался Сталину идеальный боевой самолет, на разработку которого он отвлекает своих лучших конструкторов, как создателей бомбардировщиков, так и создателей истребителей? Сам Сталин объяснил свое требование в трех словах — самолет чистого неба. Если это не до конца ясно, я объясню в двух словах — крылатый шакал.

3

Для того чтобы зримо представить сталинский замысел, нам надо из 1936 года мысленно перенестись в декабрь 1941 года на жемчужные берега Гавайских островов. Яркое солнечное утро. Американский флот — в гавани. В 7.55 в порту на сигнальной мачте поднимается синий «предварительный» сигнал, который дублируется всеми кораблями флота. После этого «предварительные» одновременно на всех кораблях скользнут вниз, зальются трелями боцманские дудки, запоют горны на эсминцах и крейсерах, грянут оркестры на линкорах и ровно в 8.00 поплывут вверх носовые гюйсы и кормовые государственные флаги... Так было всегда, но нас занесло в то самое утро, когда торжественную церемонию завершить не удалось: в 7.55 «предварительные» флаги скользят вверх, а из-под восходящего солнца заходит первая волна японских бомбардировщиков, торпедоносцев и истребителей. В первой волне — 183 самолета. Из них истребителей прикрытия — меньше четверти. Мощное истребительное прикрытие в этой обстановке не требуется. Японская воздушная армада в основном состоит из ударных самолетов — бомбардировщиков в торпедоносцев Накадзима Б-5Н1 и Б-5Н2. Вот именно эти самолеты нас интересуют. В их конструкции и характеристиках нет ничего выдающегося, но во внезапном ударе они великолепны. По виду, размерам, летным характеристикам Накадзима Б-5Н больше похож на истребитель, чем на бомбардировщик. Это дает ему возможность проноситься над целью так низко, что с кораблей и с земли видны лица пилотов, так низко, что промах при сбросе смертоносного груза почти исключен. Никадзима Б-5Н — низконесущий моноплан, двигатель один — радиальный, двухрядный с воздушным охлаждением. В некоторых самолетах экипаж 3 человека: пилот, штурман, стрелок. Но на большинстве — только два человека: самолеты используются плотными группами, как рои разъяренных ос, потому совсем не обязательно в каждом самолете иметь штурмана. Бомбовая нагрузка самолета — меньше тонны, но каждый удар — в упор. Оборонительное вооружение самолета Б-5Н относительно слабое — один-два пулемета для защиты задней полусферы. Оборонительного вооружения на ударных самолетах много не надо по той же причине, по которой не требуется сильного истребительного прикрытия: американские самолеты не имеют времени и возможности подняться в небо и отразить японское нападение. Б-5Н — самолет чистого неба, в котором самолетов противника или очень мало, или совсем нет.

Славно поработали легкие бомбардировщики Накадзима Б-5Н в Пёрл-Харборе, но на этом героическая страница и закрывается. Внезапный удар был недостаточно мощным, чтобы вывести надолго из войны американский флот и авиацию. В следующих боях, когда американцы пришли в себя, когда началась обыкновенная война без ударов ножом в глотку спящему, Б-5Н себя особенно не проявил. Производство этих самолетов продолжалось еще некоторое время. Всего их построили чуть более 1200, и на том их история завершилась. Б-5Н был создан для ситуации, когда в небе ему никто не мешает работать. Б-5Н страшен слабым и беззащитным, страшен в группе, страшен во внезапном нападении. Страшен как стая свирепых кровожадных гиен, которые не отличаются ни особой силой, ни скоростью, но имеют мощные клыки и действуют сворой против того, кто слабее, против того, кто не ждет нападения и не готов его отражать.

А при чем тут наш родной советский «Иванов»?

А при том, что он почти точная копия японского воздушного агрессора.

4

Летом 1936 года никто не мог предполагать, что случится в Пёрл-Харборе через пять лет. Летом 1936 года самолета Накадзима Б-5Н еще не было. Был только проект, который японцами не афишировался. Поэтому нельзя предположить, что советские конструкторы копировали японцев. Копирование требует времени. Даже если бы и удалось украсть техническую документацию (а это горы бумаги), то все равно на перевод (с японского!) потребовалось бы несколько лет. Накадзима Б-5Н в Японии и сразу несколько вариантов «Иванова» в СССР создавались почти параллельно: первый полет Б-5Н — в январе 1937 года, первый полет «Иванова» — 25 августа того же года. Поэтому мы говорим не о копировании, а о двух самостоятельных процессах развития, которые очень сходны. Это не все: были построены самолеты «Иванов» Немана, «Иванов» Поликарпова, «Иванов» Сухого... Каждый конструктор ревниво оберегал свои секреты от соперников, но у каждого советского конструктора вырисовывался все тот же крылатый шакал: легкий бомбардировщик, по виду, размерам и летным характеристикам больше похожий на истребитель. Каждый советский конструктор независимо от своих конкурентов выбрал все ту же схему — низконесущий моноплан, двигатель один, радиальный, двухрядный с воздушным охлаждением. Каждый советский конструктор предлагал свой вариант «Иванова», но каждый вариант поразительно похож на своих незнакомых собратьев и на далекого японского брата по духу и замыслу. И это не чудо: просто всем конструкторам поставили задачу создать инструмент для определенного вида работы, для той самой работы, которую через несколько лет будут делать японские самолеты в небе Пёрл-Харбора. А раз работа предстоит та же самая, то и инструмент для ее выполнения каждый конструктор создает примерно одинаковый. Если всем ученикам в классе задать одну задачу, то все правильные ответы будут одинаковыми. А кроме того, в ходе работ над проектом «Иванов» чья-то невидимая, но властная рука направляла тех, кто уклонялся от генерального курса. На первый взгляд вмешательство на высшем уровне в работу конструкторов — это просто прихоти капризного барина. Например, некоторые конструкторы ставили на опытные образцы по две огневые точки: одна — для защиты задней верхней полусферы, другая — задней нижней. Таких поправили — обойдемся одной точкой, заднюю нижнюю полусферу защищать незачем. Некоторые прикрывали экипаж и важнейшие узлы броневыми плитами со всех сторон. Их поправили: прикрывать только снизу и с бортов. Павел Сухой свой «Иванов» в первом варианте сделал цельнометаллическим. Попроще, сказал чей-то грозный голос. Попроще. Крылья пусть остаются металлическими, а корпус можно делать фанерным. Упадет скорость? Ничего. Пусть падает.

Странный вкус у товарища Сталина? Нет. Это стальная логика: мы наносим внезапный удар и давим авиацию противника на земле, после этого летаем в чистом небе. Самолет противника в небе — это редкий случай. Пилот прикрыт спереди широколобым двигателем воздушного охлаждения, который нечувствителен даже к пробоинам в цилиндрах. Осталось прикрыть экипаж снизу и с бортов. Нападать на наши самолеты сверху и сзади будут редко, обойдемся одной пулеметной установкой, а перегружать лишней броней незачем. Нижнюю заднюю полусферу защищать второй пулеметной установкой незачем: мы подходим на низких высотах, истребитель противника ниже нас оказаться не может.

Некоторые конструкторы предлагали экипаж в три человека: летчик, штурман и стрелок. Опять одернули: хватит двоих — самолеты противника мы внезапным ударом уничтожим на земле и потому стрелку в воздухе все равно много работы не будет. И штурману работы не много — мы действуем плотными группами, как разъяренные осы: смотри на ведущего, следуй за ним, действуй как он. Так что работу штурмана и стрелка совмещаем, за счет этого добавляем полезную бомбовую нагрузку. Оборонительные возможности снижаем, наступательные повышаем...

5

Между советскими прототипами «Иванова» и японским воздушным агрессором были различия. Они диктовались тем, что главное для Японии — контроль над океаном, для нас — контроль над континентом. Потому «Иванов» в варианте торпедоносца пока не разрабатывался. Зато его возможности по нанесению внезапных ударов по аэродромам резко превосходили все то, что было на вооружении любой другой страны. В 1941 году Красная Армия применила совершенно необычное оружие: наземные подвижные реактивные установки залпового огня БМ-8 и БМ-13, которые вошли в историю как «Сталинские органы», или «Катюши». Они стреляли снарядами М-8 (калибр 82 мм) и М-13 (132 мм). Залп нескольких установок — это лавина огня со скрежетом, ревом и грохотом. Многие германские солдаты, офицеры и генералы свидетельствуют, что это было жуткое оружие.

Реактивные снаряды М-8 и М-13 применялись также и с многих типов советских самолетов, в основном с Ил-2 и Ил-10. Но мало кто помнит, что реактивные снаряды первоначально разрабатывались для самолетов «Иванов», группы которых должны были стать «летающими батареями». Реактивные снаряды были грозным оружием, особенно если его применяли внезапно сразу десятки самолетов с предельно малой высоты.

Летом 1936 года Накадзима Б-5Н еще не летал ни разу и о нем было мало известно. В конструкции японского самолета не было ничего рекордно-сенсационного, что могло привлечь сталинское внимание. Но Сталин уже в 1936 году мыслил теми же категориями, что и японские адмиралы. Уже в 1936 году Сталин приказал своим конструкторам создать тот тип самолета, который в одно прекрасное утро появляется в лучах восходящего солнца.

Это был именно тот сценарий, по которому Сталин намеревался вступить в войну.

ГЛАВА 4

ПРО ПЛОХОГО МОЛОТОВА И ХОРОШЕГО ЛИТВИНОВА

> Гитлер готовится к войне...
> Удар против Запада в более или менее близком будущем мог бы осуществиться лишь при условии военного союза между фашистской Германией и Сталиным.
>
> Но только наиболее бесшабашная часть русской белой эмиграции может верить в возможность такого абсурда или пытаться пугать им.
>
> *Троцкий.*
> *«Бюллетень оппозиции». № 35. С. 15*

1

Для того чтобы Вторая мировая война началась, Сталин должен был сделать, казалось бы, невозможное: заключить союз с Гитлером и тем самым развязать Гитлеру руки.

Сталин Гитлеру руки развязал. Делал он это не лично. Для таких дел у Сталина был заместитель. Заместителя звали Молотов.

В сталинской пирамиде власти Вячеслав Молотов прочно занимал второе место после самого Сталина. В те времена лидеров на официальных церемониях и в прессе перечисляли не по алфавиту, а по положению, которое они занимали в системе власти. Список лидеров был барометром исключительной точности: любая оплошность — и лидера оттирают к концу списка, а то и вовсе выгоняют с коммунистического Олимпа в направлении лубянских подземных лабиринтов. Кровавые схватки за власть долгие годы как бы обходили первое и второе места иерархии, прочно занятые Сталиным и Молотовым. Борьба шла за третье, четвертое и все последующие места. Списки вождей появлялись почти каждую неделю: состоялся парад, вожди на параде присутствовали — публикуется список, через несколько дней прием — опять публикуется список и т.д. Однажды я собрал сто списков вождей в том порядке, в котором они появлялись в прессе. На экране компьютера эти списки быстро прокрутил. Получился удивительный калейдоскоп: Сталин и Молотов недвижимы, а все, кто ниже по списку, — в перманентной дикой драке. Пролетарские лидеры так и скачут по ступенькам власти, так и скачут, как черти в хороводе. С седьмого места — на третье, с третьего — на пятое, с пятого — на восьмое, с восьмого — снова вверх и столь же стремительно исчезают, чтобы больше никогда в списке не появиться. Впечатление такое, что чья-то сильная рука тасует карты, мелькают и Жданов, и Маленков, и Каганович, исчезает Ежов, появляется Берия, исчезает еще кто-то, вот Хрущев всех растолкал, вот его оттерли, вот сцепились Вознесенский, Булганин, Микоян... Этот дикий пляс лучше воспринимается, если на полную мощь включить «Танец с саблями»...

А на вершине власти, где восседают Сталин и Молотов, — покой и стабильность.

2

Разделение обязанностей между Сталиным и Молотовым было точно таким, как разделение обязанностей старшего и младшего в следственной группе НКВД: сначала допрос ведет младший следователь, без лишних слов порет подследственного плетью, пока шкура клочьями не полетит, рвет зубы, резиновой палкой отбивает печень, почки и все, что там есть внутри. Младший следователь завершает трудовой день, уходит, а допрос продолжает старший следователь: он добр, участлив и даже ласков, он с удивлением узнает, что в этих стенах в его отсутствие кто-то нарушал социалистическую законность. Старший следователь обещает разобраться... А подследственный, почувствовав доброту и участие, готов рассказать свои обиды... А потом появляется младший следователь...

В тандеме Сталин—Молотов Молотов играл роль младшего следователя, Сталин — старшего. Вот сталинские речи в преддверии террора, в его разгар и после. Найдем ли свирепый рык, найдем ли требование крови и скальпов? Да нет же. Найдем нечто совсем другое. «Говорят о репрессиях против оппозиции... Что касается репрессий, то я решительно против них». Это говорит Сталин 19 ноября 1924 года. Или вот еще: «Вы хотите крови товарища Бухарина? Мы не дадим ее вам!» Это тоже говорит товарищ Сталин на XIV съезде партии. Какие-то злодеи хотят крови товарища Бухарина, а добрый Сталин спасает товарища Бухарина от кровожадных извергов. До чего добр старший следователь!

Не знаю, какие злодеи хотели бухаринской крови, но расстрелян он был по сталинскому приказу.

Распределение ролей между Сталиным и Молотовым сохранялось не только во внутренней, но и во внешней политике. Во время международных конференций Молотов требует, настаивает, напирает. Все требования — от Молотова, все уступки — от доброго Сталина. Это принималось за чистую монету: западные дипломаты верили — вся злость от Молотова, если бы не этот ястреб, все было бы чудесно. И мало кто понимал: умри Молотов внезапной смертью, к примеру, перед Ялтинской конференцией, Сталин горевал бы долго, а потом все равно назначил на его место нового младшего следователя...

3

Перед войной Сталин провел страну через три испытания: индустриализацию, коллективизацию, великую чистку. Каждый раз роль Сталина была ролью Верховного существа, которое с недосягаемых вершин взирает на происходящее, а Молотов (с 1930 года он, кроме всего, — глава правительства) осуществлял повседневное непосредственное руководство. Сталин руководил всем, а Молотов там, где в данный момент совершалось самое главное событие. Именно так на войне делят обязанности: командир держит под контролем все свои войска, а его первый заместитель отвлекается от побочных дел и руководит той частью войск, которые выполняют самую важную задачу. План индустриализации принимался съездом партии по докладу Молотова (в случае провала Сталин за индустриализацию не отвечал). Коллективизацией руководила «Деревенская комиссия Политбюро», которую возглавлял Молотов. За все головокружения от успехов товарищ Сталин тоже ответственности не нес. Надо старшему следователю отдать должное: младшего следователя он старался сильно грязью не мазать. Грязь попадала на Молотова только в самом крайнем случае. При любой возможности ответственность возлагалась на низшие эшелоны власти. Вина за «перегибы» в коллективизации легла на «некоторых руководителей районного масштаба».

Неоспорима роль Молотова в великой чистке. Ежов даже чисто формально был всего лишь одним из наркомов в правительстве Молотова. А если глянуть на закулисную сторону чистки, то роль

Молотова в ряде случаев вполне сравнима с ролью самого Сталина. Маршал Советского Союза Г.К. Жуков описывает Молотова так: «Это был человек сильный, принципиальный, далекий от каких-либо личных соображений, крайне упрямый, крайне жестокий, сознательно шедший за Сталиным и поддерживавший его в самых жестоких действиях, в том числе и в 1937—1938 годах, исходя из своих собственных взглядов. Он убежденно шел за Сталиным, в то время как Маленков и Каганович делали на этом карьеру» (ВИЖ. 1987. № 9. С. 49).

Великая чистка завершилась. Вину свалили на Ежова, самого Ежова ликвидировали, чистку назвали ежовщиной. Молотов чист. Сталин — тем более.

Три этапа прошли. Результат: страна подчинена Сталину, армия, НКВД, писатели и историки, крестьяне и музыканты, генералы и геологи, дипломаты и все, все, все — под контролем. Сельское хозяйство в руках партии: бери из деревень хоть все и по любой назначенной Кремлем цене, можно и бесплатно, промышленность дает продукцию, армия покорна, аппарат НКВД вычищен и готов к новым свершениям. Что дальше? Третий этап — великая чистка — завершился в конце 1938 года. Страна вступает в новый этап.

Что теперь замышляет Сталин, куда направит он усилия страны? Определить главное направление легко. Надо просто смотреть, на какую работу Сталин поставит Молотова...

В мае 1939 года Сталин назначает Молотова Народным комиссаром иностранных дел с сохранением должности главы правительства...

4

Казалось бы, после великой чистки на втором месте должен стоять Главный идеолог или Главный инквизитор. Главный планировщик, на худой конец. Но нет. На втором месте — Нарком иностранных дел. Этому факту может быть только одно объяснение: в ходе индустриализации, коллективизации и великой чистки коммунисты обеспечили «равенство и братство» в своей стране и теперь их взор обращен на соседей. Соседям тоже надо обеспечить счастливую жизнь. В этом смысл нового этапа, в этом смысл нового назначения Молотова.

Возразят: если Сталин готовил великую освободительную войну, так почему поставил Молотова на внешнюю политику? Логично было бы поставить Молотова во главе армии или военной промышленности.

Возражение не принимаю. Сталин действовал правильно. Война — лишь один из инструментов внешней политики. Войны выигрываются прежде всего политикой. Нужно найти хороших, надежных, богатых, мощных и щедрых союзников, нужно поставить союзников в такое положение, чтобы они помогали в любой ситуации, независимо от того, подписаны с ними договора или нет. Нужно так представить себя, чтобы все верили: Советский Союз всех боится, Советский Союз — невинная жертва, Советский Союз хочет мира и только мира, если Советский Союз захватывает чужие территории, если советские чекисты стреляют людей тысячами, так это ради прогресса. Дипломатия должна так работать, чтобы Сталин подписал договор с Гитлером, но чтобы все считали Гитлера агрессором и захватчиком, а Сталина — жертвой. Чтобы все думали, будто Сталин идет на такой шаг вынужденно и другого выхода у него нет.

Если дипломаты выиграют, то генералам останется только довершить. Но если дипломаты проиграют, если мир будет видеть в вашей стране только агрессора, который стремится к покорению соседей, то вашим генералам придется туго.

Молотов оказался великим дипломатом. Поставленную задачу выполнил, на политическом фронте победил.

Без победы на политическом фронте победа в бою или невозможна, или бесполезна. Гитлер проиграл в сфере большой политики еще до того, как заговорили пушки. Надо было не скрывать концлагеря, а показать их всему миру, объявив, что они созданы ради прогресса. Надо было захватывать соседние земли, но представлять так, что это жестокая необходимость: мы бы не хотели, но вынуждены. Надо было искать союзников за океаном, богатых, сильных и щедрых...

А еще надо было играть комедию: сам Гитлер — человек хороший и добрый, и если бы все от него зависело... жаль, что рядом с ним такой несговорчивый злодей Риббентроп.

В сфере большой политики Гитлеру и Риббентропу следовало учиться у Сталина и Молотова.

5

Когда говорят о назначении Вячеслава Молотова Наркомом иностранных дел, обязательно вспоминают предшественника — Максима Максимовича Литвинова.

Про Литвинова принято говорить хорошо, политику Литвинова вспоминают добрым словом: вот, мол, был хороший человек Литвинов, всей душой — к Западу, любил мир, хотел сближения, делал все возможное... а потом появился плохой Молотов и повел политику на сближение с Гитлером. Вот он-то, этот плохой Молотов, все и испортил...

Со стороны выглядело так. Но если разобраться, то окажется, что политики Литвинова не существовало и не могло существовать. Литвинов — один из наркомов в правительстве Молотова, и проводил Литвинов не свою политику, а политику Молотова, точнее — политику Сталина. Литвинов выступал не от своего имени, а от имени советского правительства, главой которого был Молотов. Но на деле внешняя политика определялась не правительством, а решениями Политбюро. Ведущими членами Политбюро были Сталин и все тот же Молотов. Литвинов ни членом, ни кандидатом в члены Политбюро не был и потому к решению вопросов внешней политики допуска не имел. Роль его — исполнять приказы Сталина и Молотова.

Трудно согласиться и с тем, что Молотов вдруг внезапно появился на международной арене вместо Литвинова. Нет. Молотов постоянно на сцене присутствовал, только из зала его было не видно: он находился чуть выше, там, где в кукольном театре находится кукловод, который дергает за веревочки и произносит речи, которые в зале воспринимаются как речи кукол.

Молотов всегда стоял над Литвиновым как могущественный член Политбюро, как глава правительства над своим министром, как первый заместитель Главного механика мясорубки. Если бы Литвинов осмелился хоть на шаг отступить от инструкций Сталина — Молотова, то оказался бы там, где оказались многие из его коллег-дипломатов. Сам Литвинов никогда не претендовал на самостоятельную политику и постоянно это подчеркивал. Одно из многих свидетельств: И.М. Майский в 1932 году отправляется с дипломатической миссией в Лондон. Максим Литвинов дает Майскому последние инструкции. «Вы понимаете, конечно, — пояснил Максим Максимович, — что это не мои личные директивы, а директивы более высоких органов»

(И.М. Майский. Кто помогал Гитлеру. С. 13). Так говорил Литвинов за несколько лет до великой чистки. Во время чистки Литвинов и подавно своевольничать не смел. Да и вообще он сохранил голову под сталинско-молотовским топором потому, что не только был покорен и предан, но и имел достаточно хитрости, чтобы эту покорность и преданность при всяком случае демонстрировать.

Литвинов был выбран и выдвинут Молотовым не зря. Когда Украина корчилась в судорогах голода, организованного Сталиным — Молотовым, упитанная физиономия Литвинова была лучшим доказательством того, что не все в Советском Союзе голодают. Когда Сталин — Молотов, ограбив страну, закупали в странах Запада военную технологию, надо было иметь соответствующие отношения и с Америкой, и с Британией, и с Францией. У Литвинова это получалось. Не потому с Западом отношения были чудесными, что Литвинову так захотелось, а потому, что Сталину — Молотову нужна была технология. С Гитлером, кстати, тоже контакты не рвали.

А потом наступило время помощь Запада повернуть против Запада. Литвинов был больше не нужен, и его выгнали. И вот тогда из-за кулис вышел плохой Молотов и объявил, что комедия кончена, пора за комедию расплачиваться, а вместо комедии начинается трагедия.

На этом история хорошего Литвинова не кончается. В 1941 году после нападения Гитлера снова потребовалась помощь Запада. Литвинова достали из-за печки и назначили заместителем Молотова. Задача: установить хорошие отношения с Британией и США, требовать помощи.

С поставленной задачей хороший Литвинов справился.

ГЛАВА 5

ПРОЛОГ НА ХАЛХИН-ГОЛЕ

> Победивший в одной стране социализм отнюдь не исключает разом все войны. Наоборот, он их предполагает.
>
> *Ленин.*
> *«Военная программа пролетарской революции»*

1

19 августа 1939 года Сталин принял решения, которые повернули мировую историю. Когда-то откроют архивы, и мы найдем много интересного. Но главного не найдем. И вот почему.

«Сколько раз я вам говорил — делайте что хотите, но не оставляйте документов, не оставляйте следов». Это слова самого Сталина. Он произнес их публично с трибуны XVI съезда партии. В этом месте стенограмма фиксирует «гомерический хохот всего зала». Съезд бурно смеялся — товарищ Сталин изволил шутить. Понятно, Сталин говорил не о себе, а о своих противниках, которые якобы руководствуются принципом не оставлять документов и следов. Но съезд зря смеялся. Сталин всегда приписывал противникам свои собственные намерения, принципы и методы. Своих противников Сталин чуть позже перестреляет. И почти всех делегатов XVI съезда перестреляет. А документы о своем личном участии оставит в минимальных количествах.

Ни один диктатор не может сравниться со Сталиным в умении заметать следы личного участия в преступлениях.

Как это делалось, рассказывает Анастас Микоян, который побил все рекорды выживания. Он состоял в ЦК с 1923 по 1976 год, т. е. 53 года, из них 40 лет являлся кандидатом или членом Политбюро. Он описывает совещания у Сталина: «Чаще всего нас было 5 человек. Собирались мы поздно вечером или ночью и редко во второй половине дня, как правило, без предварительной рассылки повестки. Протоколирования или каких-либо записей по ходу таких заседаний не велось» (ВИЖ. 1976. № 6. С. 68).

Референт Сталина генерал-полковник авиации А.С. Яковлев: «На совещаниях у Сталина в узком кругу не было стенографисток, секретарей, не велось каких-либо протокольных записей» (Цель жизни. С. 498).

Маршал Советского Союза Д.Ф.Устинов во время войны был Наркомом вооружений: «На заседаниях и совещаниях, которые проводил Сталин, обсуждение вопросов и принятие по ним решений осуществлялось нередко без протокольных записей, а часто и без соответствующего оформления решений» (Во имя победы. С. 91).

Другими словами, решения принимались, но на бумаге не фиксировались. Как в мафии.

Маршал Советского Союза Г.К. Жуков во время войны был заместителем Верховного главнокомандующего, т. е. Сталина: «Многие политические, военные, общегосударственные вопросы обсуждались и решались не только на официальных заседаниях Политбюро ЦК и в Секретариате ЦК, но и вечером за обедом на квартире или на даче И.В. Сталина, где обычно присутствовали наиболее близкие ему члены Политбюро» (Воспоминания и размышления. С. 296).

Генерал-полковник Б. Ванников был Наркомом вооружений, затем Наркомом боеприпасов: «На заседаниях и совещаниях у Сталина существовала практика — обсуждать вопросы и принимать по ним решения нередко без протокольных записей... Отсюда ясно, что освещение многих событий только по документам недостаточно и неполно, а в ряде случаев и неточно» (ВИЖ. 1962. № 2).

Совещания у Гитлера славились многолюдием. Все, что говорил Гитлер, фиксировалось для истории тремя стенографистками и личным историком. А у Сталина совещания не просто похожи на тайные сборища заговорщиков и конспираторов, они таковыми были по духу и существу. Тут не оставляли документов и следов. Поэтому, как учил нас Сталин, будем смотреть не на слова, которые от нас скрывают, а на дела, которые на виду.

2

Если неопытный игрок садится играть в карты с шулером, то обычно допускает только одну ошибку: берет карты в руки...

В августе 1939 года в Москву прибыли британская и французская военные делегации для переговоров о совместных действиях против Германии. Правительства Британии и Франции повторили ошибку неопытных игроков. Сев за один стол со сталинскими шулерами, Британия и Франция переговоры проиграли.

Ни британское, ни французское правительства намерений Сталина не поняли. А сталинский замысел прост: заставить Францию и Британию объявить войну Германии... или спровоцировать Германию на такие действия, которые вынудят Францию и Британию объявить Германии войну.

Германия и Франция имели общую границу, а Советский Союз был отделен барьером нейтральных государств. При любом раскладе, при любой комбинации сил основные боевые действия могли быть между Германией и Францией при активном участии Британии, а Советский Союз формально мог быть на одной из сторон, но фактически оставался как бы в стороне от европейской мясорубки и мог ограничиться посылкой экспедиционных сил...

Переговоры со Сталиным были для Франции и Британии проигрышными в любом случае. Советская сторона могла использовать в своих политических целях все, начиная со списка членов дипломатических делегаций. Если бы Франция и Британия отправили в Москву делегации высокого ранга, то Сталин мог сказать Гитлеру: смотри, что тут против тебя затевается, а ну подписывай со мной пакт, иначе... Если бы Британия и Франция прислали в Москву делегации низкого ранга, то Сталин мог обвинить Британию и Францию в нежелании «обуздать агрессора»: в составе советской делегации сам Нарком обороны товарищ Ворошилов, а вы кого прислали?

Получив согласие от британского и французского правительств на переговоры, Сталин сразу оказался в ситуации, в которой проиграть нельзя. Для Сталина открылись две возможности:

— или советская делегация будет выдвигать все новые и новые требования и доведет дело до того, что Британия и Франция будут вынуждены начать войну против Германии;

— или переговоры сорвутся и тогда Британию и Францию можно будет обвинить во всех смертных грехах, а самому подписать с Гитлером любой самый гнусный пакт.

И советская делегация выдвинула требования: у нас нет общей границы с Германией, нашим войскам нужны проходы через Польшу.

Это требование было неприемлемым для Польши и ненужным для Советского Союза. Неприемлемым потому, что правительство и народ Польши знали, что такое Красная Армия и НКВД. Чуть позже Эстония, Литва и Латвия позволили разместить советские гарнизоны на своей территории и попали в коммунистическое рабство, которое при другом развитии событий могло стать вечным. Опасения польской стороны были обоснованны и впоследствии подтвердились массовыми захоронениями польских офицеров на советской земле.

Если бы Сталин хотел мира, то зачем ему проходы в Польше? Член Политбюро, Нарком обороны Маршал Советского Союза К.Е. Ворошилов заявил на переговорах: «Так как Советский Союз не имеет общей границы с Германией ...путей вступления в соприкосновение с агрессором не имеется» («Международная жизнь». 1959. № 3. С. 157).

Ну так и радуйтесь! Неужели Ворошилову и Сталину цинизма не хватает понять, что отсутствие общих границ с гитлеровской Германией — это благо для страны. Если, конечно, мы намерены обороняться или лучше всего — вообще остаться в стороне от войны.

Но Сталин не намеревался ни обороняться, ни тем более оставаться вне войны. Коридоры через польскую территорию были нужны Сталину, с одной стороны, для советизации Польши, с другой стороны — коридоры давали возможность нанести внезапный удар в спину Германии в случае, если она ослабеет в войне против Франции, Британии и потенциально — против США. Никакого иного применения коридорам через польскую территорию не придумать.

Были и другие предложения советской стороны: давайте начнем войну против Германии не только в случае прямой германской агрессии, но и в случае «косвенной агрессии». Что есть «косвенная агрессия», известно только товарищу Сталину и его дипломатам. Если бы предложения советской делегации были приняты, то Сталин (совершенно справедливо) мог требовать от Британии и Франции выступления против Германии в ответ на любой внешнеполитический акт Германии. Формулировка растяжимая, при желании «косвенной агрессией» можно назвать что угодно. Сценарий войны в этом случае предельно упрощался — в ответ на любые действия Германии Франция и Британия по требованию Сталина были бы вынуждены выступить против нее. Выступил бы и Советский Союз, но не со своей территории, а с польской, что удобно и безопасно.

В любом случае основные боевые действия развернулись бы между Францией и Германией, а потом свежие советские войска через польскую территорию нанесли бы завершающие удары в спину Германии.

Британия и Франция, согласны на такой вариант? Нет? Тогда переговорам конец, вы виноваты в их срыве!

Делегации Франции и Британии, желая доказать серьезность своих намерений, сообщили советской стороне сведения чрезвычайной важности, которые сообщать Сталину не следовало: если Германия нападет на Польшу, Британия и Франция объявят войну Германии.

Это была та информация, которую так ждал Сталин.

Гитлер считал, что нападение на Польшу пройдет безнаказанно, как захват Чехословакии. А Сталин теперь знал, что Гитлера за это накажут.

Так ключ от начала Второй мировой войны попал на сталинский стол.

Сталину оставалось только дать зеленый свет Гитлеру: нападай на Польшу, я тебе мешать не буду (а Франция и Британия объявят тебе войну). 19 августа 1939 года Сталин сообщил Гитлеру, что в случае нападения Германии на Польшу Советский Союз не только не останется нейтральным, но и поможет Германии.

В Москву прибывает Риббентроп и 23 августа подписывает пакт с Молотовым о нападении на Польшу...

3

Второй мировой войны могло и не быть. Выбор был за Сталиным.

У Сталина было две возможности.

94

Первая. Независимо от позиции Британии, Франции или Польши официально объявить, что Советский Союз будет защищать польскую территорию как свою собственную. Польское правительство не желает советских войск на польской территории, в этом ничего страшного. Если Германия разгромит польскую армию и свергнет правительство, тогда Красная Армия вступит на польскую территорию и будет воевать против Германии. Чуть раньше Советский Союз официально заявил: «Границу Монгольской Народной Республики мы будем защищать как свою собственную» («Правда», 1 июня 1939 года).

Слова не расходились с делом. Именно в тот день, 1 июня 1939 года, заместителя командующего Белорусским военным округом комдива Г.К. Жукова вызвали из Минска в Москву.

Утром 2 июня Жукова встретил Р.П. Хмельницкий, командир для поручений особой важности при Наркоме обороны, и сообщил, что маршал К.Е. Ворошилов уже ждет. После короткого инструктажа — путь Жукова в Монголию, где он защищал территорию Монголии от японской агрессии так, как защищал бы советскую территорию.

Именно так мог поступить Сталин и на своих западных границах: официально и твердо заявить, что нападение на Польшу превратится в упорную и длительную войну, к которой Германия не готова...

Была в августе 1939 года у Сталина и вторая возможность — затягивать переговоры с Британи-

ей и Францией, и это было бы Гитлеру предупреж-
дением: нападай на Польшу, но имей в виду — вся
Европа против тебя, мы тут в Москве сидим и о
чем-то совещаемся, нам достаточно блокировать
Германию...

Но Сталин выбрал третий путь: Гитлер, нападай на Польшу, я тебе помогу. Гитлер напал... и
получил войну со стороны Британии и Франции...

Что Сталину и требовалось.

4

19 августа 1939 года были приняты и другие решения исторической важности. В далекой Монголии Жуков подготовил внезапный удар по 6-й японской армии. Принципиальное согласие на
внезапный удар Сталин дал раньше, но теперь, когда
все подготовлено, Жукову надо получить разрешение окончательное. В тот момент были и другие
варианты действий. Например, советским войскам
встать в глухую оборону, а подготовленное наступление отменить. Наступление — риск. В случае уда-
чи Япония получит урок на многие годы. В случае
провала — весь мир заговорит о том, что Сталин
обезглавил армию и воевать она не способна. В случае провала Жукова можно расстрелять, но его кро-
вью военного позора не смоешь.

В субботу, 19 августа 1939 года, Сталин шиф-
ровкой передает Жукову одно только слово: ДОБ-
РО. Через несколько часов Жуков наносит удар.

Правда, там, в Монголии, в момент нанесения удара был уже не поздний вечер 19 августа, а воскресный рассвет 20-го.

В 5.45 153 советских бомбардировщика под прикрытием соответствующего количества истребителей нанесли внезапный удар по позициям японских войск. Тут же заговорила артиллерия. Артиллерийская подготовка была короткой (2 часа 45 минут), но небывало мощной. В ходе огневой подготовки советская авиация нанесла второй удар и в 9.00 танковые клинья вспороли японскую оборону. Замысел Жукова был прост. Жуков провел классическую операцию на окружение — относительно слабый центр и две мощные подвижные фланговые группировки. Центр только сдерживает противника, а ударные группировки на флангах, не ввязываясь в затяжные бои, обходя очаги сопротивления, стремительно уходят вперед и соединяются позади противника. Через трое суток кольцо окружения вокруг японских войск сомкнулось и начался разгром. Операция на Халхин-Голе блистательна в замысле и в исполнении. Жуков рисковал. Но риск себя оправдал. Жуков приказал вынести аэродромы как можно ближе к линии фронта. Это позволило самолетам брать меньше топлива, но больше бомб. Интенсивность использования авиации резко повысилась: самолеты взлетали, еще не набрав высоты, бомбили, быстро возвращались, брали бомбы и вновь взлетали. А когда советские танки ушли далеко вперед, авиация могла их поддерживать без смены аэродромов базирования. Жуков вынес к самому переднему краю госпитали и базы снабжения — подача боеприпасов, топлива и всего необходимого для боя осуществлялась бесперебойно и быстро, эвакуация раненых не требовала много времени, через несколько минут после ранения солдат оказывался на операционном столе. Жуков вынес свой и все другие командные пункты к переднему краю так, что сам лично мог видеть панораму сражения, а когда войска ушли далеко вперед, ему не потребовалось перемещать командный пункт вслед за войсками. В ходе подготовки наступления Жуков почти полностью запретил пользование радиосвязью. Связь в основном осуществлялась по проводам короткими, понятными только двум говорящим приказами и командами. Операция готовилась втайне. Каждый исполнитель получал указания только в рамках своих обязанностей и не имел представления ни об общем замысле, ни о размахе и сроках начала наступления. Впрочем, многие не знали и о самом наступлении. Жуков обманывал не только японскую разведку, но прежде всего своих собственных солдат и командиров. Они до самого последнего момента считали, что готовится оборона на длительный период. Если свои солдаты и командиры верили в это, то верил и противник...

Дезинформация дала обильный результат: во всей предшествующей японской истории не было столь ужасного поражения. Разгром 6-й японской армии на Халхин-Голе имел стратегические последствия. Была остановлена японская агрессия в направлении Советского Союза и Монголии и повернута в другую сторону... В 1941 году в критические для Советского Союза дни японские генералы, помня урок Халхин-Гола, не решились напасть.

Халхин-Гол — это первая в двадцатом веке молниеносная война, блицкриг в чистом виде. Это первое в истории правильное применение танков крупными массами для ударов в глубину. Это пример небывалой концентрации артиллерии на узких участках фронта. Это образец абсолютной внезапности сокрушающих ударов — за первые полтора часа сражения японская артиллерия не произвела ни единого выстрела и ни один японский самолет не поднялся в воздух.

Халхин-Гол — начало восхождения Жукова.

5

После возвращения Жукова из Монголии Сталин доверил ему самый мощный из советских военных округов — Киевский, а в феврале 1941 года назначил Начальником Генерального штаба. В этой должности Жуков готовил войну против Германии. На германской границе (только в несоизмеримо большем масштабе) он повторил все то, что применил против японской армии.

Жуков создал две сверхмощные подвижные ударные фланговые группировки во Львовском и Белостокском выступах, кроме того — еще одну группировку для удара в Румынию.

Жуков выдвинул аэродромы к самым границам и сосредоточил на них по сто, иногда и по двести самолетов.

К самым границам Жуков выдвинул госпитали, базы снабжения, командные пункты. Жуков выдвинул к границам сотни тысяч тонн боеприпасов, топлива, запасных частей для танков и самолетов.

Жуков почти полностью запретил пользование радиосвязью.

Жуков сохранял свой замысел в абсолютном секрете, и мало кто в Красной Армии знал, что же предстоит делать...

При внезапном нападении противника все это имело катастрофические последствия. Вся деятельность Жукова в начале 1941 года воспринимается как серия просчетов и роковых ошибок. Но в 1942 году он повторит все эти «ошибки» при подготовке внезапного сокрушительного удара двух фланговых подвижных группировок под Сталинградом. И снова он вынесет аэродромы, командные пункты, базы снабжения и госпитали к переднему краю...

Разгром 6-й японской армии на Халхин-Голе, «ошибки» 1941 года и разгром 6-й германской армии под Сталинградом — это единый стиль Жукова. Так действовал он и дальше, и каждая его операция — это внезапность, концентрация мощи, глубокие стремительные прорывы. Это его почерк. В начале июня 1941 года он готовил против Германии именно то, что готовил в августе 1939 года на Халхин-Голе.

6

19 августа 1939 года Сталин дал зеленый свет Гитлеру: нападай на Польшу; и Жукову: наноси удар по 6-й японской армии. В этот день Сталин принял и другие решения.

Однако советские историки доказывали, что в этот день никаких решений не принималось и вообще заседания Политбюро 19 августа 1939 года вовсе не было. Каждая советская книга о начале войны этот момент особо подчеркивала: не было в тот день заседания. Маршал Советского Союза А.М. Василевский несколько раз на выступлениях перед офицерами Министерства обороны и Генерального штаба повторял: запомните, 19 августа 1939 года заседания не было. Начальник Института военной истории генерал-лейтенант П.А. Жилин начинал свои лекции с заявления о том, что 19 августа 1939 года заседания не было. То же самое делали другие генералы, маршалы, историки, идеологи. Если бы сведений о заседании Политбюро не было, то надо было так и говорить: мы об этом ничего не знаем. Если на заседании ничего серьезного не произошло, то следовало сказать: было заседание, но обсуждались невинные вопросы. Но линия была другой: заседания не было! Верьте нам: не было! Мы проверили: не было! Мы подняли архивы: не было заседания! И чтобы все поверили, была выпущена двенадцатитомная официальная «История второй мировой войны». И заявлено: «В этот субботний день, 19 августа 1939 года заседания Политбюро вообще не было» (Т. 2. С. 285). Под этим подписались: Институт военной истории Министерства обороны СССР, Институт марксизма-ленинизма при ЦК КПСС, Институт всеобщей истории Академии наук СССР, Институт истории СССР Академии наук СССР и персонально: Маршалы Советского Союза А.А. Гречко, В.Г. Куликов, С.К. Куркоткин. Адмирал флота Советского Союза С.Г. Горшков, член Политбюро А.А. Громыко, первый заместитель председателя КГБ генерал армии С.К. Цвигун, генералы армии А.А. Епишев, С.П. Иванов, Е.Е. Мальцев, А.И. Радзиевский, С.М. Штеменко, генерал-полковник А.С. Желтов, ученые мужи с мировыми именами Г.А. Арбатов, Н.Н. Иноземцев, П.Н. Федосеев и еще многие, многие, многие. Том консультировали (и не возражали) члены ЦК, генералы, профессора, членкоры, академики... В их числе Маршалы Советского Союза И.Х. Баграмян, П.Ф. Батицкий, А.М. Василевский, К.С. Москаленко, главный маршал бронетанковых войск П.А. Ротмистров, главный маршал авиации П.С. Кутахов, Начальник

ГРУ генерал армии П.И. Ивашутин и многие с ними.

Советские лидеры четко делились на две группы: тех, кого к тайне допустили, и тех, кого не допустили. Те, кто рангом пониже, проявляли безразличие: было заседание в тот день или не было, велика ли разница? А посвященные при упоминании о заседании Политбюро 19 августа 1939 года вдруг превращались в зверей. Если бы у Маршала Советского Союза А.И. Еременко были рога, то быть мне на тех рогах в тот самый момент, когда в разговоре заикнулся о заседании 19 августа. А через несколько лет поразила ярость, с которой Маршал Советского Союза А.А. Гречко с высокой трибуны доказывал: 19 августа 1939 года заседания Политбюро не было. И думалось: да что это вы, товарищ Маршал Советского Союза, так нервничаете, успокойтесь. А он гремел добрых 20 минут: не было заседания, не было, не было! Мне тогда стало жутко: точно так убийца на суде кричал, что не было его в переулке, не было, не было!

50 лет нам доказывали, что заседания не было. И вот генерал-полковник Д.А. Волкогонов 16 января 1993 года опубликовал статью в газете «Известия»: было заседание в тот день и он сам держал в руках протоколы.

У нас есть расхождения с Дмитрием Антоновичем Волкогоновым, но всей душой благодарен ему за поддержку. На мой взгляд, генерал Волкогонов совершил научный подвиг, сообщив всему миру, что заседание в тот день было.

Правда, генерал Волкогонов говорит, что в протоколах сохранились только второстепенные вопросы. Прочитаем начало этой главы еще раз и зададим себе вопрос: любил ли товарищ Сталин свои преступные замыслы на бумаге фиксировать?

Но слишком круто был повернут руль внешней политики в тот день, но слишком резко изменен курс мировой истории, слишком много кровавых событий почему-то восходят своим началом к этому дню. И потому остаюсь в убеждении: в тот день решения были приняты. И если нам не суждено увидеть их на бумаге, то следствия этих решений у нас на виду.

Одной строкой в газете генерал Волкогонов уличил советских вождей, включая Сталина, членов Политбюро, маршалов, генералов, лидеров именитых институтов в сокрытии правды. Генерал Волкогонов открыл, что все эти Арбатовы и Иноземцевы, Цвигуны и Ивашутины, Рокоссовские и Федосеевы, Мальцевы и Куликовы — лжецы и лжесвидетели. О заседании Политбюро они лгали не вразнобой, но хором, т. е. по сговору. Если действительно 19 августа 1939 года на заседании Политбюро обсуждались лишь второстепенные проблемы, то стоило ли вождям и маршалам, научным светилам и возглавляемым ими институтам столь дружно лгать 50 лет?

ГЛАВА 6
О МИНИСТЕРСТВЕ БОЕПРИПАСОВ

> Несколько слов, товарищи, об отношении советских писателей к войне... Мы, писатели, надеясь в будущем по количеству и качеству продукции обогнать кое-какие отрасли промышленности, никак не собираемся обгонять одну отрасль — оборонную промышленность. Во-первых, ее все равно не обгонишь. а во-вторых, это такая хорошая и жизненно необходимая отрасль, что ее как-то неудобно обгонять.
>
> *Михаил Шолохов.*
> *Выступление на XVIII съезде партии.*
> *20 марта 1939 г.*

1

В Советском Союзе не было министров и министерств. Коммунистический переворот в 1917 году делался ради того, чтобы навсегда освободиться от государственной власти, в том числе — от министров и министерств. Переворот совершили, министров истребили, министерства разогнали, а потом сообразили, что действия людей, пусть даже совершенно свободных, надо координировать. Вместо министров назначили народных комиссаров, а вместо министерств организовали народные комиссариаты, наркоматы. По существу, ничего не изменилось, только бюрократии добавилось. В 1946 году, когда всем стало ясно, что мировая революция не состоялась, наркомы и наркоматы были переименованы в министров и министерства. Но в 1939 году надежды на мировую революцию были обоснованными и потому использовались революционные термины: комиссары, наркоматы и т.д.

Много лет производством вооружения ведал Наркомат оборонной промышленности. 11 января 1939 года он был упразднен, а вместо него создавались четыре новых наркомата: судостроительной промышленности, вооружений, авиационной промышленности, боеприпасов.

Наркомат судостроения неофициально именовался наркоматом подводных лодок. Теоретически этот наркомат выпускал и гражданские, и военные корабли. На практике дело обстояло так: «К 1935 году все основные кораблестроительные заводы были переведены на строительство боевых кораблей» (ВИЖ. 1982. № 7. С. 55). В 1939 году Германия вступила во Вторую мировую войну, имея 57 подводных лодок. Советский Союз, уверяют нас, вступать в войну не намеревался, но имел в сентябре 1939 года 165 подводных лодок. Может, то были плохие подводные лодки? Нет, подводные лодки были на уровне мировых стандартов. Некоторые проекты подводных лодок по советским заказам разрабатывались в фашистской Германии фирмой «Дешимаг». (Говорят, что Сталин доверял Гитлеру, следовало бы разобраться, кто кому больше доверял...) Строительство подводных лодок в Советском Союзе осуществлялось с использованием самой современной американской технологии, при участии весьма именитых американских инженеров. Об этом есть великолепная книга Антони Сюттона «Национальное самоубийство. Военная помощь Советскому Союзу». (Говорят, что Сталин был доверчивым, думаю, что Рузвельт этим страдал в большей степени.) Кроме американских, немецких, британских, итальянских, французских достижений в советском судостроении использовались и отечественные технические решения. У нас тоже были талантливые инженеры. Вспомним хотя бы сверхмалую подводную лодку М-400, которая не имела обычного сочетания дизелей и аккумуляторных батарей. Лодка имела единый двигатель, который работал на искусственной газовой смеси. Лодка сочетала в себе качества обычной подводной лодки и торпедного катера. Она могла незаметно подойти к цели, внезапно всплыть и атаковать как торпедный катер. А можно было тихо подойти к цели в подводном положении и атаковать из подводного положения, а затем всплыть и стремительно уйти. Вспомнить стоит и сверхмалую подводную лодку М-401 (заложена 28 ноября 1939 года, спущена на воду 31 мая 1941 года). Она имела единый двигатель, работающий по замкнутому циклу. Были и другие достижения на уровне мировых и выше.

С момента своего создания Наркомат судостроения занялся работой чисто военной. Мало того, многие корабли, которые раньше построили для гражданских нужд, теперь вооружались и передавались в состав военного флота. Только одним решением СНК от 25 мая 1940 года в состав военных флотов передавались гражданские корабли в следующих количествах: для Балтийского флота — 74; для Черноморского — 76; для Северного — 65; Тихоокеанского — 101. Одновременно предприятия Наркомата судостроения перешли на работу в две удлиненные смены, что фактически означало перевод на режим военного времени. Результат: на 22 июня 1941 года Советский Союз имел 218 подводных лодок в строю и 91 в постройке.

Кроме подводных лодок строились надводные боевые корабли, а еще надводные боевые корабли закупались за рубежом. Пример: перед войной на Черном море появился боевой корабль, поражавший изяществом форм и необычной окраской. Люди, не знавшие, к какому классу кораблей принадлежит этот красавец, называли его «голубым крейсером». Но это был не крейсер, а лидер. Его имя «Ташкент». О кораблях, достойных упоминания в «Советской военной энциклопедии», обычно говорится: «Построен на одном из отечественных заводов». Про лидер «Ташкент» этого не сказано, указаны только годы постройки и год вступления в строй — 1940. Привычные слова пропущены потому, что краса и гордость Черноморского флота лидер «Ташкент» был построен в фашистской Италии. (Опять вопрос, кто кому больше доверял?)

Понятно, лидер «Ташкент» был куплен без вооружения. Муссолини продал бы Сталину и вооружение, но в то время во всем мире не было ничего, что могло бы сравниться по характеристикам с советской 130-мм корабельной пушкой. Поэтому установка вооружения осуществлялась в Николаеве.

Италия была не единственной страной, которая продавала Сталину боевые корабли. В мае 1940 года в Ленинград был приведен недостроенный германский крейсер «Лютцов» и поставлен к достроечной стенке Балтийского судостроительного завода. Теперь Сталин уже спешил. Крейсер — это огромное и сложное сооружение, его достраивать несколько лет, не было времени вносить изменения в проект и устанавливать советское вооружение. Было решено полностью строить по германскому проекту и устанавливать германское вооружение. И Германия поставляла вооружение.

2

Прочитав такое, отказываешься верить: май 1940 года! Германский блицкриг в Западной Европе. Британский флот блокировал германское судоходство. Гитлеру оставалось или воевать против Британии, а для этого нужен мощный флот, или искать мира с Британией, и для этого нужен мощный флот: разъяренная Британия со слабым разговаривать не станет, а потребует убраться из оккупированных стран. Гитлер далеко отставал от Британии в области надводных кораблей, и вот он в это критическое время продает недостроенные, т. е. самые современные свои корабли!

Удивительно и поведение Сталина: он объявил себя нейтральным, но строит огромный флот сам да еще и скупает боевые корабли у воюющих держав.

Разгадка этим удивительным фактам проста: уже в 1940 году Германия испытывала жуткую нехватку стратегического сырья, морские пути были блокированы и потому стратегическое сырье Гитлер мог покупать в достаточном количестве и ассортименте только у Сталина. В обмен Гитлер был вынужден продавать технологию и боевую технику, включая новейшие самолеты, пушки, корабли, аппаратуру связи, управления огнем и т.д. Сталин знал о критическом положении в германской экономике и мог Гитлеру стратегического сырья не продавать. В этом случае война в Европе быстро бы затухла. Но Сталин хотел, чтобы война разгоралась, чтобы Франция, Британия, Германия и все остальные страны истощили себя войной, Сталин намеревался воспользоваться их слабостью и установить в истощенной Европе свои порядки. Для того Сталин и строил свой флот, для того скупал боевую технику везде, где возможно, для того питал Гитлера стратегическим сырьем.

Могут спросить, а отчего двести сталинских подводных лодок и вся остальная морская мощь не дала отдачи, которой можно было ожидать от самого сильного подводного флота мира? Ответ простой: это была наступательная мощь. Это был инструмент, созданный для агрессивной войны. В оборонительной войне его было трудно или вообще невозможно использовать. На XVIII съезде партии командующий Тихоокеанским флотом флагман 2 ранга Н.Г. Кузнецов говорил: «Флот должен превратиться и превратится, как и вся Рабоче-Крестьянская Красная Армия, в самый нападающий флот». Кузнецов выступал на съезде прямо после Михаила Шолохова. Шолохов потом за великий гуманизм получит Нобелевскую премию. А тогда на съезде за правильное отношение к военной промышленности и другие заслуги его ввели в состав ЦК вместе с Кузнецовым. Кузнецова, кроме того, назначили Наркомом Военно-морского флота. Это был самый талантливый из всех советских флотоводцев. После войны он получил звание Адмирала флота Советского Союза. В советской истории только три человека имели такое звание. Кузнецов выполнил обещание съезду, он превратил советский флот в самый нападающий, но для оборонительной войны нужны были другие корабли с другими характеристиками: охотники за подводными лодками, тральщики, сторожевые корабли, сетевые заградители. По приказу Кузнецова запасы снарядов, торпед, мин, корабельного топлива были переброшены к германским границам, к румынским границам: в Лиепаю, в речные порты Дуная. Там запасы и были захвачены немцами.

Лиепая находилась так близко к границе, что бои за город начались уже 22 июня. Оборону Лиепаи от нападения с суши никто не готовил. В Лиепае, кроме всего прочего, были сосредоточены (и потеряны) три четверти запасов топлива Балтийского флота.

Не только система базирования советского флота была ориентирована на агрессивную войну, не только состав флота формировался исходя из агрессивных планов, но и вооружение кораблей соответствовало только участию в агрессивной войне. Советские корабли, имея мощное артиллерийское и минно-торпедное вооружение, имели весьма слабое зенитное вооружение. В войне агрессивной мощного зенитного вооружения кораблям не требовалось просто потому, что войну советские генералы и адмиралы замышляли начинать внезапным сокрушающим ударом по аэродромам противника и подавлением его авиации.

Война вопреки замыслам получилась оборонительной, не мы нанесли первыми удар, а по нам. Противник господствовал в воздухе, а у советских войск и кораблей — слабое зенитное вооружение.

От удара с воздуха в августе 1941 года сильно пострадал, к примеру, лидер «Ташкент». Он был отремонтирован, в июне 42-го снова сильно поврежден авиацией противника, а в июле авиацией же потоплен. Но это только один из примеров. О флоте разговор впереди, а сейчас речь только о том, что Наркомат судостроения был наркоматом военного судостроения и имел задачу строить корабли с максимальной наступательной мощью и минимальной оборонительной, чтобы сделать советский флот самым нападающим...

3

Наркомат авиационной промышленности тоже теоретически производил и военные, и гражданские самолеты. Но можно вспомнить десяток названий великолепных истребителей, бомбардировщиков, штурмовиков, которые авиапромышленность выпускала тысячами, а вот вспомнить название гражданского самолета так просто не удается.

Был один самолет, который можно в какой-то степени считать гражданским, да и тот создан не у нас, а в Америке. Это был лучший в мире транспортный самолет С-47. Его строили у нас по лицензии и в качестве пассажирского, и в качестве транспортно-десантного. Так его и использовали: и в военном, и в гражданском вариантах, но для удобства все выпускаемые самолеты сразу на заводе красили в зеленый цвет, чтобы потом не перекрашивать.

Наркомат вооружений в комментариях не нуждается, а вот Наркомат боеприпасов — это нечто оригинальное. Оригинальное потому, что даже во время войны самые, как мы привыкли считать, агрессивные государства отдельного министерства боеприпасов не имели. В Германии, например, даже после вступления во Вторую мировую войну производством вооружений и боеприпасов ведали не два разных министра, а один. А Советский Союз в мирное время создал министерство, которое занималось исключительно только одной проблемой, только производством боеприпасов.

4

В момент создания Наркомата боеприпасов Советскому Союзу никто не угрожал. Япония имела мощную авиацию и флот, но сухопутная армия Японии была относительно небольшой, вдобавок японская армия вела малоперспективную войну в Китае. Япония имела ограниченные запасы стратегического сырья. Советская разведка уже в то время докладывала правительству, что Япония может решиться на большую войну ради захвата источников сырья, но интересуют японцев в первую очередь те районы, где уже налажены добыча и переработка этого сырья, ибо оно потребуется Японии немедленно. Другими словами, Япония будет бороться за контроль над южными территориями, а не полезет в Сибирь, где ресурсы неисчерпаемы, но их разведка, добыча и переработка требуют многих лет и огромных затрат. Еще в 1936 году советская военная разведка сделала вывод о том, что перед овладением южными территориями Япония будет вынуждена какими угодно средствами нейтрализовать Тихоокеанский флот США, который является единственной угрозой японской экспансии в южных морях. Короче говоря, советская разведка и Генеральный штаб Красной Армии не верили в возможность серьезной японской агрессии в Сибири и не боялись ее.

Советский Генеральный штаб, правительство и сам Сталин не очень боялись и германской агрессии в начале 1939 года. Общей границы с Германией не было, и потому Германия не могла напасть. Создание Наркомата боеприпасов в январе 1939 года не было ответом на германскую подготовку к войне. Советская разведка знала, что в тот момент германская промышленность работала в режиме мирного времени. Начальник ГРУ Иван Проскуров в июле 1939 года докладывал Сталину, что Германия не готова к большой войне: в случае если Германия нападет только на Польшу, запас авиационных бомб Германии будет израсходован на десятый день войны. Никаких резервов в Германии больше нет. После войны в Германии вышла книга «Итоги второй мировой войны». Среди авторов генерал-фельдмаршал К. Кессельринг, генерал-полковник Г. Гудериан, генерал-полковник Л. Рендулич, генерал-лейтенант Э. Шнейдер, контр-адмирал Э. Годт и другие. Сравнивая оценки советской военной разведки и действительное положение вещей, мы должны признать, что советская военная разведка ошиблась: запас авиационных бомб Германии кончился не на десятый, а на четырнадцатый день войны.

Видимо, самое лучшее исследование о развитии германской армии во времена Третьего рейха сделал генерал-майор Б. Мюллер-Гиллебранд (Das Heep. 1933—1945. Frankfurt/M, 1954—1956). Генерал сообщает (Т. 1. С. 161), что в 1939 году Главное командование сухопутных сил требовало создания запаса боеприпасов, которых бы хватило на четыре месяца войны. Однако таких запасов создано не было. Если четырехмесячный запас принять за 100%, то пистолетных патронов было запасено только 30%, т. е. на 36 дней, снарядов для горных орудий — 15%, мин для легких минометов — 12%, а для тяжелых минометов — 10%. Лучше всего обстояло дело со снарядами для тяжелых полевых гаубиц — их запасли на два месяца войны. Хуже всего — с танковыми снарядами. В сентябре 1939 года основным танком германского вермахта был Т-II с 20-мм пушкой. Снарядов для этих танков было запасено 5% от требуемого четырехмесячного запаса, т. е. на шесть дней войны.

Несмотря на это, Гитлер не спешил переводить мобилизацию промышленности на нужды войны. Германская армия участвует в войне, которая становится сначала европейской, а потом и мировой, но германская промышленность все еще живет в режиме мирного времени.

Советская военная разведка могла не знать полной картины положения с боеприпасами в Германии, но я в архивах ГРУ нашел отчеты о запасах и потреблении цветных металлов в германской промышленности за все предвоенные годы. Эти сведения давали довольно четкую картину положения в германской промышленности.

Коммунисты 50 лет внушали нам, что в 1939 году война была неизбежна, мир катился к войне и Сталину ничего не оставалось, как подписать пакт о начале войны. Анализ ситуации в германской промышленности вообще и в области производства боеприпасов в частности позволяет утверждать, что ситуация была совсем не столь критической. Никуда мир не катился, и войны можно было бы избежать. Если бы Сталин захотел. И еще: если бы Красная Армия в сентябре 1939 года выступила на стороне Польши, то Сталину это ничем не грозило (и он это знал), а Гитлер мог потерпеть жестокое поражение просто из-за нехватки боеприпасов.

Но Сталин не воспользовался германской слабостью в тот момент, и странная игра Гитлера продолжалась. За зиму положение с боеприпасами в Германии несколько улучшилось, и в мае 1940 года

Гитлер нанес сокрушительное поражение Франции. Снарядов хватило, но, если бы Сталин ударил по Германии в 1940 году, отбиваться Германии было бы нечем, ибо промышленность все еще не была мобилизована. Потом была «Битва за Британию»: германская авиация — в войне, германская промышленность — нет. Потом Гитлер напал на Советский Союз. И тут ему ужасно повезло: у самых границ он захватил огромные советские запасы. Без них дойти до Москвы он не мог. Мы уже знаем, зачем Жуков перебросил стратегические запасы к западным границам.

Захватить сталинские запасы — большая удача для Гитлера, но нужно было думать и о переводе собственной промышленности на военные рельсы. А с этим Гитлер не спешил. Война в России — серьезный бизнес, и германской армии приходилось тратить снаряды в невиданных ранее количествах. Производство снарядов ни в коей мере не соответствовало потребностям армии. Генерал-майор Б. Мюллер-Гиллебранд приводит целые страницы вопиющей статистики. Вот просто наугад некоторые цифры из многих тысяч им подобных. В октябре 1941 года в ожесточенных боях против Красной Армии германская армия израсходовала 561 000 75-мм снарядов, а промышленность за тот же период произвела 76 000 этих снарядов. В декабре израсходовано 494 000, получено от промышленности — 18 000. Это не могло продолжаться долго.

Германскую армию спасало только то, что Красная Армия в тот момент сидела на голодном пайке. Сталин быстро создавал новую промышленность, а германские генералы уговаривали Гитлера начать мобилизацию германской промышленности. Гитлер только на словах был сторонником «пушек вместо масла».

29 ноября 1941 года министр вооружения и боеприпасов Германии Ф. Тодт заявил Гитлеру, что «война в военном и экономическом отношении проиграна». Ф. Тодт еще не знал, что через неделю Сталин начнет грандиозное зимнее наступление. Считалось, что у Сталина силы исчерпаны. Но даже и не зная всей остроты ситуации, еще до начала русской зимы министр бьет тревогу и требует от Гитлера поисков пути прекращения войны, которая ничего хорошего Германии не сулит.

Но Гитлер не спешил.

В декабре Сталин наносит мощные удары. В декабре Гитлер объявляет войну Соединенным Штатам. Кажется, сейчас он должен начать перевод промышленности на режим военного времени. Но Гитлер выжидает.

И только в январе 1942 года он принимает решение о начале перевода германской промышленности на нужды войны.

Вся разница между Сталиным и Гитлером в том, что Гитлер сначала ввязался в войну против всего

119

мира, отвоевал более двух лет, а потом начал мобилизацию промышленности на нужды войны.

Сталин действовал как раз наоборот. Всеми силами Сталин старался оттянуть момент вступления Советского Союза в войну, но мобилизацию промышленности и ее перевод на режим военного времени начал еще в январе 1939 года.

ГЛАВА 7

ПАРТИЯ В САПОГАХ

> Никто из них не видел истинных масштабов организационной подготовки, проводимой генсеком через аппарат...
>
> *А. Антонов-Овсеенко.*
> *«Портрет тирана». С. 46*

1

Сталин ходил в сапогах, в полувоенной одежде. Сталинская партия подражала вождю: обувалась в сапоги, одевалась в полувоенную одежду. Посмотрим на фотографии Кирова, Маленкова, Кагановича...

Не только внешним видом партия напоминала армию. Сталин так объяснял ее структуру: «В составе нашей партии, если иметь в виду ее руководящие слои, имеется около 3—4 тысяч высших руководителей. Это, я бы сказал, — генералитет нашей партии.

Далее идут 30—40 тысяч средних руководителей. Это — наше партийное офицерство.

Далее идут 100—150 тысяч низшего партийного командного состава. Это, так сказать, наше партийное унтер-офицерство» («Правда», 29 марта 1937 г.).

Партия отвечала взаимностью: «Маршал мировой революции товарищ Сталин».

В тридцатых годах партия процветала: кровопускания ей шли на пользу, без них партия загнивала. В конце 1938 года завершилось великое партийное кровопускание и цветущая партия вступила в новый этап своего существования.

Новый этап начинается XVIII съездом. Некоторые западные историки этот съезд прямо называют съездом подготовки к войне. Это правильно, но только с уточнением: подготовки к «освободительной» войне. Каждый, кто сам листал газету «Правда» тех дней, подтвердит: все — о войне, но ни слова — о войне оборонительной. Если об обороне и говорилось, то только в смысле упреждающего удара и молниеносного переноса войны на территорию противника.

От слов на съезде переход к делу был прямым и коротким. Структура партии: райкомы, горкомы, обкомы, ЦК союзных республик — была структурой управления государством. В начале 1939 года во всех подразделениях партийной структуры от райкома и выше создаются военные отделы. Через военные отделы партия берет под контроль процесс подготовки к войне. Военные отделы направляют и контролируют процессы накопления мобилизационных запасов, перевод промышленности, сельского хозяйства и транспорта на режим военного времени. Через военные отделы партия руководит многосложным и многотрудным процессом подготовки населения к войне.

Коммунистическая партия заскрипела офицерскими сапогами и генеральскими портупеями громче, чем раньше. Законодатели партийной моды рекомендовали серо-зеленый цвет, защитные гимнастерки, шинельное сукно.

И усилилось переплетение: перспективных военных — на работу в партийные комитеты, партийных лидеров — в Красную Армию. На самом верху, в Центральном Комитете партии, военным выделили необычно много мест. В состав ЦК в начале 1939 года вошли оравой лидеры армии, флота и военной промышленности. Чуть позже, в начале 1941 года, был еще один набор генералов и адмиралов в состав ЦК. Грань между партией и армией различалась все трудней: партия руководит военным строительством, генералы заседают в ЦК партии.

7 мая 1939 года приказом Наркома обороны СССР на Военно-политическую академию РККА была возложена ответственность (помимо ее основной деятельности) за военную переподготовку партийных руководителей высокого ранга. Для партийных товарищей меньшего калибра были организованы курсы военной подготовки при штабах военных округов, армий, корпусов, дивизий.

29 августа 1939 года Политбюро приняло постановление «Об отборе 4000 коммунистов на политработу в РККА».

Дальновидные товарищи в Политбюро: начали мобилизацию коммунистов еще до того, как мобилизация была официально объявлена Верховным Советом СССР. Интересно получается: 23 августа с Гитлером подписали договор о ненападении, логично было бы в соответствии с договором проводить не мобилизацию коммунистов в армию, а демобилизацию, не призывать в армию тысячи людей, а отпускать их из армии...

2

Цифра — 4000 коммунистов — смущает: ведь немного. Однако за этой скромной цифрой скрываются события весьма грозные. Мы же не о рядовых коммунистах говорим. Работягу, который сдуру вступил в партию, призывают в армию повесткой военкомата. В 1939 году в армии было около 180 000 коммунистов, а к лету 1941 года — 560 800. За два года в армию призвали минимум 380 000 рядовых коммунистов. Для этого постановления Политбюро не требовалось. Постановлением Политбюро в армию призывают не простых коммунистов, а так называемых ответственных работников, т. е. номенклатуру партии.

А много ли от них в армии толка, от толстопузых? Да и по профессии все они не полководцы, а администраторы-бюрократы, стоит ли внимание уделять этим горе-воякам? На мой взгляд, стоит. Их же не с винтовками в руках воевать посылают, а на политработу. Самый низший уровень, на котором в те времена существовала должность офицера-политработника, — рота. Если бы 4000 коммунистов посылали на партийную работу на уровень рот, то и тогда следовало сформировать 4000 новых рот. Однако уже в 1939 году было внесено предложение ради экономии должность офицера-политработника на ротном уровне ликвидировать. Это предложение было одобрено, и в 1940 году должности политработников на ротном уровне начали сокращать. Должности офицеров-политработников оставались только на уровне батальонов и выше. Рассмотрим последствия сокращения штатов на примере.

Генерал-полковник Л.М. Сандалов описывает маленькую совсем деталь из общей картины тайной мобилизации Красной Армии. Речь идет о неприметном кусочке советско-германской границы, вблизи которого несут службу четыре пулеметно-артиллерийских батальона по 350—400 солдат в каждом. Проводятся незаметные мероприятия, и вскоре на этом участке уже не четыре, а пять батальонов, но в каждом батальоне — по 1500 солдат (ВИЖ. 1988. № 11. С. 7). Было на этом участке где-то 1400—1600 солдат, а стало (при добавлении всего одного батальона) 7500. Офицеров-политработников было двадцать (четыре на батальонном уровне и шестнадцать на ротном), стало пять. После тайной реорганизации число солдат увеличилось в пять раз, а число офицеров-политработников сократилось в четыре раза, ибо в каждом батальоне остается только один офицер-политработник. Остальные пятнадцать — экономия. Их можно использовать теперь для формирования пятнадцати новых батальонов общей численностью 22 500 солдат. Этот процесс характерен для всей Красной Армии: количество войск резко возрастает, а офицеры-политработники при этом освобождаются. Их немедленно используют для укомплектования новых батальонов, полков, дивизий, корпусов, армий. Кроме того, политические училища готовят тысячи новых политработников по ускоренным программам. Высший политический состав готовит Военно-политическая академия. Но рост армии настолько стремителен, что политработников все равно не хватает, и тогда призывают из запаса тысячи ранее подготовленных политработников. В начале 1941 года, например, 11 000 человек (ИВОВСС. Т. 1. С. 461). Но призывали политработников-резервистов и в предыдущие два года. (Это сколько же новых батальонов можно укомплектовать?) Политработников-резервистов, понятно, призывали без постановления Политбюро. Но в дополнение к ним Политбюро принимает решение послать в армию тысячи своих номенклатурных работников. И если все это принять во внимание, то картина вырисовывается вполне серьезная.

3

Понятно, что номенклатуру, призванную в армию, использовали не на батальонном уровне и вряд ли на полковом. Все это — усиление политических органов существующих и вновь создаваемых дивизий, корпусов, армий, фронтов.

Но это не единственное и не главное назначение призываемых в армию номенклатурных администраторов. И не так глупа партия, чтобы делать из них полководцев. У них другое назначение: при военных советах армий и фронтов формируются группы особого назначения — Осназ. Мы уже знаем, что мотострелковые дивизии Осназ НКВД создавались для советизации новых районов. Одна дивизия Осназ НКВД может навести революционный порядок в любом районе, но управлять районом могут только профессиональные администраторы. Вот именно для этого и создаются группы особого назначения. Постановление Политбюро о призыве в армию 4000 коммунистов было принято 29 августа 1939 года, а через 19 дней Красная Армия вступила в Польшу. На «освобожденных» польских территориях новая коммунистическая администрация заработала как хороший механизм, созданный рукой талантливого мастера. И при «освобождении» Эстонии, Литвы, Латвии — никаких проблем. В Финляндии — проблемы, и потому группы особого назначения из ответственных работников партии не потребовались, вернее, потребовались, но не в полном составе.

4

А генеральскими сапогами скрипят уже и не только ответственные партийные товарищи районного или областного масштаба. Генеральскими сапогами заскрипели и сами члены Политбюро. Есть великолепная фотография: 29 сентября 1939 года Хрущев в генеральской форме, но без знаков различия, на «освобожденных» польских территориях с восточного берега реки Сан смотрит на ту сторону, «освобожденную» Гитлером. Вокруг Хрущева — угодливые комиссары. Должность Хрущева — член военного совета Украинского фронта. Это именно ему подчинялись группы особого назначения. Фронтом командовал И. Тюленев. Обязанности Хрущева: присматривать за Тюленевым, руководить нижестоящими комиссарами, насаждать счастливую жизнь на «освобожденной» земле. А на немецкий берег Хрущев поглядывает весело и без страха. Генерал армии Тюленев вспоминает, что Хрущев сказал в тот исторический момент. А сказал он слова простые и понятные: «Наша армия — армия-освободительница, и этим должно быть проникнуто сознание каждого нашего бойца и командира, этим должно диктоваться ее поведение на польской территории. Ну, а немцы... — Никита Сергеевич весело прищурился. — Им мы линию поведения диктовать не будем. Если у них не возьмет верх благоразумие, пусть пеняют на себя!..» (Через три войны. С. 132). Это публиковалось при живом Хрущеве, при хрущевской власти, Хрущевым не опровергалось и хрущевской цензурой не стопорилось. Как вела себя на польских территориях армия-освободительница и чем руководствовалась, мы можем видеть на примерах массовых захоронений польских офицеров. Совершалось это по приказам коммунистической партии — «основной руководящей и направляющей силы», обутой в офицерские сапоги. И совсем не об обороне говорит веселый Хрущев на новой советско-германской границе, а о грядущем возмездии фашизму: пусть творят преступления, а судьями мы будем... Ничего оригинального в его словах нет. Это чистой воды марксизм-ленинизм-троцкизм-сталинизм. Маркса я даже цитировать не буду: вся его переписка с Энгельсом пропитана одной идеей — пусть они совершают преступления, чем больше преступлений, тем лучше. И Ленин подхватил именно этот мотив: «Пусть зверствует буржуазия... Чем больше ожесточения и зверства с ее стороны, тем ближе день победоносной пролетарской революции» («Правда», 22 августа 1918 г.). Эту марксистско-ленинскую мысль постоянно повторял Троцкий уже применительно не ко всем врагам вообще, а к германскому фашизму конкретно: «СОВЕТСКИЕ СОЕДИНЕННЫЕ ШТАТЫ ЕВРОПЫ — единственно правильный лозунг, указывающий выход из европейской раздробленности, грозящей не только Германии, но и всей Европе полным хозяйственным и культурным упадком...Чем больше фашисты будут иметь в глазах социал-демократических рабочих и вообще трудящихся масс вид наступающей стороны, а мы — обороняющейся, тем больше у нас будет шансов...» («Бюллетень оппозиции». № 17—18, ноябрь—декабрь 1930. С. 53). Мысль ясна: если Европу не сделать единой и советской, то ждет ее нищета и вырождение, но пусть фашисты наступают первыми... Это сказано до прихода Гитлера к власти и сказано именно о германском фашизме. Троцкий расходился во мнениях со Сталиным и его придворными, но только в деталях. Центральная идея Ледокола Революции тут выражена так же четко, как у Ленина, как у Сталина.

Коммунистическая партия не зря обула сапоги в августе 1939 года и через месяц на берегах реки Сан не намерена их снимать. Хрущев в сентябре 1939 года говорил то, что говорили до него основоположники. Разница в том, что Хрущев говорит не в тиши кабинета, а на германской границе.

5

13 марта 1940 года Политбюро приняло постановление «О военной переподготовке, переаттестовании работников партийных комитетов и о по-

рядке их мобилизации в РККА». Понятно, постановление в тот момент было секретным. Его опубликовали частично только в 1969 году (КПСС о Вооруженных Силах. Документы. С. 296—297).

В соответствии с этим постановлением «ответственные работники аппарата ЦК ВКП(б) находятся на персональном учете Наркомата обороны и Наркомата военно-морского флота и мобилизуются для работы в РККА и РККФ решением ЦК ВКП(б) по представлениям Наркомата обороны, Наркомата военно-морского флота и управления кадров ЦК ВКП(б)...» Пункт четвертый постановления предписывал Наркомату обороны «провести переаттестование и присвоение военных званий работникам партийных комитетов». Генерал армии Епишев сообщает, что за год переподготовку прошло около 40 000 партийных работников (Партия и армия. С. 163).

Делалось это тихо, без огласки. Результат: ВЕСЬ руководящий состав партии прошел переподготовку, переаттестацию с присвоением воинских званий, вся номенклатура была поставлена на персональный воинский учет. Любого партийного руководителя, начиная с «ответственных работников ЦК», в любое время могла забрать Красная Армия, правда, спросив разрешение у товарища Сталина.

Товарищ Сталин не отказывал.

6

Номенклатурных работников по одному, малыми и средними группами забирают в армию. Со стороны не видно: там одного забрали, тут одного забрали. Потом вдруг — постановление Политбюро от 17 июня 1941 года: «Об отборе 3700 коммунистов на политическую работу в РККА». Идет сосредоточение советских войск на границах Германии и Румынии, точно как в августе 1939 года на границах Польши. В 1939 году через 19 дней после постановления о призыве номенклатуры в РККА Красная Армия нанесла удар. Сценарий повторяется. Если от даты нового постановления отсчитаем 19 дней, то как раз попадем в 6 июля 1941 года. Эту дату я называл раньше. В этот день Красная Армия должна была нанести удар по Германии и Румынии. 19 дней — не совпадение. Планы заранее составлены на все предыдущие и последующие дни. Время пущено как перед стартом ракеты. По заранее отработанному графику проводятся сотни разных действий и операций, и для каждого действия в графике точно определено время. По их расчетам и планам, в день «М-19» (т. е. 17 июня 1941 года) надо направлять номенклатуру в армию. Этот механизм отсчета дней отработан на учениях и предыдущих «освобождениях». В июне 1941 года он снова пущен в ход. Детонатор мины, заложенной под Европу, уже отсчитывал дни...

Постановление, как все подобные ему, было секретным. О его существовании стало известно через много лет после окончания войны. Да и то, название опубликовано, а текст скрыт. Но об этом наборе известно несколько больше, чем о наборе 4000 коммунистов в августе 1939 года. Например, известно, что в этом наборе был секретарь Днепропетровского обкома по военной промышленности Леонид Брежнев. В армию Брежнев попросился утром 22 июня 1941-го. Просьба его была немедленно удовлетворена. Для удовлетворения такой просьбы нужно было минимум решение ЦК. Сомнительно, чтобы ЦК в воскресное утро 22 июня принимал решения быстро и оперативно. Скорость, с которой определилась судьба Брежнева, объясняется только тем, что вопрос был решен заранее. 22 июня Брежневу только подтвердили: действуй по ранее полученным указаниям. Брежнев попадает в распоряжение военного совета Южного фронта. Решение о создании Южного фронта утверждено Сталиным 21 июня 1941 года, а вся предварительная работа проведена заранее. Южный фронт меня интересовал особо. Он создавался для нанесения удара по Румынии, для захвата нефтяных месторождений Плоешти. Командовать фронтом Сталин назначил того же Ивана Тюленева, с которым Хрущев в сентябре 1939 года на новой германской границе делился мыслями о будущем Европы. Летом 1941 года Тюленев уже имел пять генеральских звезд.

В Польше во время «освободительного похода» он показал себя хорошо, и вот новая работа — Румыния.

Подготовка Красной Армии к «освободительным походам» в 1939 и 1941 годах проводилась по единой программе. Правда, в 1941 году Гитлер нанес упреждающий удар и поход не состоялся. В 1941 году, как и в 1939-м, при военных советах фронтов из партийных бюрократов были сформированы группы особого назначения — Осназ. Задача — проведение советизации. После германского нападения несколько месяцев группы особого назначения оставались в бездействии (на своей территории в оборонительной войне они не нужны). Когда стало окончательно ясно, что «освободительная» война не состоялась, группы особого назначения разогнали. Партийным администраторам нашли другую работу в армии.

Группы советизации меня интересовали особо, и вот в архиве нашел список группы особого назначения при военном совете Южного фронта. В группе среди других — Леонид Ильич Брежнев, будущий Генеральный секретарь и Маршал Советского Союза. До слез было обидно: копию в архиве снять нельзя, ибо находка не соответствовала теме моего исследования, которое я проводил для отвода бдительных глаз. Хотел вырвать страницу: совесть моя в той ситуации не протестовала — все равно в архивной пыли документ пролежит невостребованным сто лет, а потом никому не нужен будет, а я, может, донесу его до людей. Но не вырвал ту страницу и много лет жалел, ругал себя за трусость и нерешительность. А если рассказать, что Брежнев был в группе ответственных работников, которым предстояло устанавливать счастливую жизнь в Румынии, но не представить доказательств, так кто же поверит? Сам Брежнев в начале семидесятых вроде мемуаров писать не намеревался, а если бы и намеревался, не приходилось надеяться, что он о группе Осназ вспомнит.

Потом мемуары Брежнева появились. Схватил книгу с надеждой: может, о группе особого назначения вспомнит. Нет. Не вспомнил.

Прошло еще четыре года, и появилась красочная книга «Восемнадцатая в сражениях за Родину. Боевой путь 18-й армии». Книга подготовлена Институтом военной истории с явным намерением угодить Брежневу. Вышла книга при живом Брежневе. Прошла книга и военную цензуру, и цензуру ЦК. И в книге черным по белому на странице 11: «До середины сентября 1941 года Леонид Ильич входил в группу особого назначения при военном совете Южного фронта».

Брежнев вскоре ушел в мир иной. Страницу 11 мало кто прочитал. И сама книга — не бестселлер: и без нее надоела биография дорогого Леонида Ильича. А на мой взгляд, даже и в такой серой биографии можно отыскать удивительные моменты.

* * *

В английском языке есть выражение: «одеться для убийства». Употребляется в переносном смысле. Для описания коммунистической партии Советского Союза в предвоенные годы это выражение можно использовать в прямом смысле. Коммунистическая партия была превращена из полувоенной в чисто военную организацию. Вожди партии верхнего, среднего и низкого уровней, включая и Сталина, и Хрущева, и мало кому тогда известного Брежнева, были мобилизованы на «освободительную» войну.

ГЛАВА 8
ДО САМОГО КОНЦА

Сталин оказался редким стратегом, планирующим историю, феноменальным тактиком, организующим победы под чужим знаменем и чужими руками.

А. Авторханов.
«Происхождение партократии». С. 356

1

Был только один человек, которого Сталин называл по имени и отчеству. Этого человека звали Борис Михайлович Шапошников, воинское звание — Маршал Советского Союза, должность — Начальник Генерального штаба. Всех остальных было принято называть: товарищ Ежов, товарищ Берия, товарищ Маленков, товарищ Жданов.

Исключительность положения Шапошникова подчеркивалась Сталиным и раньше, когда Шапошников еще не имел маршальского звания, когда он еще не был Начальником Генерального штаба. Маршалов Сталин называл: товарищ Тухачевский, товарищ Блюхер, товарищ Егоров. А Шапошникова, который еще на такой высоте не стоял, называл по-дружески, по-человечески. Адмирал флота Советского Союза Н.Г. Кузнецов описывает это так: «Сталин никого не называл по имени и отчеству.

Даже в домашней обстановке он называл своих гостей по фамилии и непременно добавлял слово «товарищ». И к нему тоже обращались только так: «товарищ Сталин». Если же человек, не знавший этой его привычки, ссылаясь, допустим, на А.А. Жданова, говорил:

— Вот Андрей Александрович имеет такое мнение...

И.В. Сталин, конечно, догадываясь, о ком идет речь, непременно спрашивал:

— А кто такой Андрей Александрович?..

Исключение было только для Б.М. Шапошникова. Его он всегда звал Борисом Михайловичем» (Накануне. С. 280).

Исключительность положения Шапошникова объяснялась просто. Он был автором книги «Мозг армии». Эта книга о том, как работает Генеральный штаб. Последняя, третья часть вышла в 1929 году, и, пока существовала Советская Армия, эта книга была учебником для каждого советского офицера и генерала. На столе Ленина всегда лежала книга «Психология толпы», а на столе Сталина стоял макет маленького серебристого самолета с надписью «Сталинский маршрут» и лежала книга Шапошникова «Мозг армии».

Успех книги Шапошникова — в четкости изложения материала, кристальной ясности доказательств, в умении объяснить самые сложные проблемы простым, понятным каждому языком. Самая сильная часть книги — третья, завершающая. В третьей части Шапошников исследует вопросы мобилизации.

Неблагодарное занятие — пересказывать чужие труды, тем более труды выдающегося военного теоретика. Но мне приходится это делать, ибо в теории Шапошникова — ключ к пониманию последующих событий, включая Вторую мировую войну и все ее следствия.

Теория была простой, понятной, логичной и, несомненно, — правильной. Сталин понял ее, оценил и положил в основу своей стратегии. Вот почему, читая труды Шапошникова, его сподвижников и оппонентов, понимая ход их мысли, мы начинаем понимать ходы Сталина, которые на первый взгляд кажутся непонятными и необъяснимыми.

2

Если выжать из теории мобилизации самое главное и объяснить ее человеку с улицы, то суть ее вот в чем.

1. Для победы в войне необходимы усилия не только всей армии, но и всей страны, всего населения, промышленности, транспорта, сельского хозяйства и т.д.

2. Страна не может находиться в постоянной и полной готовности к войне, как человек не может постоянно держать в каждой руке по пистолету. Если

он их постоянно держит, значит, он не может делать ничего другого. Так и страна не может находиться в постоянной готовности к войне и все свои силы тратить на подготовку к войне. Постоянная концентрация сил общества на подготовку войны разоряет страну. Поэтому в мирное время армия и военная промышленность должны съедать минимум. Однако надо готовить страну, ее народ, аппарат управления, промышленность, транспорт, сельское хозяйство, системы связи, идеологический аппарат и т.д. к максимально быстрому и максимально полному переходу с режима мирной жизни на режим войны.

3. Мобилизация — это перевод всей страны с мирного положения на военное. Мобилизация необратима и бесповоротна. Образно выражаясь, мобилизация — это примерно то же самое, что бросить руку резко вниз, расстегнуть кобуру, выхватить пистолет и навести его на противника, одновременно взводя курок.

4. Мобилизация и война неразделимы. Если вы выхватили пистолет, навели на противника и взвели курок, то надо стрелять. Ибо как только вы начали мобилизацию, противник начинает свою мобилизацию. Вы выхватываете пистолет и наводите на него, и он выхватывает пистолет и наводит на вас, стараясь обогнать хоть на долю секунды. Если вы опоздаете на ту самую долю секунды, он вас убьет.

5. С мобилизацией нельзя играть: если вы будете часто хвататься за пистолеты и наводить их на соседей, взводя курки, это плохо кончится для вас.

6. Решившись на мобилизацию, надо твердо идти до конца — начинать войну.

7. Мобилизация не может быть частичной. Мобилизация — это процесс наподобие беременности. Женщина не может быть немножко беременна. Вопрос ставится: да или нет. Именно так ставится вопрос и в государстве: переводим весь государственный аппарат, промышленность, транспорт, вооруженные силы, население и все ресурсы государства на нужды войны или не переводим.

Эти мысли в разной последовательности высказаны разными авторами. Б.М. Шапошников отличается от всех предшественников только тем, что выражался предельно ясно, кратко, категорично: «Мобилизация является не только признаком войны, но и самой войной. Приказ правительства об объявлении мобилизации есть фактическое объявление войны». «В современных условиях мобилизующее государство должно заранее принять твердое решение о ведении войны». «Под общей мобилизацией понимается такой факт, когда уже не может быть возврата к мирному положению». «Мы считаем целесообразным видом мобилизации только общую, как напряжение всех сил и средств, необходимых для достижения победы».

Книга завершается решительным заявлением: «Мобилизация есть война, и иного понимания ее мы не мыслим».

Сталин не просто разделял взгляды Шапошникова, Сталин имел те же самые взгляды. Сталин не делал различия между процессом захвата власти в своей стране и в стране соседней. Он знал, как надо захватывать власть в своей стране и готовился ее захватить и в соседних странах. Сталин не держал своего искусства в секрете. Наоборот, свое искусство он делал достоянием масс. В книге «Об основах ленинизма» Сталин доказывает, что в деле захвата власти игры недопустимы. Или захватываем, или нет. Взявшись за дело, надо **идти до конца.** Это созвучно идеям Николо Макиавелли: или наносим смертельный удар, или не наносим никакого, т. е. идем до конца, никаких промежуточных решений в политике и стратегии быть не может. Это созвучно идеям Шапошникова: или не проводим мобилизацию, или проводим полную мобилизацию и вступаем в войну — никаких частных, промежуточных положений быть не может. Человек на Диком Западе, не читавший Макиавелли, тоже знал, что ради шутки нельзя хвататься за пистолет: или он в кобуре, или его надо выхватить и бить насмерть. Вот почему Сталин не просто говорит, что, решившись на великое дело, надо идти до конца, но в тексте еще и подчеркивает эти слова.

Не только на словах, но в любом деле Сталин шел до конца. Долгое время Сталин как бы равнодушно взирал на процветание российской деревни, которая богатела и выходила из-под контроля. Богатый — значит независимый. Сталину вроде и дела до этого не было. А потом он решился на великое дело: поставить деревню на колени, даже если при этом придется переломить хребет. Он поставил. Он хребет переломил. И год тот официально назвал годом великого перелома.

Долгое время Сталин как бы не интересовался делами армии. А потом решил армию подчинить. И шел в этом деле до конца. Дальше даже и некуда.

Если решил Сталин извести оппозицию, то довел дело до конца, завершив истребление политических врагов победным ударом ледоруба по черепу Троцкого.

После великой чистки главный интерес Сталина — вовне.

В августе 1939 года Сталин на что-то решился.

ГЛАВА 9

САМЫЙ ВЫГОДНЫЙ ВАРИАНТ

> Нужно, чтобы эффект неожиданности был настолько ошеломляющим, чтобы противник был лишен материальной возможности организовать свою оборону. Иными словами, вступление в войну должно приобрести характер оглушительного подавляющего удара.
>
> *Комбриг Г.С. Иссерсон.*
> *«Новые формы борьбы». М., 1940*

1

В мирное время численность армии любого государства не может превышать одного процента от общей численности населения. Если мы приблизимся к этому роковому рубежу или проскочим его, то экономика начнет пробуксовывать, темпы развития снизятся, государство будет беднеть, слабеть и в конечном итоге его ототрут от ведущей роли в мировых делах.

Перед началом Первой мировой войны численность населения Российской империи составляла 180 миллионов человек. Численность армии мирного времени — 1 423 000 человек. Самая большая в мире армия мирного времени. Надо отдать должное правительству — оно понимало опасность дальнейшего увеличения армии. Армия не просто вырывает из экономики полтора миллиона здоровых и сильных работников, но кроме того, и это главное, превращает их из работников в потребителей. Солдата надо кормить и одевать, солдату надо платить деньги, его надо лечить и развлекать, для него надо строить казармы, главное — надо вооружать.

За каждой тысячей солдат — многие тысячи создателей оружия, ученых, конструкторов, технологов, металлургов и металлистов, горняков, работников транспорта и связи, пахарей и животноводов. На миллионную армию работают многие миллионы людей вне армии. Все они исключаются из процесса созидания и работают на разрушение. Но всех их тоже надо кормить и одевать, их надо обеспечить транспортом и жильем, им нужно платить заработную плату и пенсию. Следовательно, имея в армии миллион солдат, мы сажаем на шею обществу много миллионов едоков, которые работают на нужды войны.

2

Самый выгодный вариант вступления в войну — нанесение внезапного сокрушительного удара. Но для удара по сильному противнику мощи армии мирного времени недостаточно, пусть даже ее численность и составляет почти полтора миллиона солдат и офицеров. Удар может получиться внезапным, но не сокрушительным. Если перед войной мы проведем мобилизацию и увеличим численность армии, то вспугнем противника. Удар получится мощным, но момент внезапности будет потерян. А если в мирное время мы будем постоянно содержать армию в четыре-пять миллионов, то разорим государство и «сами себя победим».

Перед началом Первой мировой войны генералы всех армий ломали голову над тем, как же совместить все это: и армию большую иметь, и государство не разорить, и противника не напугать.

В конечном итоге никто не сумел совместить всего вместе, вступление в войну основных европейских государств проходило по примерно одинаковой схеме.

1. Правительство объявляло мобилизацию и состояние войны.

2. Армия мирного времени развертывалась на границах и своим присутствием прикрывала мобилизацию. (Иногда прикрытие мобилизации осуществлялось наступлением с ограниченными целями или кавалерийскими рейдами по ближним тылам противника.)

3. После объявления всеобщей мобилизации армии разбухали, их численность увеличивалась в несколько раз и через две-три недели основные силы отмобилизованных армий вступали в первые приграничные сражения.

Именно так вступила в Первую мировую войну и Русская армия. Через три недели после объявления всеобщей мобилизации ее численность достигла 5 338 000 солдат и офицеров. Но момент внезапности был потерян. В ходе войны призывали все новые миллионы под знамена и численность армии постепенно росла.

В Германии, Австро-Венгрии, Британии, Франции процесс мобилизации отличался в деталях, но в принципе ни одной стране не удалось нанести внезапный сокрушительный удар по своим противникам: мобилизация поглотила драгоценные недели начального периода войны, а вместе с ними — внезапность.

3

Теперь представим себя в гулких коридорах Штаба РККА где-нибудь в 1925 году. Перед стратегами стоит задача подготовки новой мировой войны с целью, как выражался товарищ Фрунзе, «завершения задач мировой революции». Задача стратегам поставлена непростая: учесть ошибки всех армий в начальном периоде Первой мировой войны и подготовить новую войну так, чтобы государство не разорить, противника не вспугнуть и чтобы армию развернуть такую, удар которой будет и внезапным, и сокрушительным.

И был разработан принципиально новый план вступления в войну. Вот краткое его содержание.

1. Процесс мобилизации разделить на два этапа: тайный и открытый.

2. Первый, тайный, этап — до начала войны. На этом этапе на режим военного времени перевести государственный аппарат, карательные органы, промышленность, системы правительственной, государственной и военной связи, транспорт, армию увеличить до 5 000 000 солдат.

3. Ради маскировки первый, тайный, этап мобилизации растянуть во времени на два года, кроме того, тайную мобилизацию маскировать локальными конфликтами, представить дело так, что локальные конфликты — основная и единственная причина перевода страны на режим военного времени.

4. Этап тайной мобилизации завершить внезапным сокрушительным ударом по противнику и одновременно начать второй, открытый, этап мобилизации, в ходе которого за несколько дней призвать в Красную Армию еще 6 000 000 для восполнения потерь и доукомплектования новых дивизий, корпусов и армий, которые вводить в войну по мере готовности. Затем в ходе войны призывать в армию все новые миллионы.

5. Прикрытие мобилизации Второго, Третьего и последующих стратегических эшелонов осуществлять не пассивным стоянием на границах, а сокрушительными ударами Первого стратегического эшелона и решительным вторжением на территорию противника.

В этой схеме все ясно и просто.

За исключением одного. Как начинать тайную мобилизацию за два года до вступления в войну, если момент вступления в грядущую войну нам неизвестен?

Советские стратеги и на этот вопрос нашли ответ: следует не идти на поводу событий, не ждать, когда война возникнет стихийно сама собой в неизвестный для нас момент, а планировать ее, **установить** момент ее начала.

Если мы знаем, когда война начнется, а противник не знает, то мы можем мобилизацию проводить не в начальном периоде войны, а накануне. Тайно. Максимально возможное количество мобилизационных мероприятий мы можем вынести в предвоенный период так, чтобы после начала боевых действий мобилизация не начиналась, а завершалась.

Главная кузница командных кадров Красной Армии — Военная академия имени Фрунзе. Интересно вспомнить взгляды того, чье имя она носит: «Я считаю, что нападение действует всегда на психологию противника тем, что уже одним этим обнаруживается воля более сильная». «Сторона, держащая инициативу, сторона, имеющая в своем распоряжении момент внезапности, часто срывает волю противника и этим самым создает более благоприятные для себя условия». «Само нападение усиливает атакующую сторону и дает ей больше шансов на успех» (М.В. Фрунзе. Избранные произведения. Т. 2. С. 47—49). Это на выбор, навскидку, только на трех страницах многопудовых трудов. Любой при желании может набрать корзины подобных заявлений не только у Фрунзе, но и у Ленина, Троцкого, Сталина, Зиновьева, Каменева, Бухарина, Ворошилова, Шапошникова... И если в этих трудах и говорилось об обороне, то только об обороне особого рода — внезапно сокрушить противника на его собственной территории и этим защитить себя и дело мировой революции.

ГЛАВА 10

ГДЕ СТРОИТЬ ПОРОХОВЫЕ ЗАВОДЫ?

> Общие потери боеприпасов к концу 1941 года составляли около 25 000 вагонов.
>
> *«Развитие тыла Советских Вооруженных Сил». С. 119*

1

Сталинский Наркомат боеприпасов заработал сразу и на полную мощь. Вот цифры. За 1939 год было произведено 936 000 000 винтовочных патронов, 2 240 000 минометных выстрелов, снарядов малого калибра — 5 208 000, крупного калибра — 6 034 000.

Не будем спешить с выводами и говорить, что этого мало: 1939 год — это год становления. Все эти снаряды и патроны произведены на старых заводах, которые существовали раньше. А идея Наркомата боеприпасов в том и заключалась, чтобы в короткий срок помимо уже существующих мощностей создать новые, которые не просто дополнят существующие, но многократно их превзойдут.

И встал вопрос, где новые патронные, пороховые, снарядные, гильзовые заводы размещать. Вопрос о размещении промышленности боеприпасов — это вопрос о характере будущей войны.

Если Сталин намерен вести святую оборонительную войну, если он намерен удерживать свои рубежи, то в этом случае новые заводы боеприпасов надо размещать за Волгой. Там они будут в полной безопасности: танки противника туда не дойдут и самолеты не долетят.

Если Сталин в своих силах не уверен, если Сталин, как нас уверяют, боялся Гитлера, если были опасения, что Красная Армия не сможет удержать границы и будет отходить, то в этом случае новые заводы Наркомата боеприпасов надо строить не за Волгой, а еще дальше — на Урале: там есть сырье, там достаточная индустриальная и энергетическая база, там заводы будут в абсолютной безопасности. Пусть противник захватит огромные территории, но наша индустриальная база останется целой, вот тогда Гитлер узнает, что такое раненый медведь.

Но ни первый, ни второй варианты даже теоретически не обсуждались. Не было нужды. Красная Армия не собиралась отходить, как не собиралась и удерживать рубежи своей страны. Если интересы Сталина сводились только к обороне своей территории, то он мог бы просто не начинать Вторую мировую войну.

2

По сталинскому плану Красная Армия должна была идти в обескровленную, ослабленную войной Европу. Красная Армия пойдет вперед через границу, а заводы боеприпасов, а также и все другие заводы: танковые, артиллерийские, оружейные — будут оставаться все дальше и дальше в тылу.

Представим себе, что нужно подать Красной Армии небольшое количество боеприпасов, например, сто тысяч тонн или, скажем, двести тысяч тонн. Как перебросить их с Урала на западную границу? Стандартный воинский эшелон берет 900 тонн. Представим, сколько надо эшелонов, сколько вагонов, сколько паровозов. Прикинем, сколько рабочих дней истратить машинистам и всему железнодорожному люду, сколько угля сжечь. Посчитаем, сколько надо охраны на много дней.

Кроме всего, не одни же снаряды по железным дорогам доставляются, железные дороги будут забиты войсками, ремонтными и санитарными поездами, цистернами и т.д. и т.д. Одним словом, если мы готовим наступление, то переброски сотен тысяч тонн боеприпасов и всего остального надо производить скрытно, а скрытность, кроме других приемов, достигается путем сокращения перевозок. Идеальной является ситуация, когда заводы находятся у границ. В этом случае эшелон гнать не много дней через всю страну, а несколько часов. Потребность в транспорте снижается: один эшелон оборачивается несколько раз. Это освобождает внутренние железные дороги для других военных перевозок.

И было решено новые снарядные заводы не за Волгой строить и не на Урале, а ближе к границам. Настолько близко, насколько позволяет металлургическая база. И разместили: в Запорожье, Днепропетровске, Днепродзержинске, Харькове, Кривом Роге, Ленинграде.

3

Заводы боеприпасов давали все больше продукции, прожорливый Наркомат боеприпасов поглощал государственные запасы цветных металлов: свинца, меди, никеля, хрома, олова, ртути. Чем больше цветных металлов шло на боеприпасы, тем меньше их оставалось для всех остальных отраслей промышленности. И возникал вопрос, как долго это может продолжаться?

Еще вопрос: что с боеприпасами делать? В школе каждый из нас решал задачи типа: «в некоторый объем через одну трубу вливается жидкость, одновременно через другую трубу она выливается». Такие задачи встречаются в учебниках математики прошлых веков. Они есть даже в знаменитом учебнике Магницкого, по которому учили детей во времена Екатерины и раньше. И Сталин, и военные лидеры, и политики, и экономисты тоже в свое время были школьниками и решали задачи: «через одну трубу вливается, через другую выливается». В 1939 году возникла как раз та самая задача: Красная Армия потребляет определенное количество боеприпасов на боевую подготовку, на «освободительные» походы, кроме того, боеприпасы идут на оказание «интернациональной помощи» Испании, Монголии, Китаю. Если поступление боеприпасов будет равно расходу боеприпасов, то проблем нет, но если поступление будет больше, чем расход, то в скором времени все емкости переполнятся. Емкость артиллерийских складов известна, расход известен. Простым арифметическим действием легко определить, когда наступит переполнение. Что же делать? Создавать новые емкости для хранения? Это не так просто. Представьте себе, что вам поставили задачу построить емкости для хранения, к примеру, одного миллиона тонн снарядов. Если на складах и в хранилищах влажность чуть выше установленной, выступит коррозия, а порох отсыреет. Что с вами в этом случае сделают товарищ Сталин и его верный ученик товарищ Берия? А чуть повыше температура, чуть суше воздух, искорка от солдатской подковки — и... Вместе склады располагать нельзя, вблизи городов и заводов нельзя, нужно вдали, а там никаких дорог нет. Одним словом, хранилища — это не решение проблемы. И сколько их ни строй, они переполнятся, если вливается больше, чем выливается.

А вливалось все больше и больше: помимо предприятий Наркомата боеприпасов на производство элементов выстрелов были привлечены 235 заводов других наркоматов (История второй мировой войны. Т. 2. С. 190). Помимо всего этого и независимо от Наркомата боеприпасов (он был и так огромен) в январе 1941 года было создано Главное управление строительства пороховых, патронных, гильзовых и снарядных заводов — Главбоеприпасстрой. Это чудовище объединяло под своим контролем 23 строительных треста. Отметим: не на строительство хранилищ это ориентировано, но на строительство новых предприятий.

Главбоеприпасстрой ударным темпом возводил все новые мощности и сдавал их Наркомату боеприпасов. И надо было думать о **сбыте** продукции.

4

В апреле 1941 года из Главного артиллерийского управления Красной Армии поступило распоряжение: продукцию Наркомата боеприпасов вывозить к западным государственным границам и выкладывать **на грунт.**

Спросите у фронтовиков, что это означает.

Кремлевско-лубянские историки вынуждены признать, что Сталин готовил агрессию, Сталин готовил порабощение Европы, но, говорят они, Сталин мог совершить агрессию только в 1942 году.

Давайте спросим у этих историков, можно ли оставить под открытым небом на осенние дожди, на снежную зиму и на весеннюю грязь некоторое количество боеприпасов, скажем, пятьсот тысяч тонн? Этого делать нельзя. Нам это понятно. Так неужели Сталин был глупее нас?

Выкладка боеприпасов на грунт в 1941 году означала решимость начать войну в 1941 году, и никакого иного толкования этому факту не придумать.

А еще снаряды держали у границ в железнодорожных эшелонах. Очень дорогой способ хранения и очень ненадежный: как в товарном вагоне поддерживать температуру и влажность? Если советские генералы замышляли удерживать границы, так надо было разгрузить вагоны и рассредоточить запасы по войскам. Если планировали отходить, тогда надо было прицепить паровозы и оттянуть эшелоны с боеприпасами подальше от границ. А на границах оставить самый минимум. Но если коммунисты планировали идти вперед, то тогда так и следовало действовать: снаряды надо было держать в вагонах и иметь у границ 170 000 солдат-железнодорожников и соответствующую технику для перешивки западноевропейской колеи на широкий советский стандарт.

Все это на границах было: и солдаты-железнодорожники, и соответствующая техника для перешивки.

Во время войны Красная Армия имела самую мощную артиллерию в мире. Артиллерия использовалась правильно, т. е. тайно концентрировалась массами на узких участках прорыва и внезапно проводила огневую подготовку. В Сталинградской операции Донской фронт под командованием генерал-лейтенанта К.К. Рокоссовского прорывал оборону на узком участке — всего 12 километров. Тут помимо танков оборону рвали 24 стрелковых полка, их поддерживали 36 артиллерийских полков. Рокоссовский сосредоточил по 135 орудий на каждом километре, а на направлении главного удара плотность составляла 167 орудий на километр.

В ходе войны концентрация артиллерии, танков, пехоты, авиации постоянно увеличивалась. К концу войны при расчетах мощности артиллерийского удара в советских штабах в качестве единицы измерения стали использовать килотонны. Советская артиллерия заговорила языком ядерного века. В Висло-Одерской операции советское командование использовало 34 500 орудий и минометов. Их не распределяли равномерно по фронту, а концентрировали на участках прорыва. В полосе 3-й гвардейской армии, например, была достигнута плотность 420 орудий на километр. Продолжительность артподготовки постоянно сокращалась, но мощь возрастала. В той же операции в полосе 5-й ударной армии продолжительность артподготовки планировалась в 55 минут. Она началась хорошо, но через 25 минут была остановлена. За 25 минут было израсходовано 23 000 тонн боеприпасов. На каждом километре фронта прорыва было израсходовано по 15 200 снарядов среднего и крупного калибров. В прорыв пошли штрафные батальоны, не встречая сопротивления. Их действия убедили командование: продолжать артподготовку незачем — никто больше не сопротивляется. Экономия: 30 минут времени, что очень важно на войне, и 30 000 тонн снарядов.

Еще больше артиллерии было использовано в Берлинской операции — более 42 000 орудий и минометов. На участках прорыва маршалы Г.К. Жуков и И.С. Конев сосредоточили не только чудовищное количество артиллерии, но и чудовищное количество боеприпасов. Конев прорывал фронт на участке 36 километров. На участке прорыва Конев сосредоточил 8626 орудий и минометов. Жуков сосредоточил меньше орудий — 7318, но прорывал фронт на участке в 30 км, поэтому артиллерийские плотности у него были выше. В этих же полосах были сосредоточены основные силы танковых и воздушных армий и соответствующее количество пехоты.

Рекорд был установлен в полосе 381-й стрелковой дивизии 2-й ударной армии в ходе Восточно-Прусской операции: 468 орудий и минометов на один километр фронта, не считая «Катюш» — реактивных установок залпового огня.

В ходе войны Красная Армия израсходовала 427 000 000 снарядов и артиллерийских мин и 17 000 000 000 патронов. Любители математики, разделите это на число германских солдат и определите, сколько приходилось на одного. К этому надо добавить ручные гранаты, саперные мины, авиационные бомбы. Кто мог устоять перед этой мощью?

6

И вот тут надо напомнить, что в войне Советский Союз использовал только 15% довоенных мощностей Наркомата боеприпасов. Все остальное было потеряно в начальном периоде войны. Внезапным ударом Гитлер уничтожил не только кадровые дивизии Красной Армии и авиацию, не только захватил стратегические запасы, но захватил и территории, на которых находились новейшие заводы Наркомата боеприпасов. При отходе Красная Армия уничтожала свои собственные заводы или попросту их бросала. Кое-что было вывезено, но попробуйте перевезти на тысячу километров хотя бы одну доменную печь. Попробуйте из приграничного леса перетаскать к железнодорожной станции хотя бы одну тысячу тонн снарядов, погрузить их в вагоны и вывезти под огнем.

Красная Армия потеряла в начальном периоде войны не только 500 000 тонн снарядов, но и промышленность, которая могла производить новые снаряды. С августа по ноябрь 1941 года германские войска захватили 303 советских пороховых, патронных, снарядных завода, которые имели годовую производительность — 101 миллион снарядных корпусов, 32 миллиона корпусов артиллерийских мин, 24 миллиона корпусов авиабомб, 61 миллион снарядных гильз, 30 миллионов ручных гранат, 93 600 тонн порохов, 3600 тонн тротила. Это составляло 85% всех мощностей Наркомата боеприпасов (Н. Вознесенский. Военная экономика СССР в период Великой Отечественной войны. С. 42). Вдобавок ко всему на снарядных заводах были сосредоточены мобилизационные запасы ценнейшего сырья: свинца, латуни, легированной стали. Все это попало в руки Германии и было использовано против Красной Армии.

Но предвоенный потенциал Сталина был столь огромен, что он сумел построить в ходе войны новую промышленность боеприпасов за Волгой, на Урале и в Сибири и произвести все то, что обрушилось потом на германскую армию.

Гитлер нанес Сталину внезапный удар, и Сталин отбивался, опираясь на 15% мощностей Наркомата боеприпасов. Результаты войны известны. Постараемся представить себе, что могло случиться, если бы Гитлер промедлил с ударом и сам попал под сокрушительный сталинский удар. В этом случае Сталин использовал бы в войне не 15% мощностей Наркомата боеприпасов, а все 100. Каким бы тогда был исход Второй мировой войны?

7

В 1942 году Красная Армия тайно подготовила и провела контрнаступление под Сталинградом. Говорят, что именно с этого времени Советский Союз стал сверхдержавой. Но так говорить может только тот, кто не знает истинного размаха сталинской подготовки к войне. Да, Сталинград — знаменитая операция, в ней принимали участие массы пехоты, авиации, артиллерии и танков. Ее проводили истинные мастера стратегии. Но Сталинград бледнеет в сравнении с тем, что готовилось в 1941 году.

Сталинград — это в основном резервисты. Это импровизация. А в 1941 году готовилась к наступлению кадровая Красная Армия, да еще и миллионы резервистов.

Контрнаступление под Сталинградом — это полторы тысячи танков. А в 1941 году только в первом эшелоне их было в десять раз больше. А качество?

В 1941 году в советских войсках было больше танков Т-34 и КВ, чем их было под Сталинградом.

Сталинград — это внезапный удар двух фланговых группировок. А в 1941 году готовилось то же самое, но фланговые группировки были неизмеримо мощнее и угрожающе близки к Берлину. Сталинград — это Жуков, Рокоссовский, Василевский, Малиновский, Ватутин. Но и в 1941 году удар готовили Жуков, Рокоссовский, Василевский, Малиновский, Ватутин. В 1941 году эти же генералы готовили то, что они потом совершили под Сталинградом.

На мой взгляд, Советский Союз был сверхдержавой в 1941 году. Летом 1941 года Гитлер эту сверхдержаву внезапным ударом сокрушил. Все, что потом Сталин использовал в войне под Сталинградом и Курском, под Москвой и Берлином, — это только осколки и остатки первоначальной советской мощи.

ГЛАВА 11

КРЫЛАТЫЙ ЧИНГИСХАН

> Логика подсказывала, что нам не следует ждать, когда противник пустит в ход всю авиацию, а надо самим перехватить инициативу в воздухе и первыми нанести массированные удары по его аэродромам...
>
> *Главный маршал авиации А. Новиков.*
> *ВИЖ. 1969. № 1. С. 62*

1

Название самолета «Иванов» имело и еще одно значение.

«Сталин сформулировал задачу так: самолет должен быть очень простым в изготовлении, чтобы можно было сделать столько экземпляров его, сколько у нас в стране людей с фамилией Иванов» (Л. Кузьмина. Генеральный конструктор Павел Сухой. С. 57).

Тридцатые годы — золотая эпоха советских авиационных рекордов. Вспомним, сколько усилий и средств было затрачено на их установление. Летчики, побившие мировые рекорды, были национальными героями. Сталин знал толк в высоте, в скорости, в дальности, в полезной (бомбовой) нагрузке. В самый разгар рекордно-авиационного психоза Сталин ставит задачу создать «Иванов» — основной самолет для грядущей войны. Но удивительное дело:

от создателей самолета «Иванов» Сталин не требует ни рекордной скорости, ни рекордной высоты, ни рекордной дальности, и даже небывалой бомбовой нагрузки не требует. Выдающиеся характеристики не задаются. Сталин требует только простоты и надежности.

Сталинский замысел: создать самолет, который можно выпускать в количествах, превосходящих все боевые самолеты всех типов во всех странах мира, вместе взятых. Основная серия «Иванова» планировалась в 100 000—150 000 самолетов.

Вот мы и подошли к главному.

Сталин планирует выпустить самолет самой большой в истории человечества серией. Но это не истребитель. Это не самолет для оборонительной войны. Это самолет-агрессор.

Возникает вопрос: если мы выпустим 100 000—150 000 легких бомбардировщиков, то не перепугаем ли всех своих соседей?

Давайте не задавать таких вопросов. Давайте не будем себя считать умнее Сталина. Давайте отдадим должное сталинскому коварству. Сталин вовсе не собирался начинать массовое производство «Иванова» в мирное время. Совсем нет. Мобилизация делилась на два периода: тайный и открытый. Во время тайной мобилизации планировалось выпустить малую (по советским понятиям) серию — всего несколько сот этих самолетов. Назначение этой серии — освоить производство, получить опыт, облетать самолеты, в мелких конфликтах опробовать. Эти первые несколько сот можно использовать в первом ударе, особенно на второстепенных направлениях или вслед за самолетами с более высокими характеристиками. А после нашего удара начнется массовый выпуск «Иванова» десятками тысяч. «Иванов» — это как бы невидимый мобилизационный резерв. Это как с автоматом ППШ. Автомат Шпагина ППШ создан перед войной, опробован, одобрен. Грянула война, и немедленно каждая кроватная мастерская, каждая артель по производству скобяных товаров, каждый мелкий заводик начинают выпуск самого простого, самого надежного, очень мощного оружия в количествах непостижимых.

2

Самолет с относительно низкими летными качествами может быть ужасным оружием. Глянем на Гитлера. У него тоже был свой собственный крылатый шакал — Ю-87. Это одномоторный самолет, больше похожий на истребитель, чем на бомбардировщик. Экипаж — два человека. Оборонительное вооружение слабое — один пулемет для защиты задней полусферы. Бомбовая нагрузка — меньше тонны. Ю-87 был старше Накадзимы Б-5Н и «Иванова», и потому его летные характеристики были ниже. Он принадлежал к тому поколению самолетов, у которых не убирались шасси в полете. НО!

Но группы в составе десятков Ю-87 наносили внезапный удар по спящим аэродромам и этим ударом очищали для себя небо. После первого удара по аэродромам они летали над территорией противника совершенно спокойно и скорость рекордная им не требовалась: от кого в воздухе уходить, за кем гоняться? Ю-87 господствовали в небе Польши, Норвегии, Франции... А в Британии они встретили отпор. Подавить британские аэродромы внезапным ударом было невозможно — условий для нанесения внезапного удара не было. После участия в нескольких рейдах потери Ю-87 были столь велики, что был отдан приказ над Британскими островами их не применять. Весной 1941 года — Югославия и Греция. Ю-87 наносят внезапный удар, и вновь они успешны и любимы. В мае — удар по Криту. Тут британские войска, но удар получился внезапным и Ю-87 вновь — символ блицкрига, успеха и победы. В июне — внезапный удар по советским аэродромам. Прекрасным солнечным утром германская авиация обеспечила себе чистое небо, и можно применять самолеты любых типов — бояться некого. Советские генералы признают, что они расценивали Ю-87 как устаревший, а он принес неисчислимые бедствия. Господство Ю-87 продолжалось до тех пор, пока советская авиация не набрала сил. Во втором периоде войны Ю-87 на советско-германском фронте применялись все реже, пока не исчезли совсем. «В ходе Восточной кампании потеря превосходства в воздухе в скором времени поставила под вопрос целесообразность применения сравнительно малоскоростных и неповоротливых пикирующих бомбардировщиков Ю-87» (Эйке Миддельдорф. Тактика в русской кампании. С. 225).

«Иванов» создавался позже, чем Ю-87. Потому характеристики «Иванова» были выше и конструктивно два самолета сильно отличались. Но по духу и замыслу, по способам применения и по отводимой роли Ю-87 и «Иванов» — близнецы. А самолету Накадзима Б-5Н «Иванов» родной брат не только по замыслу и по духу, но и по основным характеристикам.

Самолет со сравнительно невысокой скоростью может быть опасен потому, что для честного поединка нужна длинная шпага, а убить спящего можно и без длинной шпаги — хватит короткого ножа. Самолеты внезапного удара не нуждались в рекордных характеристиках. Сталинская логика проста и понятна: если внезапным ударом мы накроем вражеские аэродромы и тем очистим небо от его самолетов, то нам потребуется самолет простой и массовый, с мощным вооружением, главное его назначение — поддержка наших наступающих танковых лавин и воздушных десантов, воздушный террор над беззащитными территориями. Именно такой самолет Сталин и заказал своим конструкторам.

С момента появления авиации неуклонно растет ее роль в войне вообще, и в частности — в операциях сухопутных войск. В конце века в ходе войны в Персидском заливе авиация выполнила 80 процентов огневых задач. Эту тенденцию Иосиф Сталин ясно понял еще в тридцатых годах.

3

В максимальной степени сталинские требования выполнил авиаконструктор Павел Осипович Сухой. Он был победителем конкурса. В августе 1938 года «Иванов» Сухого под маркой ББ-1 (ближний бомбардировщик первый) пустили в серию сразу на двух заводах. Затем его начали производить на третьем, строился гигантский четвертый завод, а кроме того, заводы, производившие другие типы самолетов, были готовы по приказу переключиться на производство «Иванова». В сентябре 1939 года группа Сухого в знак поощрения была выделена в самостоятельное конструкторское бюро. В 1940 году после введения новой системы индексации «Иванов» Сухого в честь своего создателя получил название Су-2. Это был первый серийный самолет одного из величайших авиационных конструкторов двадцатого века. До 22 июня самолетами Су-2 были полностью укомплектованы 13 авиационных полков, в каждом по 64 самолета.

Су-2, как и «Ивановы» других конструкторов, был многоцелевым: легкий бомбардировщик, тактический разведчик, штурмовик. Конструкция была предельно простой и рациональной. Су-2 годился к массовому производству больше, чем любой другой самолет в мире. Он нес 400—600 кг бомб, 5 пулеметов ШКАС с рекордной по тем временам скорострельностью и до десяти реактивных снарядов калибром 82 или 132 мм. Скорость 375 км/час у земли, 460 — на высоте. Управление Су-2 было двойным — и для летчика, и для сидящего за ним штурмана-стрелка. Поэтому не надо было выпускать учебный вариант самолета: каждый боевой Су-2 мог быть учебным, а каждый учебный — боевым. Это упрощало массовую подготовку летчиков. Су-2 был доступен летчику любой квалификации: гражданскому пилоту из ГВФ и девчонке из аэроклуба. От летчиков не требовалось ни владеть высшим пилотажем, ни умения летать ночью, ни умения хорошо ориентироваться на местности и в пространстве. Им предстояла легкая работа: взлетаем на рассвете, пристраиваемся к мощной группе, летим по прямой, заходим на цель...

4

Возникает вопрос об истребителях прикрытия. Бомбардировщик в бою, особенно ближний бомбардировщик, действующий над полем боя и в ближайшем тылу противника, должен быть прикрыт истребителями. Если бы вместе с Су-2 было заказано соответствующее количество истребителей прикрытия, то Су-2 можно было использовать в любых ситуациях, например, для нанесения контрударов по агрессору, напавшему на Советский Союз. Но истребители в таких количествах не были заказаны, поэтому была только одна возможность использовать Су-2 в войне — напасть первыми на противника и нейтрализовать его авиацию. Без этого применять беззащитные Су-2 невозможно. Вот почему решение о выпуске минимум СТА ТЫСЯЧ легких бомбардировщиков Су-2 было равносильно решению НАЧИНАТЬ ВОЙНУ ВНЕЗАПНЫМ УДАРОМ ПО АЭРОДРОМАМ ПРОТИВНИКА.

К началу 1941 года Сталин подготовил все необходимое для нанесения внезапного удара, для подавления германской авиации на аэродромах. **Для таких действий** у Сталина было подавляющее **количественное** и **качественное** превосходство. У Сталина был уникальный бронированный штурмовик Ил-2. Речь идет не о броневых плитах, которые добавляют к каркасу самолета, но о чисто броневом корпусе. Это был единственный в истории броневой самолет, настоящий летающий танк. Кроме броневой защиты, уникальной для самолета живучести и великолепных летных характеристик, Ил-2 имел сверхмощное вооружение: автоматические пушки, бомбы, реактивные снаряды РС-82 и РС-132. Коммунисты соглашаются, что Ил-2 был великолепен, но заявляют, что их было всего только 249. Это действительно так. Но у Гитлера не было ни одного подобного самолета. И во всем мире ничего подобного не было. У Сталина «всего только» 249 Ил-2, но советская промышленность готова их производить в ЛЮБЫХ количествах. Даже после потери во второй половине 1941 года большей части авиационных и моторных заводов Ил-2 все равно производился самыми большими сериями. Он не устарел до конца войны и вошел в историю как самый массовый боевой самолет всех времен.

Для удара по аэродромам у Сталина был пикирующий бомбардировщик Пе-2. У Гитлера были хорошие самолеты, но Пе-2 превосходил любой из них по основным характеристикам, например, скорость Пе-2 была на 30 км/час выше, чем у лучшего германского бомбардировщика Ю-88, и на 100 км/час выше, чем у Хе-111. И опять коммунистическая пропаганда объявляет, что у Сталина пикирующих бомбардировщиков Пе-2 было всего только 460. Это правильно, и это действительно очень мало. Но все же это больше, чем всех Ю-88 на советско-германском фронте 22 июня 1941 года.

Для ударов по аэродромам у Гитлера были Ю-87 — это символ блицкрига. Советский аналог — Су-2. Он создан позже и потому по всем характеристикам превосходил Ю-87, прежде всего по скорости и огневой мощи, кроме того, имел броневую защиту, хотя и не такую, как на Ил-2. У Гитлера на Восточном фронте на 22 июня 290 Ю-87, у Сталина 249 Ил-2 и более 800 Су-2. Кроме того, советские истребители всех типов, от И-15 до МиГ-3, вооружались реактивными снарядами для участия в первом ударе по спящим аэродромам. Для первого удара подходили и те самолеты, которые коммунисты называют устаревшими. Например, истребитель И-16 по огневой мощи в два-три раза превосходил любой истребитель противника и был бронирован. Он имел превосходную маневренность, а скорость рекордная при ударе по аэродромам не нужна. Количество одних только И-16 на советских западных приграничных аэродромах больше, чем германских самолетов всех типов, вместе взятых.

Немедленно после нанесения первого удара советская авиационная промышленность должна была начать массовый выпуск Су-2. Сталин замышлял в буквальном смысле построить столько легких бомбардировщиков, сколько небольших, но подвижных всадников было в ордах Чингисхана.

5

К началу 1941 года советские конструкторы создали целое созвездие замечательных самолетов, но Сталин любит Су-2.

В 1940 году, в первой половине 1941 года идет незаметная, но интенсивная подготовительная работа к массовому производству. На авиазаводы, которые готовятся выпускать Су-2, рабочих поставляют военкоматы, как солдат на фронт (Л. Кузьмина. С. 66). А первые тринадцать полков осваивают самолет. Пилотов поставляет гражданская авиация и аэроклубы. Генерал-лейтенант авиации Анатолий Пушкин (в то время майор, командир 52-го авиационного полка): «Хорош был Су-2 и тем, что ему не нужны были аэродромы. Он взлетал и садился на любое ровное поле».

Маршал авиации Иван Пстыго: «Осенью 1940 года в Бессарабии под Котовском формировался наш 211-й ближнебомбардировочный авиационный полк, вооруженный самолетами Су-2... Самолет производил сильное впечатление. Бомбардировщик, а вид как у истребителя — небольшой, компактный, красивый». В приведенном отрывке следует обратить внимание на время и место формирования полка: это против Румынии. Это наш крылатый шакал готовится вцепиться в горло тому, кто слабее.

Вот еще один полк в том же районе. Рассказывает дважды Герой Советского Союза полковник Г.Ф. Сивков: «К концу декабря 1940 года завершилось формирование 210-го ближнебомбардировочного полка...» Полковник поясняет, откуда взят летный состав: «летчики прибыли из гражданского воздушного флота» (Готовность номер один. С. 42). Тайная мобилизация захватила и гражданскую авиацию.

Печальна судьба Су-2. Ю-87 и Накадзима Б-5Н имели возможность проявить себя во внезапных ударах и прославиться. Но «Иванову» работать по прямому назначению Гитлер не позволил. Гитлер нанес упреждающий удар по советским аэродромам, и Су-2 оказался без работы, для которой создавался. Производство Су-2 было быстро свернуто. В оборонительной войне он был не нужен. Заводы, которые готовили массовый их выпуск (например, Харьковский авиационный), попали в руки противника. Ранее выпущенные Су-2 несли большие потери: для прикрытия не было истребителей.

Герой Советского Союза М. Лашин: «Я летал на Су-2... легкий самолет... летучий, маневренный, невероятно живучий и безотказный... Долго и трудно горел Су-2. Но никогда не вспыхивал факелом».

Герой Советского Союза В.И. Стрельченко: «Су-2 не горел даже при повреждении бензобака — помогала углекислотная защита».

Авиаконструктор В.Б. Шавров написал самую полную и, на мой взгляд, объективную историю развития советской авиации. Все остальные авиаконструкторы — его соперники, и потому Шавров не скупился на критику. Но создателей Су-2 он не ругает: «...Хотя от Су-2 было взято все возможное и его авторов не в чем упрекнуть, самолет соответствовал реально возникшим требованиям лишь до войны» (История конструкций самолетов в СССР. 1938—1950. С. 50). Другими словами, все было хорошо, к создателям самолета невозможно придраться, до 21 июня 1941 года Су-2 соответствовал требованиям, а на рассвете 22 июня соответствовать требованиям перестал.

«Иванову» доставалось и от чужих, и от своих. До войны Су-2 держали в секрете и не планировали использовать вместе со своими истребителями. В начале войны советские истребители незнакомый силуэт «Иванова» принимали за вражеский самолет. Трижды Герой Советского Союза маршал авиации А. Покрышкин сбил 59 самолетов противника. Официально. На самом деле их было ровно 60. Первым был Су-2. По иронии судьбы после войны Покрышкин в академии учился в одной группе со сбитым им пилотом Су-2. Это был Иван Пстыго, тоже будущий маршал авиации.

Су-2 пришлось применять не по назначению. Вот пример: в июле 1941 года 50 Су-2 наносят удар по мосту через Днепр у Рогачева... Если бы мы готовились к оборонительной войне, то взорвать мост при отходе — это минутное дело для двух саперов. Но мы к оборонительной войне не готовились и вот вместо двух саперов несвойственную им работу вынуждены выполнять Су-2. Целый авиационный полк. Но в условиях господства противника в воздухе полк ближних бомбардировщиков надо прикрывать минимум одним полком истребителей. А их нет. Что такое 50 Су-2 плотной группой без прикрытия? И мост не взорван, и полк потерян. И был приказ плотными группами на Су-2 не летать, а он задуман и создан для полетов плотными группами...

В оборонительной войне нужен был истребитель. Су-2 пробовали использовать в качестве истребителя. Но он не был истребителем, а был только похож на истребитель. Летчики проявили самоубийственный героизм, но их никто не учил вести воздушный бой, тем более на самолете, который для воздушного боя не предназначался. Первой и единственной женщиной в истории мировой авиации, совершившей воздушный таран, была Екатерина Зеленко из 135-го ближнебомбардировочного авиационного полка. Это случилось 12 сентября 1941 года. Своим Су-2 она таранила в воздухе Ме-109, сбила его и при попытке посадить свой самолет была сбита другим Ме-109. Летчики гражданской авиации, юные спортсмены, девочки из спортивных клубов творили чудеса храбрости, но Су-2 упорно не вписывался в «великую отечественную» войну, ибо был создан совсем для другой войны.

Гитлер сорвал нападение, но он даже не подозревал, какова действительная сила Сталина, насколько серьезны его намерения, как хорошо он подготовлен для ведения наступательной войны. Су-2 не проявил себя в войне, но в любых других условиях он был бы грозным противником. Есть достаточно указаний на то, что советская промышленность была в полной готовности к массовому выпуску «Иванова». Например, в оборонительной войне нужны были в первую очередь истребители. Авиаконструктору С.А. Лавочкину для модернизации истребителя ЛаГГ-3 срочно нужен мощный надежный двигатель, и в огромных количествах. Никаких проблем: промышленность готова выпускать в любых количествах двигатель М-82, который предназначался для Су-2. Промышленность не только готова их выпускать, но и имеет тысячи этих двигателей в запасе — бери и ставь на самолет. Лавочкин поставил, и получился прославленный и любимый летчиками истребитель Ла-5.

Советская промышленность была готова к массовому выпуску пулеметов ШКАС для многих типов самолетов, но прежде всего для Су-2. Су-2 не стали производить, но готовность промышленности не прошла даром — с авиационным вооружением проблем не было. Советская промышленность была готова к массовому выпуску бомб для Су-2, и она их выпускала, но только для Ил-2 и других самолетов. Советская промышленность была готова к массовому выпуску реактивных снарядов калибра 82 мм и 132 мм. И она их выпускала. Просто их использовали не только в авиации, но и в наземной артиллерии. Статистика такова: на 1 июля 1941 года в Красной Армии было 7 установок залпового огня БМ-13. Через месяц их стало 17. Одни погибали в бою, другие выпускались, и 1 сентября их стало 49. Одновременно начался выпуск еще одного типа — БМ-8. На 1 октября 1941 года Красная Армия, несмотря на потери, имела 406 БМ-8 и БМ-13. Дальше рост шел столь же стремительно, и вскоре это оружие стало массовым. Генерал-фельдмаршал А. Кессельринг свидетельствует: «Страшное психическое воздействие «сталинских органов» является в высшей мере неприятным воспоминанием для любого немецкого солдата, бывшего на Восточном фронте» (Gedanken zum Zweiten Weltkrieg. S. 78).

В условиях отхода и потери промышленной и сырьевой базы удалось быстро насытить армию принципиально новой системой вооружения, которой не было ни в одной армии мира и ничего равного до конца войны не появилось. Экономическое чудо — говорят коммунисты. А чуда никакого не было. Просто в период тайной мобилизации советская промышленность была подготовлена к выпуску реактивных снарядов для «Иванова». На вооружении «Иванова» это оружие было бы гораздо эффективнее, ибо артиллеристы должны вначале получить сведения о цели, а пилоты сами способны цели отыскивать. Артиллеристы забрасывают свои снаряды на несколько километров, не видя цели, а пилоты летают на сотни километров, они видят цель и видят результаты своей работы, последующая волна самолетов всегда имеет возможность довершить начатое дело. Выпуск «Иванова» был прекращен, но промышленность выпускала снаряды миллионными партиями. Их просто приспособили для стрельбы с наземных установок.

На вопрос о том, сумела бы советская промышленность выпустить 100 000—150 000 Су-2, следует отвечать утвердительно. Такой выпуск планировался для условий, когда мы наносим первый удар и нашей промышленности никто не мешает работать. Гитлер сорвал сталинский план. Но даже и после потери ВСЕХ алюминиевых, большинства авиационных и моторных заводов Советский Союз произвел во время войны 41 989 несоизмеримо более сложных в производстве самолетов Ил-2 и Ил-10. Кроме того, были произведены десятки тысяч более сложных, чем «Иванов», самолетов других типов.

Если бы Сталин ударил в Румынию и тем самым парализовал германскую армию и промышленность, то вся советская промышленность могла работать без помех и построить в несколько раз больше самолетов, чем построила их в самой неблагоприятной ситуации.

И еще вопрос: где же набрать такую уйму летчиков? Летчиков Сталин подготовил в избытке. Правда, это были летчики, которых учили летать в чистом небе... Летчиков было подготовлено так много, что в 1942 году их с винтовками в руках тысячами бросали под Сталинград на усиление пехоты («Красная звезда», 15 декабря 1992 г.). Летчики такой квалификации в оборонительной войне не потребовались, как не потребовался и самолет «Иванов», на который их готовили. Об этом речь впереди.

7

А идея крылатого Чингисхана не умирала. Советские конструкторы никак не хотели от нее отказываться. В 1943 году конструктор Дмитрий Томашевич выдал давно начатый, но из-за германского нападения и эвакуации поздно завершенный штурмовик «Пегас»: два двигателя, по 140 л.с. каждый. Скорость у земли 172 км/час. На высоте — и того меньше. Летчик один. Самолет не имел ни стрелка, ни оборонительного вооружения. Самолет строился из **неавиационных** материалов: фанера строительная, сосновые брусья, кровельное железо, танковая броневая сталь. Контуры самолета образовывали только прямые линии. Простота и дешевизна — в самом последнем пределе. Самолет могла строить любая мебельная фабрика. Причем массой. Потоком. При этом «Пегас» нес две 23-мм автоматические пушки, крупнокалиберный пулемет и 500-кг бомбу. Летчик был прикрыт броней, защищавшей его от пуль крупнокалиберных пулеметов и даже от 20-мм снарядов. Броней были прикрыты бензобаки и другие жизненно важные узлы. Бензобаки в

181

случае необходимости сбрасывались. Огневая мощь и надежная защита от огня с земли делали этот поистине самый дешевый и простой из всех самолетов грозным противником. Летчик-испытатель генерал-майор авиации Петр Стефановский на своем веку летал на трехстах шестнадцати типах летательных аппаратов. Среди них были разные варианты «Иванова», был и «Пегас». Стефановский летал в основном на самолетах, которые в момент первого вылета были гранью фантастики. «Пегас» — не фантастика, но Стефановский дает «Пегасу» высокую оценку. По его словам, это мог быть самолет, выпускаемый «колоссальными сериями». Но! Только не в оборонительной войне. «Ивановы» и «Пегасы» могли бы рыскать в небе Европы, Африки, Индии, но только при условии внезапного нападения на Германию и уничтожения ее авиационной мощи или нейтрализации нефтяных промыслов в Румынии. В любой другой обстановке «Ивановы» и «Пегасы» оказались ненужными. Время их так никогда и не наступило.

В марте 1939 года на XVIII съезде партии Сталин заявил: «Бешеная гонка авиационных вооружений капиталистических стран продолжается уже ряд лет и, несомненно, представляет собой один из наиболее характерных и определяющих моментов неизбежного всеобщего военного столкновения». Сталин прав: в странах Запада продолжалась поистине бешеная гонка авиационных вооружений. Военная авиация в некоторых крупнейших странах Запада достигла тысячи боевых самолетов и перевалила через этот рубеж. А Германия вырвалась далеко вперед. Численность германской боевой авиации достигла 3600 боевых самолетов. Сталину в марте 1939 года было ясно, что такое количество боевых самолетов свидетельствует о неизбежности войны. Так оно и случилось. В том же 1939 году Гитлер начал борьбу за мировое господство.

Если 3600 боевых самолетов мы определяем термином «бешеная гонка авиационных вооружений», то как бы нам назвать основную серию «Иванова»? Если 3600 гитлеровских боевых самолетов достаточное свидетельство «неизбежности всеобщего военного столкновения», то о чем в этом случае может свидетельствовать подготовка к выпуску СТА ТЫСЯЧ боевых самолетов только одного типа?

ГЛАВА 12

ИНКУБАТОР

> Центральная Россия — это очаг
> мировой революции.
>
> *Сталин.*
> *«Правда». 10 ноября 1920 г.*

1

25 января 1931 года 9-й съезд комсомола бросил в массы крылатый лозунг «Комсомолец — на самолет!» Не подумаем, что кто-то комсомольскому съезду намекнул или подсказал. Совсем нет. Представители юного племени сами решили учиться летать на планерах и самолетах. Это были славные времена, в стране свирепствовал голод, организованный товарищем Сталиным и другими товарищами, в стране, способной кормить себя и полмира, процветало людоедство и трупоедство. В те трудные, но героические времена нашлись средства, чтобы открыть десятки новых аэроклубов с сотнями учебных самолетов, нашлись средства на инструкторов и механиков, нашлись валютные запасы на парашютный шелк и на мудреные приборы. И работа закипела, энтузиасты-комсомольцы в свободное время в клубах и секциях добровольного общества Осоавиахим осваивали авиационные (и не только авиационные) профессии. Подготовка летчиков

184

начиналась на планерах, овладевшие планером пересаживались на самолет, а лучшие из окончивших аэроклубы по рекомендациям комсомола шли в учебные заведения Военно-воздушных сил, имея уже и теоретические знания, и летный стаж.

Но летчиков не хватало. Осоавиахим наращивал темпы производства, а комсомол направлял в авиационные клубы все новые и новые тысячи молодых энтузиастов. Страну поразил авиационно-планерный психоз, который свирепствовал параллельно парашютному психозу, дополняя его и усиливая. 22 февраля 1935 года газета «На страже» опубликовала рапорт Сталину: 138 416 человек умеют летать на планерах. Коммунистическая партия и лично товарищ Сталин выразили удовлетворение достижениями Осоавиахима, но были высказаны пожелания в том духе, что не пора ли переходить уже и к массовой подготовке планеристов. Намек был понят. Год на предварительные работы, и 31 марта 1936 года ЦК комсомола и ЦС Осоавиахима принимают постановление «О массовом планерном спорте». Удивительное постановление. Каждый желающий может прочитать его в газете «На страже» от 16 апреля 1936 года. Подготовка планеристов в нашей стране стала действительно массовой. Но планерист — это только исходный материал, из которого готовят летчиков. 9 декабря 1936 года «Комсомольская правда» публикует призыв подготовить 150 000 летчиков и соответствующее количество технического персонала.

Это, конечно, совпадение, но чисто советское: в 1936 году Сталин отдал секретный приказ о разработке самолета «Иванов», который можно было бы выпустить серией в 100 000—150 000, и в том же 1936 году юное племя решает подготовить 150 000 пилотов.

2

Осоавиахим растет и мужает. В конце 1939 года в его составе было 4 школы по подготовке инструкторов, 12 авиационно-технических, 36 планерных клубов и 182 аэроклуба.

Сколько было самолетов в Осоавиахиме — не знаю. Но аэроклуб — это прежде всего аэродром. Не думаю, чтобы на аэродроме был один-единственный самолет. Не думаю, что было и два. Зачем аэродром строить ради двух самолетов? Но даже если на аэродромах Осоавиахима было всего по паре самолетов, то и тогда их набирается изрядно. Можно и с другой стороны прикинуть: сколько учебных самолетов требуется, скажем, для подготовки 1000 летчиков? А для подготовки 150 000?

Тут самое время вспомнить, что Советский Союз — страна победившего социализма, в стране частная собственность ликвидирована и потому не могло быть частной инициативы. В стране все национализировано, все подчинено государству и потому только с разрешения государства могла быть выделена земля для аэродромов. И самолеты строили только государственные предприятия, и распределялись самолеты только государством, как и самолетный бензин, как людские ресурсы, как все остальное. Кто-то в нашем государстве щедрой рукой отпускал Осоавиахиму все, что это прожорливое дитя требовало. А Осоавиахим давал продукцию: к началу 1941 года было подготовлено 121 000 летчиков (ВИЖ. 1984. № 6. С.5).

Выходит, план не выполнили?

План выполнили. Просто Осоавиахим — не единственная организация, которая готовила летчиков, и даже не главная. Кроме Осоавиахима летчиков готовили учебные заведения РККА, РККФ, ГВФ.

В те времена гражданская авиация была организацией, скромной по размерам. ГВФ имел основной задачей обслуживать нужды руководства, НКВД, Наркомата связи и некоторых других учреждений. Массовых перевозок пассажиров не было, и они не предполагались в обозримой перспективе. Вся система ГВФ к началу войны имела 3927 человек летно-подъемного состава (т. е. включая и бортпроводниц). Однако эта небольшая, но богатая организация имела потенциал: она могла готовить летчиков, в том числе военных. И она готовила.

2 сентября 1935 года было принято правительственное решение отбирать и принимать курсантов в летные и технические учебные заведения ГВФ по тем же условиям, которые установлены для учебных заведений ВВС. Другими словами, в случае необходимости все, что подготовлено для ГВФ, могло быть использовано в военной авиации. 5 ноября 1940 года было принято решение правительства, которое, по существу, превращало ГВФ во вспомогательную организацию ВВС. «На Главное управление ГВФ была возложена задача в течение 1941 года подготовить тысячи пилотов для укомплектования ими в последующем школ ВВС. С этой целью Главное управление ГВФ в феврале—апреле 1941 года развернуло десятки учебных эскадрилий, в которых обучались тысячи курсантов. Они получили дополнительно 1048 учебных самолетов» (Маршал Советского Союза С.К. Куркоткин. Тыл Советских Вооруженных Сил в Великой Отечественной войне. С. 43.). Учебных эскадрилий в составе ГВФ было создано 47, в каждой по 250 курсантов. 1048 учебных самолетов, которые получены **дополнительно** — тоже внушительно. И еще: тысячи курсантов — это один выпуск. А что планировалось после первого выпуска?

Мило у товарища Сталина: 47 учебных эскадрилий готовят тысячи пилотов для ВВС, а смотришь со стороны — гражданский воздушный флот. И юношам нашим все дороги, все пути открыты, выбирай, что нравится: хочешь — в военную летную школу иди, а не хочешь быть военным летчиком — иди в гражданскую летную школу... Все равно станешь военным.

Одним словом, усилиями разных организаций задачу подготовки нужного количества пилотов выполнили. «Тысячи комсомольцев добровольно и по специальным комсомольским наборам пришли в летные и технические школы Военно-воздушных сил и Гражданского воздушного флота. Комсомол поставил перед молодежью задачу: всемерно развивая массовый авиационный спорт, подготовить 150 тысяч летчиков-спортсменов. Эта задача оказалась по плечу нашим юношам и девушкам» (Здравствуй, небо. С. 5).

3

Тут самое время задать вопросы: а кому нужны 150 000 пилотов? И зачем? А ведь подготовка пилотов — совсем не единственное занятие Осоавиахима и подобных учреждений: помимо пилотов шла массовая подготовка штурманов, авиатехников, мотористов, радистов, метеорологов, специалистов многих других профилей. Был, как мы уже знаем, подготовлен миллион парашютистов. Правда, с парашютистами проще: есть объяснение, зачем их готовили. Два британских автора Б. Грегори и Д. Бетчелор выпустили в 1978 году книгу «Airborne warfare. 1918—1941» и очень доходчиво объяснили, что миллион советских парашютистов — это просто увлечение, национальное хобби, люди прыгали в свое удовольствие. Очень даже убедительно. Но можно и возразить: если бы коммунистическая партия дала голодающим детям по буханке черняшки, удовольствия было бы больше, да и дешевле обошлось.

Итак, миллион парашютистов эксперты объяснили, а вот зачем коммунисты готовили 150 000 пилотов, пока никто не объяснил и не пытался объяснить. Ясно, не для гражданской авиации. Учреждения ГВФ, как мы уже видели, имели малую потребность в летчиках, а возможности ГВФ были использованы не только (и не столько) для удовлетворения внутриведомственных потребностей, но и для производства тысяч пилотов, так сказать, «на экспорт», т. е. для Красной Армии.

Ясно также, что подготовку пилотов не объяснить национальным хобби и прочими коммунистическими выдумками. И вот почему. Комплектовать аэроклубы и летные школы можно было по принципу добровольного выбора или по неисчислимому множеству других принципов. У неисчислимого множества других принципов общая черта: они не добровольные. Прочитаем любой восторженный рапорт о великих свершениях нашей молодежи в те славные времена и обязательно обнаружим, что, кроме принципа добровольного выбора, использовались и другие: комсомольские наборы, мобилизации и т.д. Не уходя далеко, прочитаем еще раз цитату из книги «Здравствуй, небо», по которой минуту назад скользнул наш взгляд: «Тысячи комсомольцев добровольно и...»

Так о каком удовольствии речь, если комсомольца загоняют в самолет батогами или еще каким экзотическим способом?

4

Как ни крути, а готовили 150 000 пилотов не ради их удовольствия и не для развития гражданской авиации, а для летных школ Военно-воздушных сил. В конечном итоге в ВВС судьба сводила того, кто искал романтики в небе, с тем, кто романтики не искал, того, кто хотел стать военным летчиком, с тем, кто хотел стать гражданским летчиком, и даже с тем, кто от всего этого хотел остаться в стороне.

Статистика подготовки военных летчиков в СССР пугает каждого, кто с ней знакомится. За первые две пятилетки (с 1927 по 1937) в СССР было подготовлено 50 000 военных летчиков и штурманов (Генерал-майор авиации В.С. Шумихин. Советская военная авиация. С. 177). Это на целый порядок выше, чем в любой другой великой авиационной державе. Понятно, пока готовили одних, другие выбывали, но пополнение резко превышало убыль. Подготовка военных летчиков осуществлялась не равными порциями каждый год, а по нарастающей.

Подготовка 50 000 летчиков за десять лет была осуществлена летными школами ВВС, количество которых тоже возрастало и к 1937 году достигло 12 (военные летные школы морской авиации мы сейчас пока не считаем). Кроме летных школ в составе ВВС была одна академия для подготовки высшего командного состава.

На 1 января 1940 года летных школ ВВС стало 18.

На 1 сентября 1940 года — 28, а академия разделена на две самостоятельные академии.

Через три месяца количество летных школ и училищ достигло 41.

Так, может, то были маленькие летные школы?

Маршал авиации С. Красовский был генерал-майором авиации и командовал одной из таких школ: 2000 курсантов (Жизнь в авиации. С. 111).

Так, может, Красовский командовал какой-то особой школой, исключительной? Опять же нет: на конец декабря 1940 года в учебных заведениях ВВС было 6053 учебных самолета (ЦГАСА, фонд 29, опись 31, дело 107, лист 28). Выходит в среднем по 147 учебных самолетов на каждую летную школу. По современным стандартам, 120 самолетов — это авиационная дивизия. По стандартам того времени, 120 самолетов — это два авиационных полка, а

6000 самолетов — это ровно сто учебных авиационных полков. И если счет учебных самолетов в каждой летной школе за сотню, значит, счет курсантов — за тысячу. 6000 учебных самолетов — это только в учебных заведениях ВВС. А флот имел свою авиацию и свои собственные учебные заведения с учебными самолетами. Понятно, мы сейчас не говорим об учебных самолетах в строевых частях ВВС и флота, в ГВФ, Осоавиахиме, НКВД и т.д.

Кремлевские историки любят подчеркнуть дикую нехватку учебных самолетов. Нехватка действительно существовала: им-то хотелось и учебных, и боевых самолетов больше, и еще больше, и еще больше. А если посчитать количество советских учебных самолетов и сравнить с количеством германских самолетов, то получается, что одних учебных самолетов в Советском Союзе было больше, чем в Германии учебных, боевых и транспортных, вместе взятых.

5

Итак, в 1941 год Советский Союз вступил, имея 41 летное учебное заведение. Сталину мало. Но что делать? До 1940 года можно было увеличивать число курсантов в каждой летной школе. Эта возможность исчерпана: каждая летная школа набита курсантами так, что больше не впихнуть. Маршал авиации С. Красовский свидетельствует: летные школы работали на полную мощь, полеты днем и ночью без выходных и праздников. Красовский не одинок в своем свидетельстве.

Оставались две возможности увеличить выпуск военных летчиков.

Первая: создавать новые летные школы.

Вторая: увеличить количество выпускников за счет качества подготовки, за счет сокращения времени обучения. Одно дело — держать курсанта в стенах училища три года, другое дело — один год: на одном учебном месте при тех же затратах подготовим не одного летчика, а троих. А если сократить срок до шести месяцев, то вместо одного летчика можно подготовить шестерых!

Какой же путь выбрать?

Начальник ВВС генерал-лейтенант авиации Павел Рычагов 7 декабря 1940 года на заседании Главного военного совета предложил использовать обе возможности одновременно.

С 1 января 1941 года до 1 мая количество летных учебных заведений ВВС было увеличено. На 1 мая в составе ВВС было три военные академии, две высшие школы штурманов, курсы переподготовки командного состава, 16 технических и 88 летных училищ и школ. Кроме всего, 6 ноября 1940 года были созданы спецшколы ВВС в системе Наркомата просвещения. Это подготовка мальчишек к поступлению в летные учебные заведения ВВС. Но это мы не считаем: это ведь не армия, а чисто гражданское ведомство.

Собрав сведения о количестве летных школ ВВС и количестве курсантов, лично я подверг все это сомнению. Да и как всему этому верить? Думаю, что я не одинок. Поэтому, если моему читателю тоже не верится, рекомендую простой способ проверки. За время войны и предвоенных конфликтов более 2400 советских летчиков стали героями. На каждого из них легко собрать сведения о том, где и когда его готовили. Начните собирать и раскладывать по полкам. Быстро можно убедиться, что летных школ было за 50, за 60, за 70.

Второй способ: бывшие фронтовики ищут однополчан и однокашников, например, через «Красную звезду». Это целая информационная река. Эти сведения (и не только об авиации) собирайте и обрабатывайте. Ужасно увлекательно, если втянуться, если делать эту работу годами.

А еще можно собирать биографии знаменитых авиационных генералов и маршалов. Там есть что почерпнуть.

Количество военных летных школ и количество курсантов в них плохо охватывается воображением, но каждый, кто самостоятельно собирает сведения о размахе подготовки летных кадров для Красной Армии, согласится: летных училищ и школ было много и работали они в стахановском ритме.

Но даже поверив этим цифрам, сомнение развеять нелегко: непонятно, как это можно за три месяца построить хотя бы десять авиационных школ. Школа — это и аэродром, и ангары, и мастерские, и склады, и капитальные корпуса. Школа — это коллектив инструкторов, механиков, ремонтников и специалистов многих других профилей. Как же можно все это укомплектовать за такие короткие сроки?

Секрета нет. Десять лет не жалел Сталин средств на развитие аэроклубов Осоавиахима. Организация была добровольная (в советском понимании), но полувоенная, а высшее руководство — чисто военное во главе с генерал-майором авиации Павлом Кобелевым. Превратить добровольные полувоенные клубы в не очень добровольные летные школы ВВС просто, ибо именно это превращение содержалось в изначальном замысле. За десять лет все было подготовлено и годами обкатано: и персонал на месте (его только к присяге привести и переодеть), и аэродром есть, и ангары, и мастерские, и самолеты. Капитальных корпусов нет, но обойдемся бараками. Бараки мы строить обучены. Ставь бараки косяком на краю летного поля — вот тебе и летная школа.

И третья академия ВВС создавалась по той же методике. Правда, для академии были заранее возведены капитальные корпуса. Рассказывает генерал-полковник авиации А.Н. Пономарев. Перед войной он был генерал-майором авиации. Посылают его в Ленинград. Там построен комплекс Института инженеров ГВФ. Деньги в гражданскую авиацию товарищ Сталин вкладывал большие: учебные корпуса, лаборатории, общежития — по последнему слову. Идет генерал коридорами. В военной академии все стояли бы по струнке, а тут даже не замечают. (Он так в мемуарах и пишет — по струнке.) Ничего. Всему свое время. Встречает генерал своего бывшего профессора.

«— Александр Пономарев! Глядите, каким стал! Генерал! — Он обнял меня. — Какими судьбами?

— Да вот вместе работать будем.

— Здесь? Но вы же военный?

— Скоро в этом доме все военными будут» (Покорители неба. С. 82).

Так в составе ВВС появилась третья военная академия.

Именно так были созданы и все летные школы: сначала вкладываем деньги в «добровольный» аэроклуб, а в одно прекрасное утро меняем вывеску.

6

Но пилотов все равно не хватало. И тогда было решено резать сроки подготовки. Официальная история гласит: «решением партии и правительства». Я это понимаю: решением Сталина и Молотова.

Раньше летчиков и штурманов готовили в военных училищах по трехлетней программе, не считая предварительной подготовки в Осоавиахиме. Было решено оставить только четыре летных училища с полным сроком обучения, но полный срок сократить до двух лет в мирное время, одного года — в военное.

55 летных училищ — преобразовать в летные школы с короткой программой: в мирное время девять месяцев, в военное — шесть.

29 летных школ — с предельно короткой программой: четыре месяца в мирное время, три — в военное.

Всех этих премудростей поступающий не знал и права выбора не имел. Все зависело от чистой случайности: куда направят. Понятно, были приказы: лучших — в летные училища, середняков — в летные школы с короткой программой, а что осталось — в школы с предельно короткой программой. Но мне плохо верится в то, что такие приказы в точности исполнялись: если на подготовку летчика времени совсем не отпускают, то уж на предварительный выбор и сортировку — тем более.

В четырех летных училищах готовили летчиков, которые в перспективе могли стать командирами звеньев, эскадрилий, полков. В 55 школах с короткой программой готовили ведомых для истребительной авиации, которые в перспективе могли стать ведущими, и вторых пилотов для бомбардировочной авиации, которые в перспективе могли превратиться в первых пилотов. А в 29 школах с предельно короткой программой готовили ведомых истребительной авиации и вторых пилотов бомбардировочной авиации, которые в перспективе ни в кого не могли превратиться. Посмотрел я на программы обучения всех этих училищ и школ и для себя лично сомнений не имею: соколиков готовили на убой.

7

Создается впечатление, что основную массу летчиков решили готовить в 55 школах с короткой программой. Но это срабатывает психология: 55 больше, чем 29. Но именно 29 летных школ с предельно короткой программой стали основной кузницей летных кадров. Посчитаем. Для упрощения вычислений представим себе, что каждая летная школа имеет по одной тысяче курсантов. В этом случае 55 летных школ с короткой программой за 1941 год подготовят 55 000 пилотов, выпустят их и начнут подготовку нового набора. А вот 29 школ с очень короткой программой за год мирного времени способны сделать три выпуска по 29 000 пилотов в каждом. Три выпуска — 87 000 пилотов. Но летные школы имели не по одной тысяче курсантов, а по полторы тысячи, а то и по две. Так что перевес в пользу летчиков, подготовленных по предельно короткой программе, был еще более ощутимым.

И пусть нас не обманут слова: в военное время — три месяца, в мирное — четыре. Не велика разница! Если большую часть пилотов готовят по четыре месяца, то это уже не мирное время. Этому факту одно объяснение: с 7 декабря 1940 года советская авиация работала в режиме военного времени. Любознательным рекомендую найти сведения о подготовке японских летчиков-смертников во время войны. Поучительно сравнить.

И девять месяцев подготовки по короткой программе пусть нас не обманут. Нельзя подготовить полноценного летчика за девять месяцев. Нельзя. Кстати, некоторые из летных школ, которые должны были готовить летчиков по девятимесячной программе, сразу переключались на программу военного времени, на шестимесячную. Кировабадская летная школа тому яркий пример. Даже и те немногие двухгодичные училища нас пусть не обманут. Объявили: в мирное время — два года, в военное — один. В теории. А вот практика: «Все двухгодичные авиационные учебные заведения преобразовывались в одногодичные» (Шумихин. С. 233). Можно было объявить программу мирного времени хоть семилетней: все равно по программе мирного времени никто уже не учится.

8

Теперь представим себе, что мы с вами открыли ферму по выращиванию петушков или еще какой живности. Производительность нашего инкубатора, скажем, 150 000 петушков в год (а вообще-то больше). Один год производим, второй год, третий... Не будем философствовать на тему, много это или мало, все относительно, а подумаем над вопросом чисто практическим: что с ними потом делать? Подумаем о реализации готовой продукции, о сбыте. А то затоваримся. А то получится самое настоящее перепроизводство, которое бывает у капиталистов. Но мы-то не капиталисты. У нас хозяйство плановое, и сбыт у нас планируется заранее.

Шутки в сторону: если 7 декабря 1940 года авиационный инкубатор пустили на полную мощь, значит, Сталин решил начинать войну в 1941 году. Если Сталин войну не начнет, то уже к осени 1941 года пилотов-недоучек некуда будет девать. Это когда-то мечтали о 150 000 пилотов. А в 1940 году такие мощности развернули, что ГОДОВАЯ производительность выше 150 000.

Все коммунистические историки вынуждены признать, что Сталин готовил агрессию, но, говорят они, — на 1942 год. Если так, то следовало конвейеры придержать и пилотам-недоучкам увеличить срок обучения. Количества нам в любом случае хватит, а качество возрастет. Но Сталин исходил из других сроков: ему выпускники нужны были уже в 1941 году. Массами.

А может, робко говорят некоторые историки, Сталин готовился к отражению агрессии? Может, все эти пилоты готовились для оборонительной войны, так сказать, для великой отечественной?

Обратим внимание на даты. Гитлер принял окончательное решение напасть на Сталина 18 декабря 1940 года. Но германская промышленность не перешла на режим военного времени, и летчиков в Германии готовили по вполне нормальным программам. Сталин принял окончательное решение напасть на Германию раньше. Перевод авиационного инкубатора на военный режим 7 декабря 1940 года — тому доказательство.

А если по большому счету, то создание сталинского авиационного инкубатора началось за десять лет до 1941 года, еще в 1931 году, когда был брошен лозунг: «Комсомолец — на самолет!» В тот момент Гитлер еще не пришел к власти в Германии, и мог не прийти вообще. А Сталин уже тогда готовил смертельный удар по Германии независимо от того, будет у власти Гитлер или кто другой.

ГЛАВА 13
О 186-й СТРЕЛКОВОЙ ДИВИЗИИ

> Эта война вызовет, как мы твердо
> верим, пролетарскую революцию.
>
> *Троцкий.*
> *«Бюллетень оппозиции»,*
> *август—сентябрь 1939 г.*

1

В ходе Гражданской войны Красная Армия росла. Одни дивизии погибали, другие создавались, общее количество увеличивалось. Вершины своей мощи Красная Армия достигла к началу 1920 года: 64 стрелковых и 14 кавалерийских дивизий (Маршал Советского Союза В.Д. Соколовский. Военная стратегия. С. 163).

После Гражданской войны Красная Армия была резко сокращена, однако количество стрелковых дивизий не уменьшилось, а возросло. Это не чудо, просто солдат отпустили по домам, а дивизии превратили в территориальные: штабы и командиры есть, а солдат нет. Территориальная дивизия — своего рода каркас, который в случае учений, стихийных бедствий или войны надо наполнить солдатами, призвав резервистов под знамена. Создание новых дивизий без солдат не означало больших затрат и не отрывало пахарей от земли.

В 1923 году была сформирована стрелковая дивизия с номером 100. В то время стрелковых дивизий (без солдат) действительно было около ста, но все же их было не сто, поэтому присвоение такого большого номера было натяжкой и своего рода бахвальством: вон их у нас сколько...

100-я стрелковая дивизия своим номером как бы подчеркивала верхнюю грань: и в мирное, и в военное время (как показал опыт Гражданской войны) столько стрелковых дивизий было достаточно. Помимо стрелковых дивизий Красная Армия имела еще и кавалерийские дивизии, которые имели свою собственную систему номеров.

100-ю стрелковую дивизию, как и 1-ю Пролетарскую стрелковую дивизию, содержали в лучшем виде: этими номерами как бы очерчена вся Красная Армия. Можно отчетливо видеть стремление высшего командования показать, что в Красной Армии везде — от 1-й до 100-й — революционный порядок. И если везде железный порядок установить не получалось, то по крайней мере в 1-й и 100-й дивизиях он был. Совсем не случайно в ходе войны 100-я стрелковая дивизия самой первой была удостоена гвардейского звания и стала называться 1-й гвардейской стрелковой. А 1-я Пролетарская к началу войны из стрелковой была превращена в мотострелковую и в ходе войны стала 1-й гвардейской мотострелковой дивизией.

В 20-х и 30-х годах количество стрелковых дивизий в Красной Армии то слегка сокращалось, то увеличивалось. В системе номеров дивизий то возникали, то заполнялись пустоты, но 100-я стрелковая дивизия так и оставалась как бы верхним рубежом Красной Армии. Дивизии с более высоким номером в Красной Армии не было.

С начала тридцатых годов Красная Армия начала сначала незаметно, а потом все быстрее «нарабатывать мускульную массу». Территориальные дивизии без солдат понемногу превращались в кадровые дивизии с солдатами. Процесс шел все быстрее. К концу 1937 года добрая половина стрелковых дивизий была переведена из территориальных в кадровые, а к концу 1938 года — все дивизии стали кадровыми. И получилось, что в начале августа 1939 года Красная Армия имела 96 стрелковых и одну мотострелковую дивизию. Все они были не территориальными, а кадровыми. 96 кадровых стрелковых дивизий — это больше, чем в самый пик Гражданской войны, когда режим боролся за свое существование.

2

1 сентября 1939 года германская армия напала на Польшу, и эту дату официально принято считать началом Второй мировой войны. Этот день

столь ужасен и трагичен, что все остальное случившееся в тот день оказалось в тени.

А между тем в тот самый день в Москве 4-я внеочередная сессия Верховного Совета СССР приняла «Закон о всеобщей воинской обязанности». Немедленно началось развертывание новых стрелковых дивизий. Пустоты в ряду номеров с 1 до 100 заполнили, и тут же появились стрелковые дивизии с номерами 101, 102, 103... а потом и 110, 111... 120... 130...

Чтобы не ходить далеко за примерами, рассмотрим процесс развертывания на примере знаменитой 1-й Пролетарской стрелковой дивизии (Москва). В сентябре 1939 года штаб дивизии переформирован в штаб стрелкового корпуса. Два полка из состава дивизии превращены в 115-ю и 126-ю стрелковые дивизии. Новый стрелковый корпус немедленно переброшен на западную границу и 17 сентября уже участвовал в «освободительном походе» в Польшу. А еще один полк из состава 1-й Пролетарской дивизии был оставлен в столице, и на его базе развернута новая 1-я Пролетарская стрелковая дивизия. Была одна дивизия — стало три и управление стрелкового корпуса. Именно так делалось и в других местах: полки превращались в дивизии, дивизии — в корпуса.

Глянем в исторические формуляры наших прославленных дивизий и удивимся тому, что многие из них создавались одновременно. Не забираясь в большие номера: 2-я гвардейская Таманская. Гвардейское звание и соответствующий номер получен на войне, а создавалась она как 127-я стрелковая дивизия в сентябре 39-го, когда номера дивизий взлетали все выше и выше. Проверяем наугад: 112-я, 123-я, 128-я; 136-я, 138-я, 144-я, 159-я, 163-я, 169-я, 170-я, 186-я — и не ошибемся, все они созданы в одном месяце. Советские официальные источники об этом скромно говорят: «С осени 1939 года началось развертывание всех родов Сухопутных войск. Формировались десятки новых дивизий» (Советские Вооруженные Силы. С. 242).

3

Процесс создания новых дивизий начался не плавным наращиванием, а рывком. Только за сентябрь 1939 года номера стрелковых дивизий подскочили со 100 до 186. Необходимое уточнение: цепь номеров от 101 до 186 пока не была сплошной, иногда встречались пропуски. Но в июне 1940 года Гитлер пошел во Францию, беззаботно повернувшись к Сталину спиной, а Сталин отдал приказ о формировании новой волны стрелковых дивизий. И все пустоты в нумерации были заполнены.

Еще одна волна развертывания стрелковых дивизий прокатилась в феврале—марте 1941 года, когда номера проскочили цифру 200 и их понесло выше.

Вот как создавалась 200-я стрелковая. Начнем с командира. Звали его Иван Ильич Людников. Родился в 1902 году. Окончил пехотную школу, командовал взводом, ротой, был начальником штаба батальона. Поднялся во времена великой чистки. В 1938 году окончил Академию им. Фрунзе и направлен в Генеральный штаб. 19 августа 1939 года отдан приказ о создании многих новых военных училищ, в том числе и пехотного училища в Житомире, начальником которого был назначен Людников. 22 февраля 1941 года Нарком обороны отдает секретный приказ о досрочном выпуске курсантов военных училищ. Выпуск проведут и без начальников, а начальники училищ назначаются командирами вновь формируемых дивизий. Начальник Житомирского пехотного училища полковник Людников 10 марта 1941 года получает приказ прибыть в штаб Киевского военного округа, и начальник штаба округа генерал-лейтенант М.А. Пуркаев зачитывает ему приказ о назначении командиром 200-й сд, которую ему приказали формировать. «Я понял, что ждать больших событий осталось недолго, и поспешил в организационно-мобилизационный отдел» (И.И. Людников. Сквозь грозы. С. 23).

«В мобилизационном отделе штаба округа мне сказали:

— Ваша дивизия вон в том углу, забирайте.

Поднимаю с пола опечатанный мешок с биркой «200 сд. Почтовый ящик 1508». Содержимого в мешке не много. Кто-то даже пошутил:

— Не шапка Мономаха...

Срок формирования новой дивизии был жестким» (И.И. Людников. Дорога длиною в жизнь. С. 3).

Полковник в возрасте 38 лет через четыре года станет генерал-полковником. Он вполне справился с поставленной задачей в 1941 году, как справлялся со всеми задачами в ходе войны. Начав с нуля, с одного полупустого мешка, Людников сформировал дивизию, провел боевое сколачивание подразделений, частей, штабов и тыловых органов и к началу июня 200-я стрелковая дивизия «была укомплектована личным составом по штатам военного времени и имела все средства вооружения» (ВИЖ. 1966. № 9. С. 66—67). Это означает, что в 200-й сд было 14 438 солдат и офицеров, сотни орудий и минометов, 558 автомобилей, танки, бронеавтомобили и т.д. и т.д.

История мобилизации поражает каждого, кто ее изучал, точностью и слаженностью процесса подготовки Красной Армии к нападению. Вначале с августа 1939 года — основные силы на подготовку офицерских кадров, затем досрочный выпуск, формирование второй и третьей волн резервных дивизий, переброска войск с Дальнего Востока, из Забайкалья, Сибири, из Средней Азии, с Кавказа и Закавказья. В этом потоке был и 31-й стрелковый корпус, перебрасываемый с Дальнего Востока, в состав которого должна была войти 200-я стрелковая. И гремит Сообщение ТАСС от 8 мая 1941 года о том, что никаких войск с Дальнего Востока мы не перебрасываем. А они прибывают, среди них и 31-й стрелковый корпус. 200-я стрелковая полковника Людникова входит в его состав, проводит последние учения и наконец — Сообщение ТАСС от 13 июня. И вот дивизия поднята по боевой тревоге, получила приказ в несколько ночных переходов, тщательно маскируясь в лесах в дневное время, совершить марш к приграничному городу Ковелю... «Провожать дивизию вышло все население городка. Самые горячие заверения, что мы идем на учение, не могли утешить наших матерей и жен. Предчувствие близкой беды не обмануло их.

Целуя жену и сынишек, я почти не сомневался, что ухожу на войну» (Там же. С. 4). А потом последовало внезапное нападение...

Меня всегда удивляла эта нестыковка: миллионы людей знали, что идут на войну, и жены их знали, и матери, и отцы, и дети знали, но германского нападения никто не ждал. Оно для всех было внезапным.

Генерал-полковник И.И. Людников — толковый командир. В 1945 году он продемонстрирует высший класс мастерства при разгроме японских дивизий, которые нападения не ждали. Но как стыковать факты: в марте 1941 года Людникова вызывают в **мобилизационный** отдел штаба приграничного округа и приказывают формировать дивизию с номером, который вдвое больше самого большого; он формирует дивизию «по штатам военного времени» с пониманием, что «больших событий ждать недолго»; когда 200-я дивизия пошла к границе, Людников и все вокруг понимают, что на войну; и при всем этом германского нападения никто не ждал, оно для всех внезапное...

А ведь все просто: все знали, что война будет, все ждали войну, но... без германского нападения. К загадочному предчувствию войны, которое ощущали десятки миллионов советских людей, есть смысл вернуться отдельно. А сейчас — к нашим дивизиям. Точнее, к дивизиям, корпусам, армиям и фронтам. Если создаются десятки (и сотни) дивизий, то ими надо управлять. Некоторые дивизии оставались отдельными, т. е. напрямую подчинялись штабам армий или военных округов, но в большинстве случаев две-три-четыре дивизии составляли стрелковый корпус. Вот почему вместе с количеством дивизий росло и количество стрелковых корпусов. К лету 1939 года в Красной Армии было 25 стрелковых корпусов, осенью их количество удвоилось. Номера стрелковых корпусов поползли вверх и быстро перескочили цифру 50, а потом и 60.

Но и корпусами надо управлять. И потому сентябрь 1939 года богат на урожай новых армий.

4

Во всей этой истории меня заинтересовала другая, на первый взгляд совсем мелкая деталь. Советские дивизии и корпуса в массовом порядке были развернуты в сентябре 1939 года. Днем рождения полка, дивизии, корпуса в Красной Армии считается день вручения боевого знамени. Но знамя нельзя вручить пустому месту. Это как на боевом корабле: в его истории записан день, когда был впервые поднят военно-морской флаг. Но чтобы флаг поднять, надо предварительно корабль построить. А строительство начинается с закладки, если быть до конца точным — с проекта. Так и с дивизией: прежде чем ей вручить боевое знамя, надо ее сформировать, а формирование начинается с назначения командира. Меня заинтересовал не момент вручения боевого знамени, а момент, когда в дивизии появился самый первый человек — командир, которому приказано из ничего сделать дивизию.

Дивизии в те времена росли густо, неудержимо и быстро, как бамбуковые побеги после тропического ливня. Из всех дивизий, о которых известно, что они были сформированы в сентябре 1939 года, я выбрал одну с самым большим номером — 186-ю, и начал искать день первого ее упоминания в документах, день, когда дивизии еще не было, но командир был назначен, получил тощий опечатанный мешок с биркой «186 сд» и приказ на формирование.

Командиром 186-й стрелковой дивизии был полковник (с 4 июня 1940 года — генерал-майор) Н.И. Бирюков. Оставалось найти дату, когда его назначили командиром. На поиск даты истратил три года. Время не пропало даром, искал одно, а находил много другого. Тоже интересного.

Наконец нашел и то, что искал: приказ о формировании 186-й стрелковой дивизии и назначении командира был подписан 19 августа 1939 года.

В ту ночь не спал до рассвета — пел песни, смотрел в небо, читал старые стихи. Это была радость одинокого альпиниста, поднявшегося на вершину, «на которой никто не бывал». Может быть, никому мои находки не нужны, может быть, меня не поймут, но для себя лично я сделал пусть маленькое, но открытие.

5

А наутро надо было начинать новую работу: догадку подтвердить или опровергнуть. Могло же быть такое, что взял Сталин и приказал 19 августа 1939 года создать всего лишь одну дивизию, сразу прыгнув с номера 100 на 186.

Пришлось проверить многие другие дивизии и послужные списки маршалов и генералов, которые в августе 1939 года еще не были маршалами и генералами, а были всего лишь перспективными полковниками. Да и вообще в 1939 году генералов в Красной Армии не было, а были комбриги, комдивы, комкоры.

Проверить формулу легче, чем ее вывести. Проверил. Подтвердилось: в сентябре 1939 года создавались десятки новых дивизий и корпусов, а решение об их создании и назначении командиров было принято 19 августа 1939 года.

Вот несколько примеров. Каждый желающий может набрать их десятками.

Комбриг П.С. Пшенников (в последующем генерал-лейтенант) 19 августа 1939 года стал командиром 142-й стрелковой дивизии. Дивизии пока не существовало, но командир был назначен и к формированию приступил.

Полковник Я.Г. Крейзер (в последующем генерал армии) в тот день стал командиром 172-й стрелковой дивизии.

Комбриг И.Ф. Дашичев (впоследствии генерал-майор) стал командиром 47-го стрелкового корпуса.

Комкор Ф.И. Голиков (в последующем Маршал Советского Союза) в августе 1939 года получил приказ сформировать и возглавить 6-ю армию. Не только дивизии и корпуса в тот момент формировались, но и армии.

Полковник С.С. Бирюзов (в последующем Маршал Советского Союза) 19 августа 1939 года стал командиром несуществующей пока 132-й стрелковой дивизии.

Комбриг А.Д. Березин (с 5 июня 1940 года генерал-майор) в тот день назначен командиром 119-й стрелковой дивизии. Дату можно прочитать совершенно открыто, например в «Военно-историческом журнале» (1986. № 2. С. 86). И эта дата — 19 августа 1939 года.

Список можно продолжать томительно долго. Думаю, и этих примеров достаточно для того, чтобы понять: 19 августа 1939 года Сталин приказал количество стрелковых дивизий удвоить. Их и так было больше, чем в любой армии мира. Удвоить — означало, что предмобилизационный период завершен и начата мобилизация.

И тогда, и 50 лет спустя факт начала мобилизации скрывался, ибо это была тайная мобилизация. Для маскировки 2 сентября была объявлена «частичная мобилизация». Если она была частичной, то следовало однажды объявить о ее окончании и демобилизации, но «частичную» мобилизацию никто не остановил и демобилизацию не объявлял. И она продолжалась, набирая силу и скорость.

Тайная мобилизация проводилась под руководством Начальника Генерального штаба Маршала Советского Союза Б.М. Шапошникова, того самого, который понимал сам и убедил Сталина, что частичной мобилизации быть не может, она может быть только всеобщей, что мобилизация является не шагом к войне, но самой войной.

19 августа 1939 года Европа еще жила мирной жизнью, а Сталин уже принял решения и запустил машину мобилизации в НЕОБРАТИМОЕ движение, которое в любом случае и при любом международном раскладе делало Вторую мировую войну полностью неизбежной.

Многие историки думают, что сначала Сталин решил подписать с Гитлером мир, а потом решил готовить внезапное нападение на Германию. А мне вдруг открылось, что не было двух разных решений. Подписать мир с Германией и окончательно решиться на неизбежное вторжение в Германию — это одно решение, это две части единого замысла.

6

1 сентября 1939 года Гитлер напал на Польшу, и эта дата считается началом Второй мировой войны. Пусть же этот трагический день так и останется **официальной** датой начала Второй мировой войны. Гитлер — злодей и чудовище. Но давайте не забудем, что существовало в мире и другое, более хитрое чудовище по имени Сталин.

Не знаю, когда намеревался Гитлер начинать Вторую мировую войну. Но в сентябре 1939 года Германии нападать на Польшу было нельзя. Нельзя потому, что это могло повлечь за собой войну и морскую блокаду со стороны Британии и Франции. Именно так и случилось, и Гитлер должен был предвидеть и рассчитывать последствия своих действий. Для войны на море Германия должна была иметь мощный флот. В 1939 году Германия его не имела. Германская кораблестроительная программа предусматривала ввести в состав флота 6 линкоров к 1944 году, 4 тяжелых крейсера к 1943-му и еще 4 — к 1945 году, 4 легких крейсера к 1944-му и еще 13 — к 1948 году, 2 авианосца к 1941 году и еще 2 — к 1947-му. Такие же сроки отводились и на строительство подводного флота. В любом случае Гитлер должен был отложить нападение на Польшу на 1944—45 годы. Без меня доказано, что в 1939 году Гитлер не имел намерения начинать европейскую, тем более мировую войну. Без меня доказано, что промышленность Германии в 1939 году работала в режиме мирного времени, что не было намерений и планов переводить ее на режим военного времени. Доказано и то, что 3 сентября 1939 года Гитлер был потрясен, узнав, что Британия и Франция объявили ему войну. Гитлер такого оборота событий не предусматривал. А Сталин 19 августа 1939 года принял такие решения, которые уже нельзя было отменить, которые не оставляли Советскому Союзу никакой другой возможности, кроме войны.

Поэтому я считаю 19 августа рубежом войны, после которого при любом раскладе Вторая мировая война должна была состояться. И если бы Гитлер не начал ее 1 сентября 1939 года, Сталин должен был искать другую возможность или даже другого исполнителя, который бы толкнул Европу и весь мир в войну. В этом суть моего маленького открытия.

7

23 августа 1939 года в Кремле был подписан пакт Молотова—Риббентропа. Это было захватывающее, волнующее событие, и его участники не могли предполагать, что бесстрастная камера запечатлит больше, чем хотелось организаторам этого дела. А камера запечатлела картину: Молотов и Риббентроп подписывают договор, а за их спинами как два заговорщика шепчутся Сталин и Шапошников.

Им есть о чем шептаться: Советский Союз уже прошел тайный предмобилизационный период и вступил в период тайной мобилизации, которая сама по себе уже является войной. Сталин и Шапошников знают, что создали такую ситуацию, когда, словами самого Шапошникова, «возврата к мирному времени быть не может». В Советском Союзе уже формируются стрелковые дивизии с номерами больше ста. В Советском Союзе уже готовятся десятки тысяч пилотов на самолет «Иванов». А разработка самолета завершена, и он готов к действительно массовому производству. В Советском Союзе уже формируются десятки новых военных училищ для выпуска офицеров сотнями тысяч. В Советском Союзе уже ведется такое строительство пороховых и снарядных заводов, которое делает войну неизбежной в ближайшие годы. Сталин и Шапошников шепчутся за спиной Риббентропа, они знают, что Советский Союз уже в состоянии войны, хотя пушки еще не стреляют.

ГЛАВА 14

КОГДА БЫЛА СФОРМИРОВАНА 112-я ТАНКОВАЯ ДИВИЗИЯ?

> Накануне войны А.Л. Гетман был назначен командиром 112-й танковой дивизии.
>
> *Генерал армии И.И. Гусаковский,*
> *ВИЖ. 1973. № 10. С. 117*

1

Последний министр обороны СССР и последний Маршал Советского Союза Д.Т. Язов в своих книгах, статьях, публичных выступлениях говорил о том, что за неполных два предвоенных года в Советском Союзе было сформировано 125 новых дивизий. Упоминание о 125 новых дивизиях мы встречаем, например, в его книге «Верны Отчизне» (С. 178).

Сравним: в разгар «холодной войны» в армии США было 16 дивизий, в армии Британии — 4. Сформировать одну новую дивизию в демократической стране — это одних парламентских дебатов на год. А Сталин, по словам маршала Язова, за неполных два года сформировал 125 дивизий в дополнение к тем, которые у него были раньше.

Можно ли этому верить?

Этому верить нельзя.

Каждый, кто сам собирает сведения о советских дивизиях, знает, что маршал Язов, мягко говоря, лукавил. И потому я написал письмо главному историку Советской Армии генерал-полковнику Дмитрию Волкогонову: храбрость солдата в том, чтобы идти на вражьи штыки, храбрость военного историка в том, чтобы публично возразить старшему начальнику, если тот отступает от исторической правды. Не знаю, получил генерал Волкогонов мое письмо или нет, но он мог бы протестовать и без моего письма. Но не протестовал.

Заявления Язова слышали все советские военные историки, но ни один из них не нашел храбрости возразить. И тогда я написал письмо самому Язову: товарищ Маршал Советского Союза, вы не все говорите или... не все знаете.

2

Послушаем другие мнения о количестве новых дивизий.

Маршал Советского Союза К.С. Москаленко: «С сентября 1939 года по июнь 1941 года было развернуто 125 новых стрелковых дивизий» (На юго-западном направлении. С. 9).

Маршал Советского Союза И.Х. Баграмян: «Формировалось 125 новых стрелковых дивизий и множество соединений и частей других родов войск» (Так шли мы к победе. С. 39).

Чувствуете разницу? Язов говорит про 125 новых дивизий, а Москаленко и Баграмян — про 125

221

новых **стрелковых** дивизий. Маршал Язов сознательно или по незнанию пропустил слово «стрелковые». А пропуск одного слова меняет смысл, ибо, кроме 125 новых стрелковых дивизий, Сталин формировал и другие дивизии, например, мотострелковые и моторизованные. С сентября 1939 года по июнь 1941-го было сформировано 30 новых моторизованных дивизий. Стрелковые, мотострелковые и моторизованные дивизии имели общую систему нумерации, поэтому уже в марте 1941 года в этой системе появились номера 250, 251, 252 и т.д. И все пропуски в системе номеров были заполнены.

Кроме того, формировались танковые дивизии. Только за год, с июня 1940 по июнь 1941 года, была сформирована 61 новая танковая дивизия. Танковые дивизии имели свою собственную систему номеров от 1 до 69. Наличие пропусков указывало на то, что процесс формирования дивизий продолжается.

За неполный год, с июля 1940 года по июнь 1941-го, были сформированы 79 новых авиационных дивизий. И для Сталина это был не предел: номера росли все выше и выше. В апреле 1941 года в районе Смоленска уже формировалась 81-я дальнебомбардировочная авиационная дивизия...

А может, советские дивизии были крошечными?

Совсем нет. Германские танковые дивизии в июне 1941 года имели разную организационную структуру и разное количество танков: от 147 в 13-й до 299 в 7-й танковой дивизии. Танки — легкие и средние. Тяжелых танков в Германии вообще не было. Советская танковая дивизия 1941 года — 375 легких, средних и тяжелых танков. Иногда дивизии были не полностью укомплектованы, например, 1-я танковая дивизия вступила в войну, имея 370 танков и 53 бронемашины (Генерал-лейтенант В.И. Баранов. ВИЖ. 1988. № 9. С. 18).

Германские моторизованные дивизии 1941 года танков в своем составе не имели. Советская моторизованная дивизия 1941 года — 275 танков.

Единственная германская кавалерийская дивизия танков не имела, советские кавалерийские дивизии имели по 64 танка каждая.

Германские пехотные дивизии танков не имели, стандартные советские стрелковые дивизии имели по 16 танков. Некоторые советские стрелковые дивизии имели по 60—70 танков. Например, 4-я стрелковая имени Германского пролетариата дивизия вступила в войну, имея 64 танка (Генерал-лейтенант И.П. Рослый. Последний привал в Берлине. С. 32).

Советские авиационные дивизии имели и по 200 самолетов, и по 300. Бывало — и по 400. Пример: 9-я смешанная авиационная — на 21 июня 409 боевых самолетов.

Общий счет за неполных два года — не 125 новых дивизий, как говорит маршал Язов, а 295 новых дивизий...

Если, конечно, не считать мотострелковых дивизий НКВД.

223

3

Но и 295 новых дивизий — не конец истории.

Однажды выпало побывать в музее 8-й гвардейской Режицкой ордена Ленина, Краснознаменной, ордена Суворова мотострелковой дивизии имени Героя Советского Союза генерал-майора И.В. Панфилова. Дивизия одна из самых именитых. Ее историю каждый из нас изучал еще в детстве: сформирована в июле 1941 года как 316-я стрелковая, первый командир — генерал-майор И.В. Панфилов, в октябре переброшена под Москву, знаменитый бой 28 героев-панфиловцев и т.д. Там, под Москвой, дивизия отличилась и была преобразована в 8-ю гвардейскую стрелковую. Все это мне было известно до посещения музея, но инстинкт охотничьей собаки требовал обнюхать каждый куст дважды, трижды, четырежды. И повезло.

Среди множества документов и реликвий увидел желтый листочек с мелкими буковками — приказ о формировании дивизии. До меня этот приказ читали тысячи посетителей музея. А может быть, смотрели и не читали. А может быть, читали, но на самое главное внимания не обратили. С первого взгляда — приказ как приказ: сформировать, назначить и т.д. и т.д. Но дата!

Дата — 12 июня 1941 года. На следующий день — 13 июня — ТАСС передаст в эфир «странное» сообщение о том, что СССР не собирается нападать

Нет, это не фашисты. Это Красная Армия готовится к освободительным походам

Чингисхан покорял мир не силой оружия, но силой маневра. Ему были не нужны почти неуязвимые, неповоротливые рыцари. Для глубокого стремительного маневра в тыл противника ему были нужны огромные массы почти незащищенных, легко вооруженных, но исключительно подвижных войск. На основе именно этой философии создавались советские танки БТ. Их было много. Только танков серии БТ Сталин имел больше, чем все страны мира вместе взятые имели танков всех типов. Танки БТ обладали исключительной скоростью и подвижностью, огромным запасом хода. Они не имели тяжелой брони и мощного оружия. Их роль в ходе внезапного вторжения: не ввязываться в затяжные бои, обходить очаги сопротивления, выходить в глубокий тыл потивника, захватывать незащищенные жизненно важные центры.

В оборонительной войне такие танки бесполезны...

Гитлер для агрессивной войны подготовил четыре тысячи десантников. Сталин — миллион

Танки БТ имели уникальную способность сбрасывать гусеницы и использовать автострады противника для рывка в глубину его территории. Эта возможность могла быть реализована только на автострадах Германии, Италии, Франции

Танки БТ готовились к действиям огромными массами: механизированными корпусами по тысяче танков в каждом и группами корпусов

Во всех странах пограничные войска готовятся оборонять берега пограничных рек. Исключение: СССР. Наши пограничники готовились форсировать реки, захватывать чужие берега и пограничные мосты

Крылатый танк КТ, он же А-40 (Антонов-1940). Пилотирует танк летчик С.Анохин. Гитлер своим вторжением сделал эти достижения советских конструкторов ненужными

Двухместный самолет Р-5 приспособлен для переброски 16 десантников в тыл противника. В оборонительной войне все это не потребовалось

Под прикрытием Сообщения ТАСС от 13 июня 1941 года титанические массы советских войск устремились к границам. Германское нападение застало войска в эшелонах. Если впереди перебита одна рельса, и эшелон остановлен, то снять танки с платформ невозможно

При подготовке к отражению агрессии авиацию оттягивают дальше от границ и рассредоточивают. При подготовке агрессии — стягивают к границам. В июне 1941 года в непосредственной близости от западных границ советское командование сосредоточило сверхмощную ударную авиационную группировку. На приграничных аэродромах советские самолеты стояли крылом к крылу. Это делало их чрезвычайно уязвимыми. Утром 22 июня целые аэродромы горели едиными гигантскими пожарами

Советский Союз был единственной страной мира, которая имела в 1941 году тяжелые танки. Их задача — взломать оборону противника и пропустить танки БТ на германские автострады. Советские тяжелые танки выдерживали по 20—30 и даже до 200 прямых попаданий германских противотанковых снарядов. Если бы они перешли границу, то остановить их было нечем. Но Гитлеру повезло, он нанес удар в тот самый момент, когда массы войск находились в движении

Сталин и Шапошников.

19 августа 1939 года Сталин принял окончательное решение подписать пакт с Германией о разделе Польши. В тот же день началась тайная мобилизация Красной Армии для войны против Германии. «Мобилизация — это война», — говорил Шапошников. Сталин с этим полностью соглашался

Молодой человек с двумя орденами — Р.П.Хмельницкий. Позади Ленина покровитель Хмельницкого — К.Е.Ворошилов

1940 год: полная мобилизация и милитаризация советской промышленности. Авиационные, танковые, орудийные, снарядные заводы перешли на режим военного времени, мужчин тайно забирают в армию, оружие производят старики, женщины и подростки. Советская промышленность давала столько снарядов, что хранить их было негде, надо было в 1941 году начинать войну...

203-мм гаубица Б-4. Каждый снаряд весит сто килограммов, не считая зарядов. Орудия такого типа можно применять только в наступательных операциях. Сосредоточение тяжелой гаубичной артиллерии — верный признак готовящегося наступления. Летом 1941 года в приграничных районах СССР было сосредоточено более пятисот артиллерийских полков, в том числе — артиллерийские полки большой мощности и дивизионы артиллерии особой мощности. На каждое орудие было заготовлено по 600 снарядов

1942 год. Встреча В.Молотова в Шотландии. Советский бомбардировщик ТБ-7 беспрепятственно прошел над всей Европой

ТБ-7 — лучший стратегический бомбардировщик мира. На больших
высотах ТБ-7 по скорости превосходил любой истребитель и был полностью
неуязвим для зенитной артиллерии. Почему Сталин не приказал строить
такие бомбардировщики?

Японский самолет «Накадзима» Б-5Н2. Вес — 3,8 тонны. Макс. скорость — 378 км/ч. Дальность полета — 2000 км. Боевая нагрузка — 1 торпеда 800 кг)

Советский самолет «Иванов», или Су-2. (Вес — 4 тонны. Макс. скорость — 486 км/ч. Дальность полета — 1200 км. Бомбовая нагрузка — 600 кг)

Японский «Накадзима» Б-5Н2 и советский «Иванов» Су-2 — самолеты-агрессоры. Оба создавались для внезапного нападения и для действий в условиях полного господства в воздухе

Бомба весом в пять тонн для бомбардировщика ТБ-7. Если бы Сталин отдал приказ строить ТБ-7, то в ночь на 23 июня 1941 года сотни ТБ-7 могли высыпать на Берлин тысячи тонн бомб. А 24 июня повторить...

Член Военного Совета Украинского фронта Н.С.Хрущев у реки Сан (29 сентября 1939г.)

В приграничных районах Красная Армия потеряла 25 000 вагонов артиллерийских снарядов. Почему снаряды хранили в вагонах? Куда их собирались везти? Если готовилась оборона, надо было снаряды выдать войскам. Если готовилось отступление, то незачем было снаряды сосредоточивать в приграничных районах

Коммунистическая партия заскрипела офицерскими сапогами. Никита Хрущев в растерзанной Польше на новой советско-германской границе. Все, что сказал Хрущев в этот исторический момент, стало достоянием истории: «Пусть немцы творят преступления, потом в Европу придет Красная Армия-освободительница...»

Шепетовка, начало июля 1941 года: момент пленения советских солдат 16-й армии. Посмотрите в эти лица. Война только началась, где советские солдаты успели так отощать, они же не прошли еще через **германские концлагеря?**

До германского нападения, 13 июня 1941 года, Сталин начал тайную переброску в западные районы СССР семи армий Второго стратегического эшелона. Эти армии имели только наступательные задачи. Армии Второго стратегического эшелона в значительной степени были укомплектованы заключенными ГУЛАГа. В возможность германского нападения Сталин не верил, но до германского нападения дал оружие в руки заключенных. Если бы Гитлер не напал, долго ли мог Сталин держать сотни тысяч вооруженных зэков на своих западных границах?

на Германию, а в это время номера советских стрелковых дивизий уже проскочили цифру 300.

И не верилось, чтобы ранее была создана стрелковая дивизия с номером 252, и вдруг после нее сразу — 316. Не могло такого быть. И потому начал проверять другие номера и установил, что 261-я, 272-я, 289-я, 291-я, 302-я и многие с ними были сформированы в июле 1941 года, но приказы об их формировании были отданы ДО ГЕРМАНСКОГО НАПАДЕНИЯ.

Поэтому надо говорить о том, что Сталин за неполных два года сформировал 125 новых стрелковых, 30 новых моторизованных, 61 танковую, 79 авиационных дивизий, а кроме того, до германского вторжения приступил к формированию еще не менее шестидесяти стрелковых, мотострелковых и моторизованных дивизий.

4

Проверил и танковые дивизии.

У Сталина их было 61.

Официально.

А на деле уже в марте 1941 года номера советских танковых дивизий проскочили цифру 100 и их понесло все выше и выше. И не надо зарываться в совершенно секретные архивы для того, чтобы это подтвердить. Достаточно открыть энциклопедию

«Великая Отечественная война» (С. 206). Эта книга прошла государственную и военную цензуру, ее редактировали генерал армии М.М. Козлов, генерал-полковник Г.В. Средин, генерал-лейтенант П.А. Жилин и еще многие знаменитые генералы, профессора, доктора наук, члены-корреспонденты и проч. Из этого научного труда мы узнаем, что генерал армии А.Л. Гетман (в 1941 году — полковник) стал командиром 112-й танковой дивизии в **марте** 1941 года. Есть и другие сведения на этот счет.

Если кто-то из военных историков сомневается, то надо просто проверить сведения о всех других танковых дивизиях с трехзначными номерами.

Например, о 111-й танковой дивизии. Она находилась в Забайкалье. 22 июня после сообщения о германском нападении повсеместно проходили митинги населения, а также личного состава войсковых частей в тыловых районах. История Забайкальского военного округа (Ордена Ленина Забайкальский. С. 96) сообщает, что 22 июня 1941 года «митинги личного состава прошли в частях 36-й и 57-й мотострелковых, 61-й и 111-й танковых дивизий». Не могли пройти митинги возмущенных воинов в 111-й танковой дивизии, если бы она не существовала.

Пусть каждый любитель истории заглянет в свои коллекции материалов по истории советских дивизий и поддержит меня: на 21 июня 1941 года уже существовали минимум следующие танковые дивизии: 101-я полковника Г.М. Михайлова, 102-я полковника И.Д. Илларионова, 104-я полковника В.Г. Буркова, 106-я полковника А.Н. Первушина, 107-я полковника П.Н. Домрачева.

Возразят, что не все они были полностью укомплектованы. Маршал Советского Союза И.С. Конев, например, говорит, что в сентябре 1941 года 107-я танковая дивизия имела всего лишь 153 танка (ВИЖ. 1966. № 10. С. 56). Это действительно так, но это остаток после жестокого Смоленского сражения. Остаток в 153 танка — не так мало. В начале сентября 1941-го из всех германских танковых дивизий на Восточном фронте только две могли сравниться по количеству исправных танков: 6-я — 188 и 8-я — 155.

5

Теперь вспомним, что в сентябре 1939 года Гитлер вступил во Вторую мировую войну, имея ШЕСТЬ танковых дивизий. В подавляющем большинстве танки были легкими. Во всей германской армии на 31 августа 1939 года было 211 средних танков. Тяжелых танков не было ни на вооружении армии, ни в разработке, и вопрос о разработке тяжелых танков в Германии не ставился. Подвергнув это научному анализу, некоторые историки пришли в выводу: раз у Гитлера шесть дивизий легких танков, значит, он намерен покорить весь мир.

. Весной 1941 года «нейтральный» Сталин формировал танковых дивизий больше, чем их существовало во ВСЕ ВРЕМЕНА ВО ВСЕХ СТРАНАХ МИРА, ВМЕСТЕ ВЗЯТЫХ, как во времена Сталина, так и после него. Советский Союз в 1941 году был единственной страной мира, которая имела тяжелые танки на вооружении своей армии. И возникает вопрос к историкам: если шесть дивизий легких танков — это неоспоримое свидетельство стремления начать войну и захватить весь мир, то о чем свидетельствует создание 61 танковой дивизии за один год и начало развертывания еще такого же количества танковых дивизий?

Содержать шестьдесят танковых дивизий ни одна страна мира не может. Про сто и больше танковых дивизий я не говорю. Кроме танковых дивизий, у Сталина были стрелковые и моторизованные дивизии в количестве более трехсот. И этого количества дивизий ни одна страна мира содержать не может. Я не говорю об авиационных и всех остальных дивизиях. Даже в сокращенном виде содержать их нельзя. А их держали не в сокращенном виде — они быстро наполнялись солдатами и вооружением. И это означало только решимость воевать. Воевать уже в 1941 году. Воевать еще до того, как все дивизии будут полностью укомплектованы.

Если все это полностью укомплектовать, то экономика рухнет немедленно.

Вот почему гениальный Карл фон Клаузевиц считал, что «по самой природе войны невозможно достигнуть полной одновременной готовности всех сил для немедленного, одновременного ввода их в дело».

Вот почему Сталин подготовил мощную армию, но кроме того — неисчерпаемый резерв дивизий, которые только начали формироваться. В ходе войны завершить формирование легче, чем формировать новые дивизии, начиная с ноля.

У Гитлера этого не было. Он бросил против Сталина 17 танковых дивизий, которые были не полностью укомплектованы и которые усилить было нечем. Все германские танки на Восточном фронте были распределены по четырем танковым группам. В каждой группе от 8 до 15 дивизий, в том числе 3—5 танковых, 2—3 моторизованных, остальные пехотные. На 4 сентября 1941 года во 2-й танковой группе генерал-полковника Г. Гудериана оставалось 190 исправных танков. Танковая группа превратилась в недоукомплектованную танковую дивизию, а танковые дивизии в ее составе превратились, по существу, в танковые батальоны: в 3-й танковой дивизии 41 исправный танк, в 4-й — 49, в 17-й — 38, в 18-й — 62. Вдобавок — катастрофическая нехватка запасных частей и топлива для танков. Все это до осени, до проливных дождей и грязи, до распутицы и до начала русской зимы, до снега, до мороза, о которых тоже следовало помнить и Гитлеру, и его генералам.

Историки до сих пор спорят о том, что должен был делать Гитлер в начале сентября 1941 года: бросить танковую группу Гудериана в обход Киева или двинуть ее прямо на Москву.

Меня эти споры удивляют: после того как в танковой группе осталась четверть от первоначального количества танков, ее надо бросать не против Киева и не против Москвы, а выводить на переформирование и доукомплектование. А вместо нее вводить в сражение свежие танковые дивизии, корпуса и группы.

Но об этом Гитлер не позаботился.

А Сталин позаботился. Кроме полностью укомплектованных танковых дивизий, у него были дивизии второй волны, укомплектованные не полностью, и третьей волны, и четвертой. После нанесения первых ударов и объявления открытой мобилизации танковые дивизии можно было укомплектовать и по мере готовности десятками вводить в сражения.

Главное в том, что Ленинградский и Харьковский заводы давали столько танков, что их вполне хватило бы (при условии, что мы нападаем) и для восполнения потерь в существующих дивизиях, и для доукомплектования формируемых. Это давало возможность Сталину восполнять потери в дивизиях ведущих войну, и постепенно вводить в сражения новые танковые дивизии, доводя их количество на полях сражений до ста и более.

Своим самоубийственным нападением, имея всего 17 танковых дивизий, Гитлер не позволил Сталину развернуть советскую танковую мощь. Харьков был потерян, Ленинград блокирован.

Производство танков в Горьком, Челябинске, Нижнем Тагиле, Сталинграде — импровизация. Но даже и это импровизированное танковое производство позволяло Советскому Союзу выпускать танки в больших количествах при лучшем качестве и завершить войну в Берлине.

Если бы Сталин нанес удар первым, то производство танков в Советском Союзе могло быть чудовищным. Именно это имелось в виду, когда в марте 1941 года был отдан приказ о формировании танковой дивизии с номером 112.

ГЛАВА 15

ОБ АРТИЛЛЕРИЙСКИХ ПОЛКАХ

> Наша артиллерия — артиллерия на-
> ступательного действия. Ураганом вор-
> вется Красная Армия во вражескую зем-
> лю и убийственным артиллерийским
> огнем сметет врага с лица земли.
>
> *Т.И. Ростунов.*
> *Выступление на XVIII съезде партии*
> *18 марта 1939 г.*

1

В июне 1939 года в составе полевой артиллерии Красной Армии было 144 артиллерийских полка. В каждом полку по 24—36 орудий. Это много. Подчеркну: мы говорим только об артиллерийских полках и только в составе полевой артиллерии. Мы не говорим о зенитно-артиллерийских полках, об артиллерийских полках укрепленных районов, о береговой артиллерии флота, сейчас мы пропускаем артиллерийские подразделения, которые входили в состав стрелковых батальонов и полков, соединений и частей кавалерии, воздушно-десантных войск, войск НКВД, мы пропускаем отдельные батареи и дивизионы артиллерии большой и особой мощности.

144 полка полевой артиллерии распределялись просто:

— в подчинении каждого командира стрелковой (мотострелковой) дивизии по одному артиллерийскому полку (152-мм и 122-мм гаубицы), всего 95 полков;

— в подчинении каждого командира стрелкового корпуса по одному артиллерийскому полку (152-мм гаубицы-пушки и 122-мм пушки), всего 25 полков;

— в подчинении Главного командования Красной Армии 24 артиллерийских полка (203-мм гаубицы, 152-мм пушки и гаубицы-пушки), это резерв Главного командования — РГК.

19 августа 1939 года Сталин принял решение увеличить число стрелковых дивизий. Каждой новой дивизии требуется артиллерийский полк. Для управления дивизиями создавались управления стрелковых корпусов. Каждому командиру стрелкового корпуса тоже требуется собственный артиллерийский полк. Для количественного и качественного усиления дивизий и корпусов на главных направлениях требуются полки РГК, следовательно, надо увеличивать и их количество. Одним словом, 19 августа 1939 года было решено количество полков полевой артиллерии увеличить со 144 до 341.

И их стало больше, чем во всех армиях мира, вместе взятых.

2

В обычной стрелковой дивизии 1 артиллерийский и 3 стрелковых полка. Летом 1939 года специально для отправки на Халхин-Гол были сформи-

233

рованы две новые стрелковые дивизии необычной организации: в каждой по 2 артиллерийских и по 3 стрелковых полка. Дивизии новой организации во внезапном ударе показали себя с лучшей стороны. И Жуков предложил распространить новшество на всю Красную Армию: каждому командиру дивизии — по два артиллерийских полка. Да еще и каждому командиру стрелкового корпуса — по два.

13 сентября 1939 года Сталин утверждает предложение и начинается развертывание новых артиллерийских полков. Количество дивизий и корпусов растет, а количество артиллерийских полков в их составе растет вдвое быстрее, их теперь требуется 577.

Удивительной получилась организационная структура стрелкового корпуса. Раньше в корпусе стандартной организации (3 дивизии) общее количество полков: 9 стрелковых и 4 артиллерийских, а с сентября 1939 года — 9 стрелковых и 8 артиллерийских. Такой корпус только по названию стрелковый, по существу корпус стал стрелково-артиллерийским. Это замечание тем более верно, что в составе артиллерийских полков только артиллерия, а в составе стрелковых полков — пехота и артиллерия. Если в корпусе мы посчитаем все стрелковые роты и артиллерийские батареи, то с удивлением обнаружим, что артиллерийских батарей почти в полтора раза больше, чем стрелковых рот. В сравнении с пехотными корпусами иностранных армий советский стрелковый корпус был самым небольшим по численности солдат (особенно в тыловых подразделениях), но резко превосходил любой иностранный корпус по огневой мощи.

3

Помимо увеличения количества артиллерийских полков были другие пути, по которым шло насыщение войск артиллерией. До осени 1939 года в составе каждой стрелковой дивизии было по 18 45-мм противотанковых пушек. После Халхин-Гола их количество в каждой дивизии увеличилось до 54. Внешне та же дивизия, а противотанковых пушек втрое больше.

Над 45-мм противотанковой пушкой некоторые историки смеются. Однако эта пушка отличалась потрясающей маневренностью, ибо была легкой. У этой пушки был низкий силуэт, что позволяло ее легко маскировать в противотанковых засадах. Самое главное требование к противотанковой пушке — способность пробивать любой танк противника. В 1941 году советская 45-мм пушка такой способностью обладала. Кроме нее, была создана 57-мм противотанковая пушка. Ее не выпускали просто потому, что для нее не было достойных целей. Как только разведка сообщила о появлении тяжелых танков в германских войсках, 57-мм пушку пустили на поток, и она до конца войны вполне справлялась с поставленными задачами, тем более что вскоре ей в помощь·стали выпускать сверхмощную 100-мм противотанковую пушку.

Стрелковые войска насыщались и минометами. Осенью 1939 года количество минометов в каждом стрелковом батальоне увеличено. Каждый командир полка получил собственную минометную батарею. Кроме того, командиры некоторых дивизий получили по три минометных батареи.

Но сейчас мы говорим об артиллерийских полках. Помимо стрелковых дивизий формировались моторизованные и танковые дивизии. Для каждой из этих дивизий сформировали по одному артиллерийскому полку.

А потом были приняты решения количество стрелковых дивизий увеличивать до 300 и выше, танковых до 100 и выше. И формировать для них артиллерийские полки. А еще были созданы десять артиллерийских бригад РГК, в каждой по два артиллерийских полка (по 66 орудий в каждом полку, включая 107-мм пушки). Но это еще не все.

Помимо дивизий были созданы стрелковые бригады. Их стандартная организация: отдельный танковый батальон, два стрелковых и один артиллерийский полк. Примеры: в состав 3-й стрелковой бригады (командир полковник П.М. Гаврилов) входили танковый батальон, 41-й, 156-й стрелковые полки и 39-й артиллерийский полк; в состав 8-й стрелковой бригады (командир полковник Н.П. Симоняк) входили танковый батальон, 270-й и 335-й стрелковые полки и 343-й артиллерийский полк.

Кроме стрелковых корпусов, были сформированы 29 механизированных корпусов. Как правило, командир мехкорпуса своей собственной артиллерии не имел. Но это правило. А в правиле исключения. В районе Львова помимо прочих войск удар по Германии готовил 4-й мехкорпус генерал-майора А.А. Власова. Две танковые и одна моторизованная дивизии этого корпуса имели свои артиллерийские полки, кроме того, в прямом подчинении командира корпуса находились 441-й и 445-й корпусные артиллерийские полки.

Еще пример. В конце мая — начале июня из Забайкалья на Украину перебрасывалась 16-я армия. В ее составе был 5-й мехкорпус генерал-майора И.П. Алексеенко. Каждый командир дивизии имел свой артиллерийский полк, кроме того, сам командир корпуса имел в своем прямом распоряжении 467-й и 578-й корпусные артиллерийские полки.

И это не все: помимо Красной Армии формировались мотострелковые дивизии Осназ НКВД. Каждая такая дивизия в своем составе имела гаубичный артиллерийский полк. Историки предлагают части НКВД в расчет не принимать. Мотивируется тем, что это были отборные дивизии, которые имели самое современное вооружение и персонально выбранных людей до последнего солдата включительно. Раз они лучшие, говорят историки, значит, их не считаем. Не будем спорить. Но даже если НКВД не в счет, то и тогда количество артиллерийских полков в составе Красной Армии еще до германского вторжения перевалило за 900. Рост продолжался.

4

Вполне оправданно сомнение: а может, Сталин играл в ту же игру, что и Гитлер? Гитлер формировал все новые танковые дивизии... за счет сокращения количества танков в старых дивизиях. В 1939 году Гитлер имел 6 танковых дивизий, в 1940-м — 10, в 1941-м — 20, количество танков при этом существенно не изменилось.

Нет, Сталин в эти игры не играл. Количество танковых соединений росло, но и количество танков в каждом соединении росло. Точно так же росло количество артиллерийских полков, но росло и количество орудий в каждом полку. Например, в полках РГК, вооруженных 152-мм гаубицами-пушками, количество орудий возросло с 36 до 48. А в противотанковых полках — до 66.

В это же время росла полевая артиллерия и в Германии. Но обратим внимание на названия пушек и гаубиц: в большинстве случаев в их индексах присутствуют цифры «13» или «18». Это год создания орудия. Германия обладала хорошей артиллерией, но в подавляющем большинстве случаев на вооружении полевой артиллерии состояли образцы, созданные в ходе Первой мировой войны. Кроме того, германская артиллерия пополнилась трофейными орудиями из девяти захваченных стран. Всего на вооружении германской артиллерии состояли пушки и гаубицы, созданные в десяти разных странах, использовались 28 разных калибров, что резко осложняло проблему обеспечения боеприпасами. Многие трофейные орудия были созданы в предыдущем веке и имели возраст до 50 лет.

Формирование советских артиллерийских полков шло на базе новых образцов, созданных в 1938 году, принятых на вооружение в 1939 году, выпущенных промышленностью в 1940—1941 годах. С 1939 по июнь 1941 года Красная Армия получила 82 000 новейших артиллерийских орудий и минометов. Почти все советские орудия в 1941 году по качеству были лучшими в мире и таковыми остались до конца войны. Среди них 122-мм гаубица М-30 — разработана в 1938 году, проверена на Халхин-Голе, принята на вооружение в сентябре 1939 года, состоит на вооружении некоторых армий мира до конца 20 века.

Как плохо все это вяжется с привычными представлениями о том, что Сталин Гитлеру верил, что Сталин к войне не готовился.

Тот, кто изучал военную историю, возразит, что советские артиллерийские полки не были полностью обеспечены тягой. Кроме того, в артиллерии использовался мощный, но тихоходный трактор. Замечание правильное.

Однако это обстоятельство не столь ужасно, как может показаться с первого взгляда. Опыт войны показал, что в случаях, когда советским войскам ставилась задача обороняться и войска зарывались в землю, т. е. отрывали траншеи полного профиля, оборудовали блиндажи, огневые позиции для танков и артиллерии, прикрывали передний край противотанковыми рвами, минными полями, проволочными и другими заграждениями, то противнику такую оборону прорвать не удавалось. Примеры: Ленинград, Москва, Сталинград, Курск. Все стратегические прорывы германских войск в ходе войны удавались только тогда, когда советским войскам запрещали зарываться в землю и готовить оборону. Примеры: июнь 1941 года по всей границе, Харьков в мае 1942 года, Крымский фронт в том же месяце. В 1941 году Красная Армия имела счастливую возможность создать неприступную оборону от моря до моря. После подписания пакта с Гитлером у Сталина было два года, оборону можно было строить не в чистом поле, как на Курской дуге, а опираясь на железобетонные форты «Линии

Сталина». И вот туда, в эту оборону, следовало поставить 500—600 артиллерийских полков, оборудовав для каждой пушки по нескольку огневых позиций, тщательно замаскировав и укрыв. А артиллерию РГК, как и положено, держать в резерве и перебрасывать туда, где враг сильнее напирает. В этом случае тракторов и автомобилей хватило бы сполна: боеприпасы заготовле́ны заранее и укрыты в блиндажах невдалеке от огневых позиций, артиллерийским тягачам всего только и работы: по ночам то одну, то другую пушку перетягивать с одной огневой позиции на другую. Но советских генералов и маршалов оборонительный вариант войны не интересовал. Они готовили наступление. Но и для наступления трактора и автомобили тоже не нужны все сразу. И следует понять почему.

При подготовке наступательных операций артиллерия никогда не перемещалась всей массой: потому, во-первых, что еще до наступления напугаешь противника и выдашь ему направление главного удара; потому, во-вторых, что просто невозможно подтянуть одновременно, скажем, по 200 орудий на каждый километр фронта прорыва и соответствующее количество боеприпасов.

Поэтому перед наступлениями ночами для орудий готовили укрытия и понемногу стягивали артиллерию и боеприпасы к участкам будущего прорыва. К утру все тщательно маскировалось, а следующей ночью все повторялось. Для такой работы вовсе не надо иметь тягач на каждое орудие. Наступление начиналось работой артиллерии, после чего в прорыв шли танки и пехота, а основная масса артиллерии оставалась на месте. Подвижные соединения имели для поддержки только сравнительно небольшое количество артиллерии. Через несколько дней или недель далеко в глубине обороны противника наступление выдыхалось, останавливалось, закрепляя рубежи, переходили к обороне. А командование выбирало новый участок прорыва, и все начиналось сначала: к этому участку много ночей подряд подтягивали артиллерию и подвозили боеприпасы. В наступательной войне советскую артиллерию в любом случае перебрасывали не всю вместе, а перекатами. Кроме того, в День «М» после объявления открытой мобилизации из народного хозяйства в армию планировалось передать 240 000 автомобилей и 43 000 тракторов. Этого вполне хватало, чтобы дополнить средства тяги там, где их было недостаточно.

Разгром случился потому, что германская армия нанесла внезапный удар в тот самый момент, когда советскую артиллерию ночами перебрасывали к границам. Вместе с артиллерией — соответствующее количество боеприпасов. К ведению оборонительной войны артиллерия не готовилась, а начинать наступление 22 июня не могла: артиллерия уже на границах, а пехота еще не подошла. И потребовалось ВСЮ массу советской артиллерии ОДНОВРЕ-

МЕННО отводить от границ. И вот только в этой ситуации нехватка тракторов и их тихоходность оборачивались катастрофой: артиллерия погибла или досталась противнику вместе с боеприпасами...

6

Катастрофы можно было избежать, если бы артиллерию и боеприпасы не собрали у границы. Даже за неделю до войны (если бы Сталин действительно боялся Гитлера) можно было оттянуть артиллерию. Но шел обратный процесс. Маршал Советского Союза К.К. Рокоссовский: «Войскам было приказано выслать артиллерию на полигоны, находившиеся в приграничной зоне» (Солдатский долг. С. 8). Удивительно, почему артиллерия должна заниматься боевой подготовкой у границ, разве мал Советский Союз, разве нельзя найти более подходящего места? Мы возмущаемся, что какой-то идиот в Генеральном штабе отдает глупые приказы. Но не будем возмущаться. Приказы отдавал не идиот, а великий, непобедимый Г.К. Жуков. Именно так он делал перед внезапным ударом на Халхин-Голе: пехота и танки в основной своей массе держатся в глубине, чтобы не показать признаков подготовки к наступлению и не выдать направлений главных ударов, они подойдут к переднему краю в самую последнюю ночь, а тихоходную артиллерию к переднему краю Жуков выдвинул заблаговременно. Это правильно для агрессивной войны. Но то же самое обернулось бы катастрофой, перейди японцы в наступление. Именно это случилось 22 июня 1941 года: советская артиллерия уже у границ, а пехоты и танков еще нет.

В приграничные районы перебрасывали артиллерию боевых войск, но, кроме того, в приграничных районах шло формирование новых артиллерийских подразделений и частей. 900 артиллерийских полков — это вовсе не предел, формировались все новые и новые полки, особенно — тяжелые полки РГК. Генерал-полковник Л. Сандалов как о чем-то очень незначительном в трех строках сообщает, что в тыл 4-й армии подвезли 480 152-мм орудий и начали формирование десяти новых артиллерийских полков РГК (ВИЖ. 1971. № 7. С. 19). Полки не успели сформировать, немцы напали, а расчетов возле орудий нет. (А где-то расчеты остались без орудий.)

За Днепром и за Волгой есть полигоны для боевой подготовки и учебные центры для формирования новых частей. Казалось бы, лучше сформировать полки на Урале, обучить их, провести учения и боевые стрельбы, а потом погрузить в эшелоны и перебросить на западную границу. Почему орудия подвезли, а людей нет? Почему полки формируют в приграничных районах, там, где они могут попасть под удар до того, как их успеют укомплектовать солдатами? Все это кажется сплошным идиотизмом. Но если вспомнить, что это подготовка к наступлению, то те же действия воспринимаются иначе. Все разумно. Если сформировать и укомплектовать артиллерийский полк РГК вдали от границ, а потом его перебросить к границам, то это без внимания не останется. Прибытие даже одного полка РГК наводит на размышления. Прибытие десяти полков РГК вызовет у противника панику. Поэтому орудия ночами, небольшими партиями без расчетов (в армии говорят — россыпью) перебрасывали к границам. А где-то в другом месте готовятся командиры и солдаты. В последний момент в приграничные районы прибывают тысячи солдат и офицеров, но без тягачей, без пушек, без боеприпасов. На их прибытие не обращают особого внимания: много людей без пушек — похоже на пехоту. А пушки, тягачи, боеприпасы уже спрятаны в приграничных лесах. Солдаты получают свои орудия, снимают с них смазку — и десять полков к бою готовы.

7

Представить 480 орудий на одном поле я могу. Генерал-полковник Л.М. Сандалов не уточняет, о каких именно орудиях идет речь. Но речь может идти только о 152-мм гаубице-пушке МЛ-20 или

152-мм пушке Бр-2. Гаубица-пушка МЛ-20 весила более 7 тонн, а пушка Бр-2 — более 18 тонн. 480 орудий — это ряды за горизонт. Трудно представить другое: в приграничных районах на каждую пушку было запасено по 10 боекомплектов снарядов. Один боекомплект — 60 снарядов, 10 боекомплектов — 600. Один снаряд для МЛ-20 — 43,6 кг, для Бр-2 — 48,8 кг. Каждый снаряд упакован в отдельный ящик. На 480 орудий — 288 000 ящиков. Но орудия такого калибра имеют не унитарное заряжание, а раздельное. Сначала заряжаем снаряд, а потом отдельно — гильзу с зарядом. Гильзы с зарядами пакуются в отдельные ящики. Это еще столько же ящиков. Представим.

Это только десять новых полков РГК, они тайно формируются позади боевых порядков 4-й армии. Но 4-я армия — не на главном направлении. На главных — 10-я армия Западного фронта в Белостокском выступе, 6-я армия Юго-Западного фронта во Львовском выступе и 9-я армия Южного фронта на румынской границе. Можно ли вообразить, что делалось в их тылах? Можно ли представить все 900 полков уже сформированных и неизвестное количество тайно формируемых? Можно ли представить горы зеленых ящиков со снарядами для всех этих полков?

Лишь тот, кто сумеет все это вообразить (у меня не получается), сумеет до конца понять смысл слов маршала Б.М. Шапошникова: МОБИЛИЗАЦИЯ

ЕСТЬ ВОЙНА. Сначала Сталин создал Наркомат боеприпасов, логическим следствием этого — взрывоподобный процесс формирования артиллерийских полков, способных поглотить всю прорву снарядов. А следствием создания артиллерийских полков могла быть только война. Причем уже в 1941 году, ибо не могли советские генералы долго держать под открытым небом десять боекомплектов на 900 артиллерийских полков.

НЕ МОГЛИ.

ГЛАВА 16

О МУДРОМ ВЕРХОВНОМ СОВЕТЕ

> Надо использовать противоположности и противоречия между двумя системами капиталистических государств, натравливая их друг на друга.
>
> *Ленин*

1

До 1939 года всеобщей воинской обязанности в Советском Союзе не было. В армию брали не всех, а на выбор. Это понятно: мы люди миролюбивые.

Призывной возраст — 21 год. Вот это непонятно. Нет бы призывать после школы в 18 или в 19, пусть парень отслужит — и свободен. А так к 21 году человек мог и работу найти, мог и семью завести, а впереди неопределенность: возьмут, не возьмут.

И никто толком объяснить не может, почему надо забирать в армию в возрасте 21, а не раньше.

Великий смысл был заложен в эту систему. Она была как бы запрудой на реке, через нее пропускали не всех, только некоторых, а остальные накапливались. В нужный момент можно было ввести всеобщую воинскую обязанность (только предлог придумать) и всех, кто раньше в армии не служил, призвать под знамена. За много лет их вон сколько накопилось.

Момент наступил 1 сентября 1939 года. В этот день введена всеобщая воинская обязанность и всех, кто раньше не служил, начали загребать.

В каждом отдельном случае призыв зрелого мужчины в армию не вызывал подозрений, что готовится большая война: забирают в армию, плачет семья, но все понимают, нашему Ване уже 30, но раньше-то он не служил, пора и ему...

А чтобы и вовсе призыв был понятен, нужны были малые, но регулярные войны на границах. Хорошо, если они хорошо кончались, но не беда, если плохо. Призыв в ходе конфликтов и малых войн объяснений не требует. И пошли конфликты чередой, вроде бы их кто по заказу организовал от самого Хасана до дельты Дуная и вековых лесов Финляндии. Молодых и не очень молодых парней призывают — готовится «освободительный поход» в Польшу. А после похода не отпускают по домам. Потом «освобождение» Финляндии — новых набирают. Потом «освобождение» Эстонии, Литвы, Латвии, Бессарабии. И снова наборы: время тревожное...

И еще у Сталина был резерв: по новому закону о всеобщей воинской обязанности призывной возраст был снижен с 21 до 19 лет, а для некоторых категорий — до 18. И сразу загребли всех тех, кому 21, и всех, кому 20 и кому 19, а в ряде случаев — и 18. В этом наборе был и мой отец, ему тогда исполнилось 18.

Наше многолетнее миролюбие и искусственно завышенный возраст призыва позволили собрать как за плотиной энергию миллионов. Теперь Сталин открыл шлюзы и накопленную энергию использовал одновременно.

2

Любое напряжение кратковременно. Чем больше напряжение, тем скорее теряем силы. Давайте спросим у самого сильного человека в мире, долго ли можно на вытянутых руках держать над головой штангу весом в 200 кг? Если ему не верим, можем сами попробовать. Я это к тому, что одновременный призыв сразу трех возрастов (никогда раньше такого не бывало) и, кроме того, призыв всех, кто ранее не служил, лег на страну двойным бременем. С одной стороны, экономика лишилась всех этих работников, с другой стороны — всех их нужно одеть, обуть, кормить, поить, содержать, где-то размещать (попробуйте разместить на пустом месте хотя бы один миллион новых солдат). Красная Армия совсем недавно проскочила свой миллионный рубеж, а тут вдруг стала многомиллионной. Новым нужны казармы, штабы, стрельбища, полигоны, склады, столовые, клубы. И много еще чего. Попробуйте обустроить хотя бы одну дивизию численностью 13 000 солдат. Но главное — все эти дивизии, корпуса и армии надо вооружить.

Набор 1939 года был огромным. Второй раз такой трюк повторить было невозможно. В последующие годы могли быть только обычные призывы людей одного возраста. Введением закона осенью 1939 года Сталин создавал хорошую ситуацию на лето 1941 года: за два года всех призванных превратят в настоящих солдат, кроме того, еще будут призывы в 1940 и 1941 годах. Вот именно эта кадровая армия и может начать войну. После вступления в войну все сроки будут отменены и всех призванных можно держать в армии до победы, дополняя и усиливая миллионами резервистов, которые прошли через армию в предшествующие годы и молодыми парнями по мере созревания.

И не мог Сталин и его генералы не понимать того, что осенью 1941 года небывалый призыв 1939 года предстоит отпустить по домам. По закону от 1.9.39 срок действительной воинской службы для самых массовых категорий военнослужащих — для рядовых и младших командиров сухопутных войск — определялся в два года. Следовательно, массовый призыв 1939 года усиливал армию в течение двух лет, но осенью 1941 года эта сила должна была обернуться резким ослаблением. Призыв 1939 года отработает свое, как вода, выпущенная из запруды, и на смену ему придет обыкновенный призыв. Задержать отслуживших в армии нельзя: упадет дисциплина. Только война позволяет держать в армии миллионы уже отслуживших и требовать от них повиновения. И если Красная Армия не вступит в войну до осени 1941 года, то призыв 1939 года отработает вхолостую, на его содержание будут истрачены средства, а после солдаты разъедутся по домам. Собрать их снова вместе не удастся без большого шума и великого непонимания. Следовательно, проводя массовый призыв осенью 1939 года, Сталин устанавливал для себя максимально возможный срок вступления в войну — лето 1941 года. Если бы Сталин планировал нападение на 1942 год, то массовый призыв он проводил бы в 1940 году.

Весь накопленный многолетний запас призывников Сталин использовал сразу и полностью. И объяснение этому одно: **до 1 сентября 1939 года Сталин принял решение воевать и установил сроки вступления в войну — до 1 сентября 1941 года.**

Закон был принят 1 сентября, но внеочередную сессию для принятия закона Сталин приказал собрать в августе в тот самый момент, когда в Кремле жал руку Риббентропу и поднимал тост за здоровье Адольфа Гитлера.

3

Тут самое время меня оборвать возмущенными возгласами. 1 сентября 1939 года — это начало Второй мировой войны. Мудрая коммунистическая партия и советское правительство всеми силами старались войну предотвратить, но на всякий случай принимали необходимые меры...

Полностью согласен с мудрыми мерами. Но смущает другое. **Сейчас** мы знаем, что в тот день началась Вторая мировая война. Но тогда этого никто не знал. Сам Гитлер 1 сентября понятия не имел, что началась Вторая мировая война. 3 сентября Британия и Франция объявили Гитлеру войну. Но и тогда ни Гитлер, ни правительства Франции и Британии тоже о Второй мировой войне не помышляли. Я не поленился поднять британские газеты того времени, начиная с «Таймса», проверил и американские газеты, включая «Нью-Йорк таймс». Результат везде один. Мир того времени не воспринимал события в Польше как Вторую мировую войну. Это много позже нападение на Польшу стали считать началом Второй мировой войны, а тогда все газеты (включая и советские) писали о германо-польской войне. Объявление войны Британией и Францией воспринималось всеми как политическая декларация. 5 сентября 1939 года правительство США объявило о своем нейтралитете в **германо-польской** войне. Правительство США даже и после официального вступления в войну Британии и Франции не считало войну ни мировой, ни даже европейской.

1 сентября ни в одной столице мира, будь то Варшава или Берлин, Вашингтон, Париж или Лондон, не подозревали, что началась Вторая мировая война. Это знали только в Москве и принимали соответствующие моменту решения.

ГЛАВА 17

О ПЕРМАНЕНТНОЙ МОБИЛИЗАЦИИ

> Соединенные Штаты мира (а не Европы) являются той государственной формой объединения и свободы наций, которую мы связываем с социализмом.
>
> *Ленин. 29 августа 1915 г.*

1

Численность населения Советского Союза перед началом Второй мировой войны была меньше численности населения Российской империи перед началом Первой мировой войны. Однако мобилизационный потенциал страны был неизмеримо выше. Разница между Российской империей и Советским Союзом в том, что в Российской империи при нехватке продовольствия возникало недовольство, либеральная пресса ругала правительство, дерзкие юноши бросали с крыш листовки, демонстранты пели крамольные песни, и завершалось все революцией. А в Советском Союзе не было ни либеральной прессы, ни дерзких юношей. Извели. И потому не только в военное, но и в мирное время нехватка продовольствия была хронической, а песен крамольных никто не пел. Нехватка продовольствия даже в мирное время неоднократно выливалась в свирепый голод с миллионами жертв. Но прошли те славные времена, когда можно было выходить на демонстрацию протеста. Сталин готовил страну к войне серьезно и знал, что при возникновении голода в ходе войны протест исключен. Вот почему в начале 1939 года мобилизационный потенциал Советского Союза определялся в 20% от общей численности населения: заберем всех мужиков из деревень на войну, а советский народ без хлеба как-нибудь перебьется. Приучен.

20% — это максимальный теоретически возможный уровень мобилизации. 20% — это 34 миллиона потенциальных солдат и офицеров.

2

Понятное дело, страна не могла содержать в мирное время такую армию. И в военное время такую армию содержать невозможно, да она такая и не нужна. Было решено во время войны иметь миниатюрную армию всего в 10—12 миллионов солдат и офицеров, но использовать ее интенсивно, немедленно восполняя потери. Такой подход именовался термином «перманентная мобилизация».

Говорят, что советские дивизии, корпуса и армии были небольшими по составу. Это так. Но надо помнить, что их было много, а кроме того, солдат и офицеров не жалели, использовали на пределе человеческих возможностей и сверх этих возможностей и тут же заменяли. Это как счет в банке — если у вас есть хороший источник пополнения, то деньги можно тратить легко и свободно. На каждый данный момент денег может быть и немного, но вы продолжаете тратить, зная, что завтра их снова будет в достатке. Именно так дела обстояли в советских дивизиях, корпусах и армиях: людей в данный момент немного, но командование использует их интенсивно в уверенности, что не завтра, а уже сегодня пришлют замену. Численность Красной Армии в ходе войны была относительно небольшой, но в нее было мобилизовано за четыре года войны 29,4 миллиона человек в дополнение к тем, которые в ней были на 22 июня 1941 года (Генерал армии М. Моисеев. «Правда», 19 июля 1991 г.).

А в мирное время Красная Армия была вообще крохотной — 500—600 тысяч человек. Сталин вкладывал средства в военную промышленность, а численность армии держал ниже однопроцентного рубежа, чтобы не обременять экономику, чтобы не тормозить ее рост.

А потом Красная Армия начала расти.

Ее численность составляла:

1923 — 550 000
1927 — 586 000
1933 — 885 000
1937 — 1 100 000
1938 — 1 513 400.

К началу 1939 года численность Красной Армии составляла один процент от численности населения. Это был Рубикон. Сталин его переступил: на 19 августа 1939 года численность Красной Армии достигла 2 000 000.

На этом Сталин не остановился, наоборот, 19 августа он отдает тайный приказ о формировании десятков новых стрелковых дивизий и сотен артиллерийских полков. Процесс мобилизации маскировался. Скорость мобилизации нарастала. 1 января 1941 года численность Красной Армии — 4 207 000 человек. В феврале скорость развертывания была увеличена. 21 июня 1941 года численность Красной Армии — 5 500 000.

Это только Красная Армия, помимо нее существовали войска НКВД: охранные, конвойные, пограничные, оперативные. В составе НКВД были диверсионные части и целые соединения, НКВД имел свой собственный флот и авиацию. В мирное время, явно не ожидая нападения Германии, Красная Армия **до официального объявления мобилизации** превзошла по численности армию России **в военное время после завершения мобилизации.**

3

Если тигр будет гоняться за оленем, то никогда его не догонит: олень легче и быстрее тигра. Если тигр будет осторожно подбираться, то тоже ничего не получится — олень чутко вслушивается в тишину леса, достаточно тигру хрустнуть веточкой... Потому тигр использует оба метода в сочетании. Нападение тигра четко разделено на два этапа: вначале он долго неслышно, сантиметр за сантиметром, крадется, затем следует короткий яростный рывок.

Именно таким был замысел мобилизации Красной Армии и всего Советского Союза для ведения Второй мировой войны. Вначале осторожно, крадучись, увеличить армию до пяти миллионов. Потом броситься.

Пяти миллионов для нанесения внезапного сокрушительного удара достаточно, остальные подоспеют. Вот почему в период тайной мобилизации в Советском Союзе на режим военного времени были переведены системы правительственной, государственной и военной связи, государственный аппарат, идеологическая машина, НКВД и концлагеря, комсомол, промышленность и транспорт, были подготовлены кадры командного состава и специалистов на армию, превышающую десять миллионов человек, но рост самой армии искусственно сдерживался. Когда численность армии достигла и превзошла пять миллионов, дальнейшее продвижение крадучись стало невозможным. Дальше звериный сталинский инстинкт требовал бросаться.

4

В каждой советской квартире коммунистическая власть бесплатно установила большой черный репродуктор — тарелку, а на каждой улице серебристый — колокольчик. Однажды эти репродукторы должны были на всю страну прокричать мобилизацию — День «М».

Каждый советский резервист в своих документах имел «Мобилизационный листок» ярко-красного цвета, на котором стояла большая черная буква «М» и предписание, в котором часу и где быть в день, когда мобилизация будет объявлена. Кроме дня «М», миллионам резервистов в мобилизационных листках указывались дни «М+1», «М+2» и т.д. Это означало приказ явиться на сборный пункт на следующий после объявления мобилизации день или на второй и т.д. Надо сказать, что механизм мобилизации был отлажен и работал четко и безотказно, как нож гильотины падал на чью-то несчастную шею. Каждый резервист знал, что неявка в указанный срок в указанное место приравнивается к уклонению от призыва и карается по законам военного времени вплоть до расстрела на месте. Некоторые эксперты до сих пор ищут причины великой чистки 1937—38 годов. А причины на поверхности — это была подготовка к мобилизации и войне. После 1937 года все знали, что Сталин не шутит.

Гитлер сорвал сталинскую мобилизацию, но даже в критической ситуации, которая никакими планами и расчетами не предусматривалась, даже при отсутствии Сталина у государственного руля, даже при полном непонимании происходящего на всех этажах общества, от Политбюро до самого последнего лагучастка, машина мобилизации сработала. За первые семь дней войны в СССР было сформировано 96 новых дивизий в дополнение к существующим (СВЭ. Т. 5. С. 343). За первые семь дней войны в армию было призвано 5 300 000 солдат и офицеров в дополнение к тем миллионам, которые уже шли к границам 22 июня.

Маршал авиации С. Красовский описывает 22 июня в Северо-Кавказском военном округе: как только сообщили о начале войны, округ немедленно приступил к формированию 56-й армии (Жизнь в авиации. С. 117). То же самое происходило и в других округах, где формировались по одной, а то и по нескольку армий одновременно. На 22 июня Сталин имел тридцать одну армию. Но у Сталина было все готово для немедленного развертывания еще двадцати восьми армий, и развертывание началось немедленно даже без его приказов. 56-я армия — одна из них.

5

Система мобилизации распространялась не только на миллионы резервистов, которые должны стать солдатами и офицерами, но и на миллионы людей, профессии которых считались ключевыми в военное время. В резерве состояли 100 000 врачей (Тыл Советских Вооруженных Сил в Великой Отечественной войне. С. 69), и каждый из них имел «мобилизационный листок». Кроме того, мобилизации подлежали сотни тысяч медицинских работников других профессий. На 9 июня 1941 года Красная Армия имела 149 госпиталей на 35 540 коек. На день «М+30» планировалось развернуть одних только эвакуационных госпиталей на 450 000 коек. К слову сказать, их развернули.

Мобилизационные листки имели все работники министерства связи, министерства путей сообщения, работники средств массовой информации, стукачи НКВД и многие другие категории граждан. В День «М» и три последующих дня из народного хозяйства в Красную Армию предписывалось передать четверть миллиона грузовых автомобилей и более 40 000 тракторов.

Боевое планирование всегда ведется без привязки к конкретной дате. День начала операции обозначается буквой «Д», и штабные офицеры планируют мероприятия, которые надлежит осуществить в этот день. Затем они отрабатывают план на следующий день, который именуется «Д+1», и следующий за ним «Д+2» и т.д. Кроме того, отрабатываются планы на предшествующий началу операции «Д—1» и другие предшествующие дни. Такой подход позволяет, с одной стороны, скрыть дату начала операции даже от тех офицеров и генералов, которые ее планируют, с другой стороны, в случае если по каким-то причинам срок начала операции перенесен в любую сторону, в заранее подготовленных документах ничего не надо менять. План легко накладывается на любую дату.

Точно так же отрабатывались и советские планы мобилизации. Не зная даты, планировщики составляли детальные планы мероприятий на День «М», т. е. день, когда правительство мобилизацию объявит, а также на последующие и предыдущие дни, недели и месяцы.

Упоминаний про День «М» даже в открытых советских источниках мы встретим много. Подготовка велась титаническая, и вымарать всего этого из нашей истории невозможно. Но коммунистические историки придумали трюк. Они говорят совершенно открыто о подготовке, но говорят так, как будто День «М» — это просто день начала мобилизации: если на нас нападут, мы объявим мобилизацию, увеличим армию и дадим отпор агрессору.

А я пишу эту книгу с целью доказать, что **тайная мобилизация началась 19 августа 1939 года. Поэтому День «М» — это не начало мобилизации, а только момент, когда тайная мобилизация вдруг громогласно объявляется и становится явной. День «М» — не начало мобилизации, а только начало ее финального открытого этапа.**

Коммунисты говорят, что в День «М» планировалось начать мобилизацию, а я доказываю, что в Красной Армии уже было более пяти миллионов солдат. Это уже не армия мирного времени, это армия военного времени. Развернув такую армию, Сталин был вынужден в ближайшие недели ввести ее в войну, независимо от поведения Гитлера.

В ходе тайной мобилизации основной упор делался на развитие наиболее технически сложных родов войск и оружия: танковых, воздушно-десантных, артиллерии, авиации. За два года тайной мобилизации Красная Армия выросла больше чем вдвое, за то же время численность личного состава танковых войск возросла в восемь раз. В период тайной мобилизации создавались структуры будущих дивизий, корпусов и армий, они имели командный состав, но солдат пока не имели, в День «М» их оставалось заполнить пушечным мясом.

К июлю 1941 года все тайные подготовительные мероприятия завершались, и тогда над всей страной должен был прогреметь призыв под знамена, оставалось открыто сделать то, что ни в коем случае нельзя сделать тайно. Вторая главная идея моей книги в том, что **в День «М», в момент перехода от тайной к открытой мобилизации, кадровые дивизии Красной Армии совсем не намеревались стоять барьером на границах и ждать.** Прикрытие мобилизации (точнее, открытой, завершающей ее части) планировалось не стоянием на границах, а внезапными сокрушительными ударами. Вот некоторые высказывания на этот счет ведущих советских военных теоретиков.

А.И. Егоров (в последующем — Маршал Советского Союза): «Это не период пассивного прикрытия отмобилизования, стратегического сосредоточения и развертывания, а период активных действий с далеко идущими целями... Под прикрытием этих действий будет завершаться мобилизация и развертывание главных сил» (Доклад Реввоенсовету 20 апреля 1932 г.).

Е.А. Шиловский (в последующем — генерал-лейтенант): «За первым эшелоном, который вторгается на территорию противника, развертывается сухопутная армия, но не на государственной границе, а на захваченных рубежах» («Война и революция». Сентябрь — октябрь 1933 г. С. 7).

С.Н. Красильников (впоследствии — генерал-лейтенант, профессор Академии Генерального штаба): «Поднимать огромные массы по всеобщей мобилизации — рискованное дело. Гораздо спокойнее втягивать в состав отдельных войсковых частей людей путем небольших мобилизаций... Проводить мобилизацию по частям, без официального ее объявления» («Война и революция». Март — апрель 1934 г. С. 35).

В.А. Меликов (впоследствии — генерал-майор): «Армия прикрытия обращается с момента решения на переход к активным действиям в армию вторжения» (Проблемы стратегического развертывания. 1935).

Комбриг Г. Иссерсон: «Когда эта масса вступит в сражение, в глубине страны покажутся силуэты второго стратегического эшелона мобилизуемых войск, за ним третьего и т.д. В конечном итоге в результате «перманентной мобилизации» будет разбит тот, кто не выдержит мобилизационного напряжения и окажется без резервов с истощенной экономикой» (Эволюция оперативного искусства. 1937. С. 79).

6

Разница с Первой мировой войной в том, что в 1941 году на западных границах государства стояла не армия мирного времени, как было в 1914 году, а шестнадцать армий вторжения, которые за два года тайной мобилизации переросли обычные армии мирного времени. В дополнение к ним из глубины страны тайно выдвигался Второй стратегический эшелон и уже формировались три армии НКВД Третьего стратегического эшелона.

Нам говорят, что не все сталинские дивизии, корпуса и армии были полностью укомплектованы, и потому Сталин не мог напасть. Тот, кто так говорит, незнаком с теорией и практикой перманентной мобилизации: Первый стратегический эшелон наносит удар, Второй — выгружается из эшелонов, Третий — завершает формирование, Четвертый... Это как зубы у акулы, они растут постоянно и целыми рядами, выпавший ряд заменяется новым рядом и еще одним, и еще. А в глубине пасти режутся ряды мелких совсем зубиков и продвигаются вперед. Можно, конечно, сказать, что акула не может напасть, пока у нее не отросли все зубы... У Сталина действительно не все дивизии, корпуса и армии были полностью укомплектованы. Но в том и состоял его дьявольский замысел. Нельзя было все укомплектовать, нельзя тигру красться очень долго.

Из десяти воздушно-десантных корпусов пять были полностью укомплектованы, а остальные только начинали развертывание. У Сталина было 29 механизированных корпусов. Каждый из них должен был иметь по 1000 танков. Но по 1000 танков имели только три корпуса, четыре других корпуса имели по 800—900 танков каждый, девять корпусов имели от 500 до 800 танков каждый. Остальные 13 корпусов имели от 100 до 400 танков каждый. И делают историки вывод: раз не все полностью укомплектовано, значит, не мог Сталин напасть на Гитлера в 1941 году.

А мы рассмотрим ситуацию с другой стороны. Да, у Сталина всего только пять воздушно-десантных корпусов полностью укомплектованы, а у Гитлера — ни одного. И во всем остальном мире — ни одного. Пяти воздушно-десантных корпусов вполне достаточно для проведения любой операции, для нанесения Германии смертельного удара. Начав войну внезапным ударом и объявив День «М», Сталин мог в ближайшие недели доукомплектовать еще пять воздушно-десантных корпусов и пустить их в дело, а весь остальной мир о таком не мог и мечтать. И если кто-то решил доказать, что Сталин, имея пять воздушно-десантных корпусов, не мог напасть, то тогда надо распространять эти доводы и на Гитлера: не имея ни одного такого корпуса, он и вовсе напасть не мог.

У Сталина не все мехкорпуса были полностью укомплектованы. Согласимся, что три корпуса по 1000 танков в каждом это ужасно мало. Но у Гитлера не было ни одного такого корпуса. И во всем остальном мире — ни одного. И корпусов по 800—900 танков ни у Гитлера, ни у кого другого не было. И по 600 танков в 1941 году ни у кого в мире корпусов не было. Они были только у Сталина. Сталин думал и о будущем и готовил десантные и механизированные корпуса для последующих операций. Те десантные и механизированные корпуса, которые на 22 июня были не полностью укомплектованы, можно дополнить, доукомплектовать: парашютисты, танкисты были подготовлены, парашюты готовы, военная промышленность работала в режиме военного времени.

Все, что имел Гитлер, — четыре танковые группы. Их можно было использовать в первом ударе, но в резерве у Гитлера не было ничего. А у Сталина готовились резервы.

С другой стороны, если бы Сталин укомплектовал все 10 воздушно-десантных корпусов, все 29 мехкорпусов по тысяче танков каждый, все 300 стрелковых дивизий до последнего солдата, то Сталин вспугнул бы Гитлера и Гитлер был вынужден нанести превентивный удар. Кстати, и того, что Сталин приготовил для нанесения первых ударов, было достаточно, чтобы Гитлера вспугнуть.

7

Военные историки пропустили целый исторический пласт. Все, о чем я говорю, составляло государственную тайну Советского Союза, вместе с тем в двадцатых и тридцатых годах советское политическое и военное руководство разработало сначала в теории, а потом осуществило на практике небывалый в истории план тайного перевода страны на режим военного времени, из которого неразрывно и логически следовали планы проведения внезапных сокрушительных ударов. Эти планы рождались в ожесточенной борьбе мнений мощных группировок, отстаивающих свой собственный подход к проблеме покорения мира. Накал страстей был столь велик, что отголоски полемики вырывались из глухих стен Генерального штаба на страницы открытой прессы и отраженным светом освещали размах подготовки. Даже то, что публиковалось открыто, дает представление о намерениях Сталина и его генералов. Сохранились целые залежи открытой литературы о том, что должно включаться в предмобилизационный период, как надо проводить тайную мобилизацию, как наносить внезапные удары и как под их прикрытием мобилизовать главные силы и вводить их в сражения. Издавался журнал «Мобилизационный сборник». Каждому, кого интересует данный вопрос, настоятельно рекомендую статьи С.И. Венцова, книги А.В. Кирпичникова, Е.А. Шиловского, В.А. Меликова, Г.С. Иссерсона, В.К. Триандафиллова, наконец, книгу Бориса Михайловича Шапошникова «Мозг армии».

Анализ развития государственных структур, военной промышленности и Красной Армии свидетельствует о том, что все эти дискуссии и споры не были пустой схоластикой — они превратились в стройную теорию, а затем были осуществлены на практике почти до самого конца.

Историки так никогда и не объяснили, почему же Гитлер напал на Сталина. Говорят, ему жизненное пространство потребовалось. Так говорит тот, кто сам не читал «Майн Кампф», а там речь идет о далекой перспективе. В 1941 году у Гитлера было достаточно территорий от Бреста на востоке до Бреста на западе, от Северной Норвегии до Северной Африки. Освоить все это было невозможно и за несколько поколений. В 1941 году Гитлер имел против себя Британскую империю, всю покоренную

Европу, потенциально — Соединенные Штаты. Для того чтобы **удержать** захваченное, Гитлер был вынужден готовиться к захвату Гибралтара и покорению Британских островов, не имея превосходства на море. Неужели в такой обстановке Гитлеру нечем больше заниматься, как расширять жизненное пространство? Все великие немцы предупреждали от войны на два фронта. Сам Гитлер главную причину поражения Германии в Первой мировой войне видел в том, что воевать пришлось на два фронта. Сам Гитлер в Рейхстаге уверял депутатов в том, что войны на два фронта не допустит. И он напал. Почему?

Граф фон Бисмарк предупреждал не только против войны на два фронта, но и против войны на один фронт, если на этом фронте Россия. И Гитлер напал. И почему-то никого из историков не заинтересовали причины его поведения. Сам Гитлер сказал графу фон дер Шуленбургу: «У меня, граф, выхода нет».

Не оставил Сталин Гитлеру выхода. Тайная мобилизация была столь огромна, что не заметить ее было трудно. Гитлер тоже понимал, что должно случиться в момент, когда тайная мобилизация вдруг будет объявлена открыто...

А теперь представим себя на сталинской даче теплым летним вечером где-нибудь в 1934 году. Теоретически мы решили, что надо проводить тайную мобилизацию продолжительностью два года, а перед нею надо провести предмобилизационный период в шесть — восемь месяцев, а еще чуть раньше надо осуществить великую чистку. Одним словом, все надо начинать заблаговременно, за несколько лет до главных событий. Когда же начинать тайную мобилизацию? В 1935 году? Или, может быть, в 1945-м? Начнем раньше — опустошим, разорим страну, раскроем карты и намерения. Начнем позже — опоздаем. Что же делать?

А остается делать только одно: НАЗНАЧИТЬ СРОК НАЧАЛА ВТОРОЙ МИРОВОЙ ВОЙНЫ. Исходя из нами установленного срока начала войны, проводить великую чистку, предмобилизационный период, тайную мобилизацию, в заранее установленный нами День «М» нанести внезапные удары и объявить всеобщую открытую мобилизацию.

Ведущие профессиональные историки мира как бы не замечают того, что происходило в Советском Союзе в 1937— 1941 годах, поэтому, читая их пухлые книги, мы никак не можем понять, кто же начал Вторую мировую войну. Выходит, что война возникла сама собой и никто в ее развязывании не виноват. Господа историки, я рекомендую советскую теорию мобилизации сравнить с практикой, сравнить то, что говорилось в Советском Союзе в двадцатых годах, с тем, что делалось в тридцатых. Вот тогда вы и перестанете говорить о том, что Вторая мировая война возникла сама собой, что никто не виноват в ее развязывании, тогда вы увидите настоящего виновника.

ГЛАВА 18

НЕВОЛЬНИКИ ПОДНЕБЕСНЫЕ

> Должен признаться, что я люблю
> летчиков. Если я узнаю, что какого-
> нибудь летчика обижают, у меня прямо
> сердце болит.
>
> *Сталин.*
> *«Правда», 25 января 1938 г.*

1

Фильмами, книжками, газетными улыбками приучили нас к мысли, что в тридцатых шла молодежь в летные школы валом, что на призывных комиссиях отбоя не было от желающих. Так оно и было. Поначалу. А потом желающих поубавилось. А потом они и вовсе перевелись. И сложилась ситуация: с одной стороны, нужно все больше народу в летные школы, с другой стороны — желающих убывает. Как же быть?

И еще проблема: производительность летных школ растет, в 1940 году выпустили летчиков столько, сколько за все предыдущие годы, вместе взятые, а на 1941 год запланировано выпустить больше, чем за все предыдущие годы, вместе взятые, включая и рекордный 1940-й. Летчик — это офицер. Задумаемся над тем, сколько квартир надо построить, чтобы обеспечить только летчиков-выпускников 1940 года. А для выпускников 1941-го

272

сколько потребуется? Летчик — это офицер, но такой, который получает вдвое больше денег, чем пехотный собрат того же возраста и в том же звании. Это сколько же денег надо на содержание летчиков выпуска 1940—1941 годов? Опять же, форма офицерская. Офицера-летчика положено по традиции одевать лучше, чем пехотного собрата. У пехотного офицера тех времен — ворот на пуговках, а у летчика — галстук. Это сколько же галстуков прикажете напасти? Где соломоново решение, которое разом выход укажет из всех проблем?

Товарищ Сталин соломоновы решения находил для любой проблемы. А если нет решения, есть советники, которые подскажут. Решение подсказал 7 декабря 1940 года Начальник Главного управления ВВС генерал-лейтенант авиации Павел Рычагов: всем, кто окончил летные училища и школы, офицерских званий не присваивать. Следовательно, квартир для новых летчиков строить не надо, денег больших платить не надо и в форму щегольскую их одевать незачем.

Есть в некоторых странах исключения: военный летчик — сержант. Но это там, где материальное положение и общественный статус сержанта ближе к офицеру, чем к солдату. У нас же сержант срочной службы — бесправный рекрут. Спит он в казарме вместе с солдатами, ест ту же кашу, носит те же кирзовые сапоги. Сержанта отпускают в увольнение, как и солдата: в месяц раз или два на несколько часов. А могут не отпустить. Нет смысла рассказывать, что есть советская казарма. Советскую казарму надо познать. Мой личный опыт жизни в образцовых показательных казармах — десять лет, с июля 1958 года по июль 1968-го. Образцовая казарма — это спальное помещение на двести — триста человек, это кровати в линейку и пол со сверканием, это подъем и отбой в тридцать секунд, это старшина, орущий без перерыва все десять лет (старшины менялись, но крик так ни разу и не прервался). Советская казарма — это прелести, на описание которых никак одной книги не хватит. Живется в казарме легко, ибо каждого солдата ждет дембель. «Дембель неизбежен, как крушение капитализма!» — писали наши солдатики на стенах. Еще легче живется в казарме курсанту, ибо ждет его офицерское звание, а к офицерскому званию много чего прилагается.

Начальник ГУ ВВС генерал-лейтенант авиации Павел Рычагов сам прошел через советскую казарму, он окончил летную школу в 1931 году. В 1940 году генерал-лейтенанту авиации Рычагову 29 лет от роду. В его ушах, наверное, и крик старшины еще не утих. И вот он предлагает Сталину выпускникам летных и технических училищ офицерских званий не присваивать, после выпуска присвоить им сержантские звания и оставить на казарменном положении.

Тот, кто в образцовой казарме не жил, оценить глубину этого зверства не может. Курсант советский доходит до выпуска только потому, что в конце тоннеля — свет. Курсант советский идет к выпуску как ишак за морковкой, которая для приманки перед носом на веревочке вывешивается. Правда, в конце пути ему ту морковку скармливают. Но окончить офицерское училище и той морковки в конце пути не получить...

Тем курсантам, которых принимали в училища в 1940 году, не так обидно, их учили по коротким программам и ничего с самого начала не обещали. Но в 1940 году многие тысячи курсантов завершали летные училища по старым полным трехгодичным программам и вот прямо перед выпуском, который снился каждому курсанту каждую ночь, они получают сталинско-рычаговский сюрприз: офицерских званий не будет. Впору кричать: «Вот тебе, бабушка, и Юрьев день!» Шел энтузиаст в офицерское училище, отдал Родине юность в обмен на лейтенантские кубари, а ему усатый дядя по выпуску объявляет: не будет кубарей!

В мемуарах советских летчиков эту ситуацию мы часто встречаем. «Прибыло молодое пополнение. Это были пилоты, окончившие нормальные военные авиационные училища с трехгодичным сроком обучения, но получившие при выпуске воинские звания «сержант» (Генерал-лейтенант авиации Л.В. Жолудев. Стальная эскадрилья. С. 41).

А генерал-майор авиации В.А. Кузнецов был среди тех, кого из офицерского училища выпустили сержантом. В начале войны он попал в полк, который формировали в тылу, и встретились летчики, которых ранее выпустили лейтенантами, и те, которых выпустили чуть позже сержантами. «В огромной казарме неуютно. В два яруса стоят железные солдатские койки... В казарме очень тесно... Сержанты с восхищением и нескрываемой завистью поглядывают на вишневые кубики и красивую, хорошо сшитую форму...»

А потом построение: Появляются командир полка Николаев и комиссар Шведов.

«Полковник сделал несколько шагов, остановился, с каким-то изумлением посмотрел на строй, потом на Шведова и, показывая в нашу сторону рукой, спросил: «Кто это?»

Шведов что-то ответил. Николаев молча повернулся и зашагал к штабу.

За ним направился и комиссар.

— Птенцы! — донеслось до нас уже издали...»

Возвращается комиссар:

«— Командир полка недоволен равнением в строю и внешним видом. Худые какие-то...» (Серебряные крылья. С. 3—6).

Летчики явно не соколы. Недокормленные петушки из инкубатора.

Если назвать вещи своими именами, то в отношении десятков тысяч молодых пилотов Сталин с Рычаговым применили прием мелких шулеров: объяснили начинающим правила игры, долго играли, а потом в конце игры объявили, что правила изменились...

Но оставим вопросы морали. Вопрос юридический: на каком основании держать пилотов-сержантов в Красной Армии? Выпускники 1940—41 годов пришли добровольно в авиационные училища и школы в 1937—38 годах, когда всеобщей воинской обязанности не было. До сентября 1939 года в армию, авиацию и на флот призывали лишь некоторых. Срок службы в авиации был два года. В 1937—38 годах молодые парни добровольно выбрали вместо двух необязательных лет солдатчины три каторжных курсантских года. 1 сентября 1939 года была введена всеобщая воинская обязанность и сроки службы увеличены, в авиации стали служить по три года вместо двух. Курсантские годы засчитываются как действительная воинская служба, дайте им офицерские звания и держите в авиации до самой пенсии или отпустите по домам: по три года казармы они отбыли. Больше по закону не положено. Не придумать основания, на котором их можно держать в военной авиации, да еще и на казарменном положении, т. е. на положении невольников в клетках.

Но Рычагов придумал. Сталин одобрил. Новый закон: срок обязательной службы в авиации увеличить до четырех лет. Верховный Совет единогласно проголосовал, и нет больше проблем: срок службы в авиации — четыре года, а вы отбыли только по три. Еще год, дорогие товарищи.

3

Еще год. А потом?

О войне написаны терриконы монографий и диссертаций, но ни в одной мы не найдем ответа на вопрос о том, что же Сталин замышлял делать с табунами пилотов после того, как год истечет. На этот вопрос не только нет ответа, но его никто и не поставил. А вопрос интересный. Хитрым законодательством десятки тысяч летчиков оставлены на казарменном положении до осени 1941 года. В 1941 году напал Гитлер и этот вопрос снял. Но нападения Гитлера Сталин не ждал и в него не верил. Что же замышлял Сталин делать со стадами летчиков после осени 1941 года?

Присвоить офицерские звания им нельзя. У Сталина и без них почти 600 000 офицеров, не считая НКВД. Кроме того, в 1941 году военные училища и курсы готовят выпуск 233 000 новых офицеров в основном для пехоты, артиллерии и танковых войск. Если еще и летчикам звания офицерские давать, то вместе с НКВД у Сталина будет миллион офицеров. У Сталина офицеров будет почти столько, сколько у царя Николая солдат. Разорение. Так что присвоить офицерские звания выпускникам летных училищ и школ невозможно по экономическим соображениям. И замысла такого у Сталина не было: мы не найдем указаний на то, что планировалось или началось строительство квартир для такой уймы летчиков, мы не найдем следов распоряжений о массовом пошиве офицерской формы для астрономического числа летчиков, мы не найдем в бюджете миллиардов, которые следовало выплатить летчикам-выпускникам в случае их производства в офицеры.

Так что же с ними делать осенью 1941 года? Отпустить по домам? Накладно: три года готовили, вогнали в подготовку миллиарды, сожгли миллионы тонн первосортного бензина, угробили немало самолетов с курсантами и инструкторами, а теперь отпустить? Через несколько месяцев летчики потеряют навыки и все усилия пойдут прахом.

А может быть, издать еще закон и держать их в казармах пятый год, и шестой, и седьмой, как невольников на галерах, приковав цепями к веслам, т. е. к самолетам? Хороший вариант, но не пройдет. Летчик должен постоянно летать. Прикинем, сколько учебных самолетов надо на такую уйму летчиков, сколько инструкторов, сколько бензина каждый год жечь. И оставался Сталину только один выход — начинать войну ДО ОСЕНИ 1941 ГОДА.

Прост был замысел Сталина: пусть вступают в войну сержантами, некоторые выживут, вот они и станут офицерами, они станут авиационными генералами и маршалами. А большинство ляжет сержантами. За убитого сержанта семье денег платить не надо. Экономия.

Подготовка летчиков в таких количествах — это мобилизация. Тотальная. Начав мобилизацию, мы придем к экономическому краху или к войне. Сталин это понимал лучше всех. Экономический крах в его планы не входил.

4

А теперь оценим ситуацию глазами молодого парня, которого выпустили осенью 1940 года сержантом. В отпуск после выпуска не отпустили, денег не дали, форма солдатская, живет в казарме, спит на солдатской кровати, жует кашу солдатскую, ходит в кирзовых сапогах (кожаные сапоги со склада приказали погрузить в вагоны, отправить на западные границы и там вывалить на грунт). Наш сержант не унывает. Он может и в кирзовых сапогах летать. Тревожит его другое: выбрал профессию на всю жизнь, решил стать офицером-летчиком, протрубил три года в училище, ввели дополнительный год, он завершится осенью 1941 года, а что потом? Друзья, с которыми он в школе учился, за четыре года получили профессии, встали на ноги, кто следователем НКВД работает, зубы врагам народа напильником стачивает, кто инженером на танковом заводе, а он в дураках остался. Три года учился, год отслужит и останется ни с чем. Зачем летал? Зачем жизнью рисковал? Зачем ночами формулы зубрил? Решил жизнь отдать авиации, и хорошо бы было, если бы тогда, в 1937 году, ему отказали, а то приняли, четыре года протрубил, и теперь осенью 1941 года выгонят из авиации и армии. Кому его профессия летчика-бомбардира нужна? В гражданскую авиацию идти? Там своих девать некуда.

Вот и подумаем, будет ли сержант-выпускник брату своему младшему советовать авиационную профессию? Без советов ясно: незачем в авиационные училища идти, ничего те училища не дают, летаешь-летаешь, а в конце непонятно что получается.

Какой же дурак после всего этого пойдет в летное училище? Кому нужно учиться в офицерском училище и оставаться солдатом? Кому нужно учиться и иметь в конце полную неопределенность? А Сталин с Рычаговым дальше идут. Не только летчик теперь сержант, но и старший летчик — сержант, и командир звена — сержант, и заместитель командира эскадрильи — сержант. Столько авиационных эскадрилий и полков развернули, что страна способна дать офицерские привилегии только командирам эскадрилий и выше. А всех летчиков и командиров звеньев и даже заместителей командиров эскадрилий с весны 1941 года — на казарменное положение. Под крик старшины.

Так кто же после всего этого добровольно пойдет в летное училище? Кому такая романтика нужна?

Товарищи Сталин и Рычагов и это предвидели. И потому приказ от 7 декабря 1940 года предусматривал не только выпуск летчиков сержантами, но и отказ от добровольного принципа комплектования летных училищ.

Такого в истории мировой авиации не было.

Надеюсь, не повторится.

7 декабря 1940 года в Советском Союзе был введен принцип принудительного комплектования летных школ.

ЭТО ВОЙНА.

Ни одна страна мира не решилась на такой шаг даже в ходе войны. Люди везде летают добровольно.

Введение принципа принудительного комплектования летных школ — не просто война, но война всеобщая и война агрессивная. Если в оборонительной войне мы принуждаем человека летать, добром это не кончится, в небе он вольная птица — улетит к противнику, в плену его никто летать не заставит.

Использовать летчиков-невольников можно только в победоносной наступательной войне, когда мы нанесли внезапный удар по аэродромам противника и танковые клинья режут вражью землю. В этой ситуации летчику-невольнику нет смысла бежать, через несколько дней все одно в лапы НКВД попадешь.

Тут самое время спросить, а можно ли летчика-невольника научить летать, если он этого не хочет? Можно ли научить высшему пилотажу невольника, да еще за три-четыре месяца, которые Сталин с Рычаговым с декабря 1940 года отвели на подготовку?

Нельзя.

Но высший пилотаж им был не нужен. Их же не готовили к войне оборонительной. Их же не готовили к отражению агрессии и ведению воздушных боев. Их готовили на самолет «Иванов», специально для такого случая разработанный. Их готовили к ситуации: взлетаем на рассвете, идем плотной группой за лидером, по его команде сбрасываем бомбы по спящим аэродромам, плавно разворачиваемся и возвращаемся. Этому можно было научить за три-четыре месяца даже невольника, тем паче что «Иванов» Су-2 именно на таких летчиков и рассчитывался. И если кто при посадке врубится в дерево — не беда: сержантов-летчиков у товарища Сталина в достатке. И самолетов «Иванов» советская промышленность готовилась дать в достатке. Так что решили обойтись без высшего пилотажа и без воздушных боев.

Именно тогда и прозвучал лозунг генерал-лейтенанта авиации Павла Рычагова, с которым он и вошел в историю:

«Не будем фигурять!»

ГЛАВА 19

ПРО ПАШУ АНГЕЛИНУ
И ТРУДОВЫЕ РЕЗЕРВЫ

> Мобилизационная готовность нужна не только для военных заводов, а и для всей промышленности: в военное время вся промышленность будет военной.
>
> *Сталин. 1940 г.*

1

Пашу Ангелину знала вся страна. Паша Ангелина улыбалась с первых страниц газет и журналов. Нет, она — не актриса. Паша Ангелина — первая в стране женщина-тракторист и бригадир первой женской тракторной бригады. Не только трудолюбием, но и мудростью славилась она. Журналисты табунами ходили за ее трактором, и не раз мысли ее становились броскими заголовками на первых полосах центральных газет: «Надо лучше работать!», «Надо работать лучше!», «Работать лучше надо!» и т.д.

Но настоящая слава пришла к Паше Ангелиной накануне войны, когда номенклатурная трактористка бросила в массы новый лозунг: «Сто тысяч подруг — на трактор!» Не знаю, сама Паша придумала или кто подсказал, но пресса советская его подхватила, многократно усилила, и загремел призыв над страной с высоких и низких трибун, с газетных полос, из миллионов репродукторов. Клич был услышан, и вот в короткое время в Советском Союзе было подготовлено не сто, а ДВЕСТИ тысяч женщин-трактористов (Великая Отечественная война. Энциклопедия. С. 49).

Тут обязан особо подчеркнуть, что речь идет о мирных тракторах, которые пашут необъятные поля нашей бескрайней Родины: пусть наша великая Родина цветет вешним садом, пусть на ее плодородных полях мирно урчат тракторы, покорные ласковым женским рукам.

Теперь вспомним о мужчинах. Если «двести тысяч подруг» уверенно заняли места за рычагами сельскохозяйственных тракторов, вытеснив двести тысяч мужчин-трактористов, то что же бедным мужчинам делать? О мужчинах не беспокойтесь.

О мужчинах побеспокоился Генеральный штаб. Так уж получилось (чистая случайность, конечно), что призыв Паши Ангелиной к женщинам точно по времени совпал с началом тайной мобилизации Красной Армии, которой в тот момент были очень нужны сто тысяч, а потом еще сто тысяч опытных мужчин-трактористов на танки, артиллерийские тягачи, тяжелые инженерные машины. «Освободительные походы», которые вела Красная Армия в 1939—40 годах, — это не только создание удобных плацдармов для захвата Европы, это не только проверка теорий и планов «в обстановке максимально приближенной к боевой», «освободительные походы» и малые войны — это прикрытие большой мобилизации. Сегодня, к примеру, «освобождаем» Польшу — в той советской деревне забрали в армию троих трактористов, да в этой — пятерых. Был даже фильм такой — «Трактористы», с демонстрацией наступательной мощи танков БТ-7.

«Поход» победоносно завершается, а трактористы в свои деревни уже не возвращаются, остаются в Красной Армии. Вместо них за рычаги сельскохозяйственных тракторов сядут подруги. А завтра «освобождаем» Финляндию — вновь там забрали десяток трактористов, да тут — десяток, а на их места — заботливые подруги. Вот так потихоньку, незаметно «двести тысяч подруг» впряглись в ярмо мирного труда, высвободив сильных, опытных мужчин-трактористов для дел более важных...

2

А у Паши Ангелиной нашлись подражатели. И вот удивленный мир узнает о первой женской паровозной бригаде. Оказалось, что советская женщина способна бросать уголек в паровозную топку не хуже мужика. И на торфоразработках советские женщины в грязь лицом не ударили. Выяснилось, что и на строительстве железных дорог (которые непонятно зачем тянули к западным границам) советская женщина способна таскать на себе не только шпалы, но и рельсы. Правда, их десятками в одну рельсу впрягали. Но ничего! Тянут!

Генерал-полковник инженерно-артиллерийской службы Б.Л. Ванников (в то время Нарком оборонной промышленности СССР, член ЦК партии) свидетельствует: «К началу 1940 года женщины составляли 41% всех рабочих и служащих в промышленности. Они быстро осваивали производство на самых ответственных и сложных участках, а на многих операциях действовали даже более ловко, чем мужчины» (Вопросы истории. 1969. № 1. С. 128).

То же самое повторил Маршал Советского Союза Д.Ф.Устинов в своей книге (Во имя победы. С. 107), а Маршал Советского Союза С.К. Куркоткин — в своей (Тыл Советских Вооруженных Сил в Великой Отечественной войне. С. 23). А меня удивило, почему это большие начальники говорят о начале 1940 года? Было бы интереснее о начале 1941 года, а лучше всего — о середине 1941 года.

Но об этом молчат. Процесс шел по нарастающей. И если опубликовать цифры на момент германского нападения, то неизбежно возникает вопрос: а чем же были заняты советские мужчины, куда это они подевались?

Но далеко ли уедешь на одних женщинах и их энтузиазме? Не пора ли товарищу Сталину впрягать и подростков?

Пора.

В советских музеях вам покажут снимки военного времени: щуплый мальчишка управляет огромным станком. Орудийные снаряды точит. Норму перевыполняет. А чтоб руки до рычагов доставали, под ноги заботливо два снарядных ящика подставили. Ах, какой энтузиазм! Ах, какой патриотизм!

Но в музее вам не расскажут, что подростков гнали на военные заводы сотнями тысяч и миллионами принудительно ДО нападения Гитлера.

Давайте откроем газету «Правда» за 3 октября 1940 года и на первой странице прочитаем удивительное сообщение о введении платы за обучение в старших классах обычных школ и в высших учебных заведениях. Мотивировка: «учитывая возросший уровень благосостояния трудящихся». Цены зубастые. Вот тебе и рабоче-крестьянская власть!

Смысл введения платы за обучение в школе становится ясным, если на той же странице прочитать указ «О государственных трудовых резервах СССР».

Согласно указу в СССР создается Главное управление «трудовых резервов». Оно контролирует первоначально 1551 «учебное заведение» и подчинено непосредственно главе правительства, т. е. Молотову, а с мая 1941-го — лично Сталину.

Количество «учебных заведений» намечено увеличивать. Набор в «учебные заведения» принудительный, как мобилизация в армию. Возраст — с 14. Обучение — «в сочетании с выполнением производственных норм». Побег из «трудовых резервов» влечет полновесный срок в романтических местах для юношества. Порядки в «трудовых резервах» военно-тюремные. Срок обучения — до двух лет. Производственные нормы — почти как для взрослых. Правда, на время обучения государство обеспечивает учеников «бесплатным питанием и обмундированием». Это представлено как проявление заботы партии и правительства о подрастающем поколении. У меня аж слезы умиления на глаза навернулись. А потом вспомнил, что и в тюрьмах наше родное государство обеспечивает бесплатным питанием и обмундированием. Заботлив был товарищ Сталин.

Кремлевские историки переполнены ностальгией по тем славным временам:

«Особое значение имела мобилизационная форма привлечения юношей и девушек к обучению в «трудовых резервах» в отличие от принципа добровольного поступления» (Великая Отечественная война. Энциклопедия. С. 729). Ах, как прекрасна принудиловка!

Чем же юный пролетарий будет рассчитываться за столь трогательную заботу Родины? Указ и это предусмотрел: после окончания обучения рабочий обязан отработать четыре года на заводе, не имея права выбора места, профессии и условий работы.

Уже первая мобилизация в «ТР» дала миллионный улов и далее счет шел на миллионы.

Насильственная мобилизация подростков в промышленность означала МОБИЛИЗАЦИЮ ПРОМЫШЛЕННОСТИ, перевод ее на режим военного времени и подчинение законам военного времени.

В октябре 1940 года план «Барбаросса» еще не подписан. Гитлер еще не решился на войну против Сталина. А Сталин решился.

4

Указ о введении платы за обучение в школах и высших учебных заведениях имел целью выбить на улицу побольше молодых людей. Самые высокие цены были установлены в учебных заведениях, которые готовили ненужных на войне музыкантов, актеров, художников. Цены гнали ученика и студента из классов, а «ТР» поглощали юношество прожорливыми воротами военных заводов.

Введение системы «трудовых резервов» — не просто подготовка к большой войне. Это подготовка к

большой **освободительной войне на территории противника.**

«Трудовые резервы» использовались в авиационной, артиллерийской, танковой промышленности и во многих других отраслях. Вот один из примеров того, как советское руководство намеревалось
в случае войны распорядиться подростками, моби-
лизованными на железнодорожный транспорт. Мы
уже знаем, что советские железнодорожные войска
перед войной готовились не к разрушению своих
железных дорог в ходе оборонительных операций,
а к восстановлению железных дорог противника
вслед за наступающими частями Красной Армии и
к их «перешивке» на широкий советский стандарт.

Маршал Советского Союза С.К. Куркоткин свидетельствует, что по расчету советского командования (у них все было рассчитано!) одновременное
восстановление девятнадцати западных железнодорожных направлений требовало интенсивного труда 257 000 советских солдат-железнодорожников.
Советское командование решило выделить на эти
работы только 170 000 солдат, а недостаток 87 000
восполнить работой специальных отрядов «трудовых резервов» численностью 100 000 человек (Там
же. С. 52).

Хорошая идея.

Гитлер своим нападением не позволил осуществить эти хорошие идеи советских маршалов.
Железные дороги на «освобожденных» территориях в 1941 году восстанавливать не пришлось.

ГЛАВА 20

О ЗАВОЕВАНИЯХ ОКТЯБРЯ

> Ближе к войне рабочий день удлинили до 10 часов, а с весны 1941 года и до 12.
>
> *Г. Озеров.*
> *Туполевская шарага. С. 44.*

1

Коммунисты пришли к власти под красивыми лозунгами. Еще в октябре 1905 года в газете «Новая жизнь» они поместили программу своей партии. Среди многих других пунктов: короткий рабочий день при полном запрещении сверхурочных работ, воспрещение ночного труда, воспрещение детского труда (до 16 лет), воспрещение женского труда в тех отраслях, где он вреден для женского организма, введение двух выходных дней в неделю. Понятно, два раздельных выходных дня в неделю полноценным отдыхом не признавались: надо, чтобы два дня вместе. И много там еще было написано, но суть программы (и всех остальных коммунистических программ) можно выразить одним лозунгом: работать будем все меньше и меньше, а получать все больше и больше. Лозунг привлекательный. Миллионам дураков лозунг понравился, и в октябре 1917-го коммунисты взяли власть, что сопровождалось радостными воплями тех, кому хотелось работать меньше. Коммунистическая власть от обещаний не отказывалась, но хорошую коммунистическую власть нужно удержать, нужно защищать от врагов внешних и внутренних, а для этого надо много оружия, следовательно, народ должен вкалывать больше, чем раньше, а то вернутся капиталисты и снова будут эксплуатировать трудящиеся массы.

Чтобы хорошую власть защитить, коммунисты ввели драконовские порядки на заводах: каждый рабочий — солдат трудовой армии, умри, но выполни невыполнимую норму, а то капиталисты вернутся... «Верно ли, — вопрошал Лев Троцкий на III Всероссийском съезде профсоюзов в апреле 1920 года, — что принудительный труд всегда непродуктивен? Мой ответ: это наиболее жалкий и наиболее вульгарный предрассудок либерализма». И начал Троцкий формировать рабочие армии по самым зверским рекомендациям, которые Маркс изложил в «Манифесте коммунистической партии». Маркс верил в рабский труд (прочитаем еще раз «Манифест»), и Троцкий верил. Рабский труд давал результаты, пока страна была в войне. Но Гражданская война кончилась, и в мирных условиях рабский труд оказался непроизводительным. Страну поразил небывалой силы кризис, и закрылись заводы, и не стало работы. Коммунисты боролись с безработицей сокращением рабочего дня и рабочей недели, превратив всех в полубезработных с соответствующей получкой. Вместо семидневной недели ввели пятидневную: четыре дня работаем, пятый отдыхаем. И получилось в году не 52 недели, а 73 с соответствующим количеством выходных. А еще ввели праздников целую охапку наподобие «дня Парижской коммуны». При желании праздников можно много придумать. И рабочий день стал коротким на удивление всему миру. Это объявлялось завоеваниями рабочего класса, завоеваниями Октября.

А потом рабочий день начал понемногу растягиваться. Закрутилась страна, завертелась. Загремели, заскрежетали пятилетки. В небо стройки взметнулись: Днепрогэс, Магнитка, Комсомольск. Правда, получка, точнее, ее покупательная способность, так и замерла на уровне пособия полубезработного. Народ работал все больше, но жизненный уровень никак не рос, хотя товарищ Сталин и объявил, что жить стало лучше и жить стало веселее. Все, народом созданное, уходило в бездонную бочку военно-промышленного комплекса и поглощалось Красной Армией. Возвели, к примеру, Днепрогэс, рядом — алюминиевый комбинат. Американский исследователь Антони Сюттон, собравший материал о передаче западных технологий Сталину, приводит сведения о том, что Запорожский алюминиевый комбинат был самым мощным и самым современным в мире (Antony C. Sutton. National Suicide: Military Aid to the Soviet Union. P. 174). Элек-

294

тричество Днепрогэса — на производство крылатого металла — алюминия, алюминий — на авиационные заводы, а авиационные заводы известно какую продукцию выпускают. И с Магниткой та же картина: возводим домны, мартены, варим сталь, производим больше всех в мире танков, но жизненный уровень от этого никак повыситься не может. Или Комсомольск. Забайкальские комсомольцы (ЗК) в тайге героическими усилиями возводят чудесный город. Зачем? Да затем, что тут бесплатным трудом при поставке всего необходимого из Америки возводится самый мощный авиационный завод мира.

А маховик набирал обороты. И работать надо было все больше и больше. Вот уж пятидневную рабочую неделю превратили в шестидневную, и рабочий день вывели на уровень мировых стандартов и чуть выше. И праздников срезали: надо, конечно, праздновать день смерти Ленина, но в свободное от работы время.

А потом наступил 1939 год, за ним — 1940-й. И как-то неприлично стало вспоминать о «завоеваниях Октября», об обещаниях коммунистической партии, о ее лозунгах.

2

В 1939 году в колхозах ввели обязательные нормы выработки: колхоз — дело добровольное, норму не выполнишь — посадим.

27 мая 1940 года грянуло постановление СНК «О повышении роли мастера на заводах тяжелого машиностроения». Мягко говоря, суровое постановление. Мастер на заводе наделялся правами никак не меньшими, чем ротный старшина. Читаешь постановление — и вместо мастера дяди Васи в железных очках, в промасленном халате, с чекушкой в левом кармане представляешь надсмотрщика с кнутом на строительстве египетской пирамиды или с бамбуковой палкой — на строительстве Великой стены.

26 июня 1940 года прогремел над страной указ «О переходе на восьмичасовой рабочий день, на семидневную рабочую неделю и о запрещении самовольного ухода рабочих и служащих с предприятий и учреждений». Нравится тебе мастер с бамбуковой палкой, не нравится, а уйти с завода не моги. На какой работе застал указ, на той и оставайся. Рассчитаться с заводом и уйти нельзя. Рабочие приписаны к заводу, как гребцы на галерах прикованы цепями к веслам, как советские крестьяне к колхозу, как летчики-недоучки к самолетам. Стоило ли Государя Николая Александровича с Наследником к стенке ставить, чтобы оказаться приписанным к заводу вместе со станками и поточными линиями? Можно долго рассказывать об ужасах самодержавия, но такого при Николае не бывало.

Указ от 26.6.40 уже в своем названии противоре чил не только общепринятым в мире правилам, но и самой сталинской конституции 1936 года, причем сразу по многим пунктам. Сталинская конституция, например, гарантировала семичасовой рабочий день.

И в тот же день — постановление СНК «О повышении норм выработки и снижении расценок».

10 июля 1940 года еще указ: «Об ответственности за выпуск недоброкачественной продукции и за несоблюдение обязательных стандартов промышленными предприятиями». Если мастер с бамбуковой палкой не справляется, товарищи из НКВД помогут. Кстати, указ и против мастера: если он не следит за качеством выпускаемой продукции надлежащим образом, то в первую очередь загремит он сам в места охраняемые.

А указы идут чередой. 10 августа 1940 года: «Об уголовной ответственности за мелкие кражи на производстве» — лагерные срока за отвертку, за унесенную в кармане гайку. 19 октября 1940 года еще указ: «О порядке обязательного перевода инженеров, техников, мастеров, служащих и квалифицированных рабочих с одних предприятий и учреждений в другие». Самому с одной работы на другую переходить нельзя, но растут снарядные, пушечные, танковые, авиационные заводы, их комплектуют рабочей силой в плановом централизованном порядке: ты, ты, ты и вот эти десять, собирайте чемоданы, завтра поедете куда прикажут... Это уже троцкизм. Троцкий мечтал о том, чтобы каждый

297

был «солдатом труда, который не может собой свободно располагать, если дан наряд перебросить его, он должен его выполнить; если он не выполнит — он будет дезертиром, которого карают» (Речь на IX съезде партии).

3

Каждый указ 1940 года щедро сыпал срока, особенно доставалось прогульщикам. По указу 26 июня за прогул сажали, а прогулом считалось опоздание на работу свыше 20 минут. Поломался трамвай, опоздание на работу, опоздавших — в лагеря: там опаздывать не дадут.

Я много раз слышал дискуссии коммунистических профессоров: а не был ли Сталин параноиком? Вот, мол, и доказательства его душевной болезни налицо: коммунистов в тюрьмы сажал и палачей (например, Тухачевского с Якиром) расстреливал...

Нет, товарищи коммунисты, не был Сталин параноиком. Великие посадки были нужны для того, чтобы вслед за ними ввести указы 1940 года, и чтоб никто не пикнул. Указы 1940 года — это окончательный перевод экономики страны на режим военного времени. Это мобилизация.

Трудовое законодательство 1940 года было столь совершенным, что в ходе войны не пришлось его ни корректировать, ни дополнять.

4

А рабочий день полнел и ширился: девятичасовой незаметно превратился в десятичасовой, потом — в одиннадцатичасовой. И разрешили сверхурочные работы: хочешь подработать — оставайся вечером. Правительство печатает деньги, раздает их любителям сверхурочных работ, а потом эти деньги оборонными займами обратно выкачивает из населения. И денег народу снова не хватает. Тогда правительство идет народу навстречу: можно работать без выходных. Для любителей. Потом, правда, это и для всех ввели — работать без выходных. Леонид Брежнев был в те времена секретарем Днепропетровского обкома по оборонной промышленности: «Заводы, изготовлявшие сугубо мирную продукцию, переходили на военные рельсы... Выходных мы не знали» (Малая земля. С.16). Если Брежнев не знал выходных, то давались ли выходные тем, кем он командовал? И так было не в одном Днепропетровске. В.И. Кузнецов после войны стал академиком, одним из ведущих советских ракетных конструкторов, заместителем С.П. Королева. Перед войной он тоже был конструктором, только рангом пониже. И поставили задачу разработать новый прибор управления артиллерийским огнем. Работы на много лет. Приказали: за три месяца. «Работали допоздна, без выходных, без отпусков. Уходя с территории, сдавали пропуск, а взамен получали паспорт. Однажды на проходной его завернули:

— Вот тебе, Кузнецов, талоны на еду, вот ключ от комнаты, там есть столы и койка. Пока не сделаешь, жить будешь на заводе...

Три месяца «заключения» пролетели одним долгим днем. Приборы вывозили с завода ночью» («Красная звезда», 7 января 1989 г.).

В статье про Кузнецова слово «заключение» поставлено в кавычки. Понятно: ни суда, ни следствия, ни обвинений — просто приказали три месяца днем и ночью работать, он и работал. А вот будущий шеф Кузнецова и создатель первого спутника С.П. Королев в те славные времена сидел. И многие с ним. И тут вновь начинаешь понимать смысл великой сталинской чистки. Сталину нужны лучшие самолеты, лучшие танки, лучшие пушки в стахановские сроки, но так, чтобы средств на разработку много не расходовать. И вот конструкторы сидят по тюрьмам, по шарагам: дадите лучший в мире пикирующий бомбардировщик, лучший танк, лучшую пушку — выпустим. Конструкторы вкалывают не за Сталинские премии, не за дачи на крымских берегах, не за икру и шампанское, а за свои собственные головы: не будет самолета — задвинут на Колыму.

Конструкторские бюро Туполева, Петлякова и многих других сидели в полном составе и творили за тюремными решетками: надежно, дешево, быстро и секреты не уплывут. Вспоминает заместитель

Туполева Г. Озеров: «Вольняг» перевели на обязательный десятичасовой рабочий день, большинство воскресений они тоже работают... В народе зреет уверенность в неизбежной войне, люди понимают это нутром...» (Туполевская шарага. С. 99).

А потом рабочий день довели и до 12 часов. На шараге при нормальной кормежке, в тепле можно работать и больше. А на лесоповале? Журнал «Новое время» (1991. № 32. С. 31) сообщает: «С 1 января 1941 года нормы питания заключенных были снижены. Почему? Может быть, в этом сказалась та подготовка к будущим сражениям?..» Именно так — подготовка к будущим сражениям.

Адмирал флота Советского Союза Н.Г. Кузнецов с гордостью сообщает:

«На нужды обороны выделялись, по существу, неограниченные средства» (Накануне. С. 270). Слово «оборона» тут следовало взять в кавычки, но в остальном правильно. И оттого, что на нужды войны выделялись средства без ограничений, где-то ограничения надо было вводить, на чем-то экономить. Экономили на зеках, на рабочем классе, трудовой интеллигенции, на колхозном крестьянстве.

5

Но и на верхах головы летели. Отзвуки великой битвы мы найдем в прессе того времени. Журнал «Проблемы экономики» за октябрь 1940 года: «Представитель диктатуры рабочего класса, советский директор предприятия, обладает всей полнотой власти. Его слово — закон, его власть на производстве должна быть диктаторской... Советский хозяйственник не имеет права уклоняться от использования острейшего оружия — власти, которую партия и государство ему доверили. Командир производства, уклоняющийся от применения самых жестоких мер воздействия к нарушителям государственной дисциплины, дискредитирует себя в глазах рабочего класса, как человек, не оправдывающий доверия». И выходило: мастер — диктатор над рабочими. А вышестоящий — диктатор над мастером, и так все выше и выше до директора, который диктатор на заводе. А над ним тоже диктаторов орава. И как созвучно все, что говорится о директоре-диктаторе, с дисциплинарным уставом 1940 года: чтобы заставить повиноваться подчиненных, командир имеет право и обязан применить все средства, вплоть до оружия. Если он применяет оружие против подчиненных, то ответственности за последствия не несет, а если не применяет, так его самого — в трибунал. И директоров в те же условия поставили: или всех грызи, или ляжь в грязи, а на твое место нового директора поставят. А «Правда» подстегивает — 18 августа 1940 года: «На заводах Ленинграда обнаружено 148 прогулов, а передано в суд только 78 дел». Какие-то директора проявляют мягкотелость. Будем уверены, что после этой публикации сели не

302

только те, кого пролетарская газета помянула, не только директора, проявившие мягкотелость, но и те, кто директоров не посадил до публикации «Правды».

6

Хрущев однажды объявил, что Сталин руководил войной по глобусу, т. е. в детали не вникал, а ставил глобальные задачи. Кроме Хрущева, никто такой глупости не говорил. Сотни людей, которые знали Сталина близко, говорят другое. Сталин знал тысячи (возможно — десятки тысяч) имен. Сталин знал все высшее командование НКВД, знал всех своих генералов, Сталин знал лично конструкторов вооружения, директоров крупнейших заводов, начальников концлагерей, секретарей обкомов, следователей НКВД и НКГБ, сотни и тысячи чекистов, дипломатов, лидеров комсомола, профсоюзов и пр. и пр. Сталин ни разу за 30 лет не ошибся, называя фамилию должностного лица. Сталин знал характеристики многих образцов вооружения, особенно экспериментальных. Сталин знал количество выпускаемого в стране вооружения. Сталинская записная книжечка стала знаменитой, как конь Александра Македонского. В этой книжке было все о производстве оружия в стране. С ноября 1940 года директора авиационных заводов каждый день должны были персонально сообщать в ЦК о количестве произведенных самолетов. С декабря это правило распространилось на директоров танковых, артиллерийских и снарядных заводов.

А Сталин давил персонально. Был у него и такой прием: своей рукой писал от имени директоров и наркомов письменное обязательство и давал им на подпись... Не подпишешь — снимут с должности с соответствующими последствиями, если подпишешь и не выполнишь... Генерал-полковник А. Шахурин в те времена был Наркомом авиационной промышленности. Предшественник Шахурина — М. Каганович — был снят и застрелился, не дожидаясь последствий снятия. Шахурин занял пост Кагановича, и вот он обедает у Сталина. Январь 1941 года. Сталинский обед — это очень поздний ужин. Слуги накрыли стол, поставили все блюда и больше в комнату не входят. Разговор деловой. О выпуске самолетов. Графики выпуска самолетов утверждены. Шахурин знает, что авиационная промышленность выпустит запланированное количество новейших самолетов. Потому спокоен. Но Сталину мало того, что запланировано к выпуску и что им самим утверждено. Нужно больше. И тогда:

«Сталин, взяв лист бумаги, начал писать: «Обязательство (заголовок подчеркнул). Мы, Шахурин, Дементьев, Воронин, Баландин, Кузнецов, Хруничев (мои заместители), настоящим обязуемся довести ежедневный выпуск новых боевых самолетов в июне 1941 года до 50 самолетов в сутки». «Можете, — говорит, — подписать такой документ?» «Вы написали не одну мою фамилию, — отвечаю, — и это правильно, у нас работает большой коллектив. Разрешите обсудить и завтра дать ответ». «Хорошо», — сказал Сталин. Обязательство было взято нами и выполнено. Сталин ежедневно занимался нашей работой, и ни один срыв в графике не проходил мимо него» («Вопросы истории». 1974. № 2. С. 95).

Сталин сделал петлю, а руководители авиационной промышленности должны сталинскую петлю сами надеть на свои шеи. Подписано обязательство наркомом и заместителями, теперь можем представить, как они воспользуются своими диктаторскими полномочиями против директоров авиационных заводов. А директора — своими диктаторскими полномочиями против начальников цехов и производств. А они... И так до самого мастера в промасленном халате. Кстати, минимум один из сталинского списка — Василий Петрович Баландин, заместитель наркома по двигателям — в начале июня 1941 года сел. Красив русский язык — зек Баландин. Его подельников расстреляли. Баландину повезло, в июле его выпустили. Авиаконструктор Яковлев описывает возвращение: «Василий Петрович Баландин, осунувшийся, остриженный наголо, уже занял свой кабинет в наркомате и продолжал работу, как будто с ним ничего не случилось...» (Цель жизни. С. 227).

7

Нам остается выяснить, когда мобилизационная гонка в промышленности началась и чем могла кончиться.

Понятно, решения принимались в недрах сталинских дач. Но принятые тайно решения объявлялись, пусть и не полностью, пусть иносказательно. Принятые решения осуществлялись всей страной на глазах всего мира. Это как в армии: солдат не знает, что и когда решило начальство, но траншею рыть ему. И совсем не важно, кто решение принял, до солдата его доведут и исполнение проверят. И если мы не знаем, какие и когда принимал Сталин решения, мы можем видеть их выполнение.

Решения всегда исходили якобы не от Сталина, а от делегатов съезда партии, от Верховного Совета, от представителей трудящихся (Указ от 26.6.40 принимался «по инициативе профсоюзов»). И наркомы писали обязательства от собственного имени: «Мы, Шахурин, Дементьев, Воронин, Баландин...» Правда, писали сталинским почерком, а подписывались собственноручно.

Предвестником мобилизации промышленности на нужды войны был XVIII съезд партии. И не подумайте, что выступил на съезде Сталин и сказал, что вкалывать надо по 10—12 часов. Совсем нет. Сталин таких слов не любил. Сталинский стиль публичных выступлений: «Жить стало лучше, товарищи. Жить стало веселее» («Правда», 22 ноября 1935 г.).

А выступил на XVIII съезде никому тогда не известный Вячеслав Малышев. Его речь 19 марта 1939 года нужно читать. Это шедевр. По традиции того времени «Правда» не указывала должностей выступавших на съезде и даже их инициалов: «Речь т. Малышева», и ни слова более. Не каждому в зале было известно, что это за гусь. А это выдвиженец на взлете. Свирепый сталинский тигр. Ему 36. Год назад стал директором завода, месяц назад — Наркомом тяжелого машиностроения. Через год станет заместителем Молотова, в мае 1941-го — заместителем Сталина. Стать заместителем Сталина — не просто. Малышев им стал в возрасте 38. Мало того — удержался на посту до смерти Сталина и затем оставался заместителем главы советского правительства практически до самой своей смерти. Кроме поста сталинского заместителя, Малышев всю войну будет Наркомом танковой промышленности, получит воинское звание генерал-полковника и неофициальные титулы «Главнокомандующего танковой промышленностью», «Князя Танкоградского» и т.д. Малышев — это Жуков советской промышленности. Советские танки завершили войну в Берлине. Заслуга Малышева в этом никак не меньше заслуги Жукова. Зная сегодня, как складывалась карьера Малышева в ходе войны и после нее, мы должны еще раз прочитать «Речь т. Малышева» 19 марта

307

1939 года, и именно в этой речи нам следует искать ключи к вопросу о начале предмобилизационного периода в советской промышленности. Малышев говорил именно то, что требовалось говорить в начале 1939 года. Он не только говорил, но и делал именно то, что требовалось Сталину. Иначе не стал бы т. Малышев сталинским заместителем.

А потом как буревестник грядущих указов 24 августа 1939 года появилась в «Известиях» статья все того же Малышева «О текучести кадров и резервах рабочей силы». В статье Малышева уже содержалось все то, что через год отольют в чеканные строки сталинских указов о закрепощении рабочей силы, о «трудовых резервах» и о фактическом превращении промышленности в единый механизм, работающий на войну. Удивительно совпадение: 23 августа 1939 года подписан пакт с Гитлером, а на следующий день появляется статья-предвестница. Кажется: сначала 23 августа подписали пакт с Гитлером, а на следующий день появилась статья, призывающая точить топоры. Но события развивались в обратном порядке: сначала решили точить топоры, а потом подписали пакт с Гитлером. Статья появилась 24 августа, но набирали ее 23-го. А писал ее т. Малышев раньше, т. е. до подписания пакта. Когда в Кремле жали руку Риббентропу и пили за здоровье Гитлера, драконовские указы 1940 года уже были предрешены. Не исключаю, что именно Малышев был их инициатором, за то и был поднят на должность заместителя главы правительства по промышленности, обойдя всех своих коллег и соперников. Идея остановить текучесть рабочей силы путем введения крепостного права на заводах и организовать «трудовые резервы» уже в августе 1939 года доложена Сталину и явно встретила поддержку. В противном случае Малышев не стал бы такую статью публиковать.

Уже тогда Малышев знал, к чему приведет тотальная милитаризация промышленности. И не он один: «Экономика получает однобокое военное развитие, которое не может продолжаться до бесконечности. Оно или приводит к войне, или вследствие непроизводительных затрат на содержание вооруженных сил и другие военные цели к экономическому банкротству». Это говорит Маршал Советского Союза В.Д. Соколовский после войны (Военная стратегия. С. 284).

Эту простую мысль понимали и до войны: «Переход почти всего хозяйства страны на производство военной продукции означает неизбежное сокращение снабжения мирной потребности населения и полную депрессию промышленности: должны будут очень быстро прекратить работу отрасли промышленности, которые не имеют значения для обороны, и сильно развиться те, которые работают на оборону». Это писал в 1929 году выдающийся советский военный теоретик В.К. Триандафиллов (Характер операций современных армий. С. 50).

А вот мнение генерал-полковника Бориса Ванникова. Ванников — это тот же тип сталинского наркома, что и Малышев. Сам Сталин присвоил себе Золотую звезду героя соцтруда с номером 1. Борис Ванников получил такую звезду в первом десятке кавалеров. Сталин на том остановился. А Ванникову после войны Сталин дал вторую Золотую звезду. И Ванников стал первым дважды героем соцтруда. За создание ядерного заряда. Вскоре Ванников стал первым в стране трижды героем соцтруда. За создание термоядерного заряда. Перед войной Борис Ванников был наркомом вооружения, в ходе войны — наркомом боеприпасов. Его мнение: «Ни одно государство, какой бы сильной экономикой оно ни обладало, не выдержит, если оборонная промышленность еще в мирный период перейдет на режим военного времени» («Вопросы истории». 1969. № 1. С. 130). Так что вожди ведали, что творили. Начав перевод промышленности на режим военного времени, они знали, что это приведет к войне.

Кстати, самого Ванникова взяли в начале июня 1941 года. Его пытали, его готовили к расстрелу. Из пятнадцати подельников двоих выпустили, тринадцать расстреляли. Мотивы ареста во мраке. И не важно, в чем их обвиняли. Разве обязательно обвинять человека именно том, в чем он виноват?

Важно другое: массовые аресты в промышленности от рабочего, опоздавшего на двадцать одну минуту, и кончая наркомами, которые никуда не опоздали, имели целью уже в мирное время создать в тылу фронтовую обстановку.

Когда осунувшиеся, стриженные наголо заместители наркомов и сами наркомы из пыточных камер вдруг снова попадали в свои министерские кресла, всем сразу становилось понятно, что работать надо лучше: товарищу Сталину нужно много оружия.

ГЛАВА 21

ПРО СТАЛИНСКОГО БУРЕВЕСТНИКА

> Не сдаешься? Подыхай,
> ... с тобою!
> Будет нам милее рай,
> Взятый с бою.
>
> *Демьян Бедный*

1

Однажды пришлось видеть, как играли в волейбол советские олимпийцы. Зрелище выдающееся: огромные парни, мощная гибкая мускулатура, рубящие удары и невероятное умение обнаружить слабину — только противники (тоже свирепые) ослабили на долю секунды защиту кусочка площадки, и именно на этот кусочек обрушивается удар всесокрушающей силы, который нельзя отразить. Да не просто наши били, а с обманом: бьют вроде в одну сторону, попадают — в другую. У противников тоже обманных трюков было отработано во множестве, но наших не обманешь. Реакция советских олимпийцев была сверхчеловеческой. Я бы не сказал, что волчья реакция или тигриная, нет, это было нечто за гранью возможного. И особенно отличался в этом деле Юрий Чесноков. То, что он делал на площадке, было непонятно. Противник в страшной силе замаха сгибается, как стальная пружина,

312

и уж видно, что ударит в правый дальний угол, вся советская команда бросается в правый дальний угол и только один Чесноков бросается... в левый ближний. Через долю секунды следует удар и именно туда, куда уже прыгнул Чесноков. Все происходило одновременно, но я никак не мог отделаться от ощущения, что сначала Чесноков прыгает туда, куда надо, а уж потом противник именно туда удар и наносит. Выходило, что Чесноков предугадывал самые коварные удары и потому их отбивал.

После матча спросил у поклонников Чеснокова, правда ли, что он наперед знает, куда будет нанесен удар? Правда, отвечают. А как он это может знать? Интуиция — отвечали одни; гениален — отвечали другие; читает мысли противников — отвечали третьи. Было ясно, что Чесноков наделен необычайной физической силой и выносливостью, было видно, что способен концентрировать волю в короткий момент отражения удара и немедленно расслаблять ее, сохраняя тем силы и способность в следующий момент вновь вложить всю мощь в удар потрясающей точности. Но был еще и какой-то секрет.

После завершения спортивной карьеры олимпийский чемпион Юрий Чесноков свой секрет раскрыл: он действительно читал мысли противников. Все вокруг были неграмотными и читать на лицах не умели, а он умел. Соперник мог выписывать любые трюки, но в самое последнее мгновенье перед ударом его нос поворачивается точно туда, куда будет нанесен удар. Чесноков это подметил, а потом и установил, что в правиле исключений нет. И вот по носу он читал замыслы своих американских, китайских, японских и всяких других соперников. И за долю секунды до удара бросался именно туда, куда надо. И побеждал всех...

Любой фокус прост. Когда секрет известен.

Секрет Чеснокова мне почему-то напомнил историю летчика Голованова...

2

В феврале 1941 года летчик гражданской авиации Александр Голованов был призван в Красную Армию, получил свое первое воинское звание — подполковник, и первую должность — командир 212-го дальнебомбардировочного полка специального назначения — Спецназ. Советская дальнебомбардировочная авиация (ДБА) в то время имела в своем составе:

— пять авиационных корпусов, в каждом по две дивизии;

— три отдельных авиационных дивизии, которые в состав корпусов не входили;

— один отдельный авиационный полк, который не входил ни в состав дивизий, ни в состав корпусов.

Вот именно этот полк Голованов и возглавил в феврале 1941 года. Впрочем, полка не было, его предстояло сформировать. С этой задачей Голованов справился: самолеты ему дали, дали летчиков, инженеров и техников, дали аэродром в районе Смоленска. Голованов сформировал полк и стал первым его командиром. Над собой подполковник Голованов не имел ни командира дивизии, ни командира корпуса, подчинялся прямо командующему ДБА. Теоретически. На практике полк Голованова подчинялся Сталину.

В июне 1941-го 212-й дальнебомбардировочный полк Спецназ начал боевую работу. Использовался полк Голованова, как и вся советская дальняя авиация, не по прямому назначению. Дальние бомбардировщики предназначались для действий ночью по **дальним** неподвижным целям: городам, заводам, мостам, железнодорожным станциям, а их использовали днем по подвижным целям на переднем крае. Дальние бомбардировщики бомбят с большой высоты цели, по которым не промахнешься. А им ставили непосильную задачу, для решения которой они не предназначались: бомбить танковые колонны противника. С большой высоты в движущийся танк не попадешь, пикировать дальний бомбардировщик не может, приходилось снижаться... Эту работу должны делать штурмовики, ближние и пикирующие бомбардировщики, причем только под прикрытием истребителей. Но штурмовики, ближние и пикирующие бомбардировщики погибли на приграничных аэродромах в первые дни войны, а вместе с ними погибли и истребители. И вот дальние бомбардировщики выполняют чужую работу, для которой они не предназначены, которую они выполнить не способны, и делают ее без прикрытия в условиях полного господства противника в воздухе. Все полки, дивизии и корпуса дальних бомбардировщиков несли неоправданные потери. Досталось и 212-му полку, но все же полк Голованова на фоне других отличался.

Подполковником Голованов ходил меньше полугода. В августе 1941 года полковник Голованов становится командиром 81-й дальнебомбардировочной авиадивизии Спецназ. Эта дивизия была подчинена прямо Ставке ВГК (Генерал-майор авиации М.Н. Кожевников. Командование и штаб ВВС Советской Армии в Великой Отечественной войне. С. 81). Проще говоря, Голованов вновь подчиняется только Сталину.

81-я дивизия под командованием Голованова и при его личном участии бомбила в 1941 году Берлин, Кенигсберг, Данциг, Плоешти. Понятно, использование ДБА в первые дни войны не по прямому назначению и понесенные при этом потери резко снизили мощь дальней авиации. Но все равно дивизия Голованова отличалась, и можно было ожидать назначения Голованова на должность командира авиационного корпуса. Этого не случилось.

Эту ступень Голованов пропустил. Не был он и заместителем командующего ДБА, а сразу стал командующим. В феврале 1942 года ДБА была преобразована в авиацию дальнего действия (АДД) и ее командующим назначен генерал-майор авиации Александр Голованов. Следующие звания: генерал-лейтенант авиации, генерал-полковник авиации, маршал авиации — идут не задерживаясь. В августе 1944 года Голованов получает звание Главного маршала авиации. Главному маршалу авиации в том месяце исполнилось 40. АДД под командованием Голованова принимала участие во всех важнейших операциях Красной Армии.

В 1953 году сразу после смерти Сталина Голованова снимают со всех постов и отправляют в запас.

В Советском Союзе маршалы и даже генералы армии в запас не уходили. Их звания пожизненны, и они носили звания до смерти, даже если и не имели в армии должностей и не выполняли никаких обязанностей. Голованов в этом правиле редкое, и, возможно, единственное исключение. В опале были Жуков, Василевский, Конев, Рокоссовский, но их никто не назвал маршалами в запасе, они оставались маршалами. В опале был Н.Г. Кузнецов, но он был разжалован из Адмирала флота Советского Союза в вице-адмирала, а вице-адмирала можно увольнять в запас. (Посмертно Н.Г. Кузнецов был восстановлен в звании Адмирала флота Советского Союза.) Явных причин разжаловать Голованова не нашли и тогда сделали Главным маршалом авиации запаса.

Карьера Голованова оборвалась со смертью Сталина не случайно. Близок был Голованов к Сталину. И чтобы понять его судьбу, надо начинать не с февраля 1941 года, а с начала.

3

Родился Александр Голованов в 1904 году. С 14 лет в Красной Армии, на фронте. Служит в военной разведке, затем ОГПУ—НКВД. Но это не стандартный чекист, это воплощение воли и энергии. Голованов отдает службе больше времени, чем любой из его коллег, а кроме того, становится наездником, мотогонщиком, летчиком. Тут надо подчеркнуть, не просто наездником, мотогонщиком, летчиком, но наездником высшего класса, мотогонщиком с результатами достаточно высокими для выступлений на всесоюзных соревнованиях, летчиком, которому доверяли драгоценные жизни вождей. Этот портрет близок к портрету суперменов из кинобоевиков, но именно им он и был. Голованов достигал высших результатов в любом деле, за которое брался.

Где-то, когда-то чекист Голованов встретил на своем пути Иосифа Сталина. Больше их пути не расходились. Скоро Голованов попадает в число незаметных со стороны, но приближенных к Сталину людей, исполнителей темных заданий. Голованов — личный телохранитель. Голованов — личный следователь. Голованов — личный пилот Сталина. Сам Сталин в те времена на самолете не летал, но персонального пилота имел и в знак особого уважения, как шубой с собственного плеча, иногда жаловал партийных вельмож полетом: тебя повезет мой личный пилот!

Впрочем, такие полеты могли означать не только уважение и благодарность, но и противоположное. Голованов летал на серебристом самолете с размашистой надписью на борту: «Сталинский маршрут». Макет именно этого самолета стоял на сталинском столе. На крыльях «Сталинского маршрута» часто летала смерть. В годы великой чистки падали головы, освобождались места, уничтожение коммунистов первого ранга означало для коммунистов второго ранга повышение. И бывало, Сталин в знак особого расположения посылал «Сталинский маршрут» в далекую провинцию за мало кому известным партийным фюрером: вас ждут в Москве и быть вам великим. Бывало наоборот: вас ждут в Москве и быть вам... Летит пассажир в головановском самолете, кормят его, поят кавказскими винами... Его и вправду ждут в Москве... в камере смертников. Есть сведения, которые пока подтвердить не удалось, что Маршал Советского Союза В.Блюхер в 1938 году летел в Москву «Сталинским маршрутом». После того Блюхер больше не летал: вскоре его определили в камеру пыток. Под пытками он и погиб.

Александр Голованов в годы террора был как бы сталинским буревестником: буря! скоро грянет буря! А еще назвал бы Голованова кончиком сталинского носа: куда он повернется, туда и обрушится сталинский гнев.

4

А потом чистка завершилась и начался новый этап нашей истории: предмобилизационный период, тайная мобилизация, военные конфликты. Мне пока не удалось установить имя летчика, который вез Жукова на Халхин-Гол. Не знаю, был ли это сам Голованов или кто-то другой. Но достоверно известно, что Голованов появился на Халхин-Голе практически одновременно с Жуковым, может быть, чуть раньше. Это означало, что Сталин лично следит за развитием событий. До самого конца боев Голованов находился в Монголии. Уже не удастся установить, понимал ли Жуков символику головановского присутствия, но не подлежит сомнению: в случае неудачи Жукова привезли бы в Москву «Сталинским маршрутом».

Присутствие Голованова на Халхин-Голе не ограничивалось негласным контролем за Жуковым.

Голованов много летал. О его деятельности скупо говорится: выполнял спецзадания... Разбираясь с историей Спецназа, нашел смутные упоминания о действиях советских диверсионных групп в тылах японских войск. Выброску диверсионных групп Спецназ осуществляли самолеты Особой авиагруппы, в состав которой входил и Голованов. В принципе его обязанности не изменились — он творит темные дела и появление сталинского буревестника означает террор.

После Монголии — Финляндия. Тут Голованов получил орден Ленина. И снова подробности скрыты мраком тайны. А ведь странно: Голованов — не военный, в армии не состоит и военной формы не носит. Что же он на войне делает?

5

Потом вдруг в 1941 году Голованов попадает в армию. Надо подчеркнуть, попадает по собственной просьбе. Сохранилось и опубликовано письмо Голованова Сталину. После этого письма его призывают, дают воинское звание, назначают командиром авиационного полка Спецназ.

Голованов был постоянно рядом со Сталиным, Голованов знал многое. Голованов встречал высших командиров Красной Армии и имел представление о том, что затевается, Голованов много летал. Голованов многое видел. Голованов понимал, что дело идет к большой войне, и вызвался на нее добровольцем. Это в его духе.

Если бы большая война не затевалась, Голованов остался бы при Сталине.

Если бы затевался очередной конфликт типа Зимней войны в Финляндии, то Голованов остался бы гражданским летчиком и принял участие в конфликте, не меняя формы гражданской авиации на военную форму.

Если бы готовилась большая оборонительная война, Голованов освоил бы истребитель. Этому человеку было подвластно все — от арабского иноходца до любого типа самолета. В оборонительной войне честолюбивый Голованов мог бы стать первым в стране трижды Героем Советского Союза. Это соответствовало его натуре, его таланту.

Если бы готовилась война на 1942 год, Голованов не стал бы проситься в армию в начале 1941 года. Вулканическая энергия этого человека нашла бы другой выход, другую главную задачу на ближайшее время. Но война затевалась на 1941 год, большая война, в которой истребительной авиации отводилась роль второстепенная. В моде был бомбардировщик. Именно на бомбардировщик попросился Голованов. Не на простой бомбардировщик, а на тот, который можно использовать для выполнения спецзаданий. Голованов сам выбрал поле деятельности в грядущей войне, и это намерение звучит в названии 212-го дальнебомбардировочного авиационного полка: Спецназ.

6

Тут самое время высказывать сомнения: не мог Голованов знать сталинских планов, не мог знать о подготовке Сталиным войны. Голованов всего лишь высказал свое предположение, что намечается война, и попросился добровольцем. Голованов мог ошибиться: может быть, никакой войны Сталин не затевал.

Хорошо, согласимся.

Допустим, что Голованов в сталинские планы не посвящен. Допустим, что Голованов лишь высказал Сталину догадку, мол, чудится мне приближение войны, не пора ли и мне, товарищ Сталин, надеть военную форму. Пусть будет письмо Голованова Сталину всего лишь предположением. Но это было правильное предположение! Если бы предчувствия Голованова насчет большой освободительной войны были неправильными, то Сталин бы ему ответил: нет, Голованов, никакой освободительной войны я не затеваю, а нужен ты мне пока для других дел. Но не сказал Сталин такого. А сказал Сталин нечто противоположное. Одобрил Сталин порыв своего буревестника: правильно, Голованов, понимаешь обстановку, назревают большие события, самое время и тебе форму надевать, молодец, что не ждешь приказов, а сам соображаешь, когда в армию надо проситься.

Пусть Голованов сроков и намерений Сталина не знал, а лишь догадывался, но Сталин-то знал! И если письмо Голованова всего лишь догадка, то Сталин догадку подтвердил.

Еще момент. Мог бы Сталин Голованову сказать: боюсь я, что Гитлер нападет, возьми, Голованов (ты человек энергичный и напористый), лучших наших летчиков-истребителей да подготовь из них какую-нибудь ударную группу асов, такую группу, чтобы, встретив ее в бою, ни один немец живым не ушел, чтобы в любом избранном мною месте мы могли удерживать хотя бы местное господство в воздухе. Пусть по всему фронту немцы держат господство, но на решающем участке мы им этого не позволим... Но не сказал Сталин таких слов ни Голованову, ни кому другому. Образцовый полк из лучших летчиков для выполнения личных сталинских спецзаданий в глубине территории противника по инициативе Голованова и по приказу Сталина был создан, а такого же образцового полка для защиты родного неба не создали и не вспомнили о таком. Попытка создать образцовый истребительный полк для защиты родного неба была предпринята только после 22 июня 1941 года (401-й истребительный авиационный полк Осназ). Но было поздно.

Сопоставим факты.

1. Группа аэродромов и запретные зоны в районе Смоленска с довоенных времён — традиционное место подготовки лучших диверсионных подразделений Спецназ.

2. Дома отдыха НКВД в районе станции Гнездово Смоленской области с 1939 года использовались как летние лагеря для подготовки молодых кадров Коминтерна.

3. В районе Смоленска с февраля 1941 года базируется 212-й авиационный полк Спецназ, который способен не только бомбить особо важные объекты по личному приказу Сталина, но и забрасывать диверсионные группы Спецназ в тыл противника.

4. С февраля 1941 года в районе станции Гнездово сооружался командный пункт стратегического значения, командный пункт для Сталина. Кстати, это та самая станция Гнездово, где разгружали польских офицеров. Катынь рядом.

Не знаю, как связать эти факты вместе. Командный пункт Сталина, с которого он намеревался руководить «освобождением» Европы, диверсионные отряды для истребления руководителей соседних стран и самолёты для заброски этих диверсантов за рубеж, школа молодых коммунистических вождей, которым предстояло руководить сталинской Европой, и место истребления элиты уже «освобожденных» стран — все в одном месте. Почему? Совпадение или дьявольская логика? Не могу объяснить. Я только указываю на узел загадок, пусть историки ищут отгадки.

Но в одном уверен: в феврале 1941 года еще не было никаких «предупреждений» Черчилля, Зорге, Рузвельта и прочих, но кончик сталинского носа уже повернулся против Германии.

ГЛАВА 22

А КУДА ЕХАЛ ХМЕЛЬНИЦКИЙ?

> Историю войны и мира можно и должно изучать не только по документам, но и по человеческим судьбам.
>
> *«Красная звезда», 1 июня 1990 г.*

1

К биографии Главного маршала авиации Голованова можно добавить биографию генерал-лейтенанта Рафаила Хмельницкого (1898—1964). Официальное описание жизни Хмельницкого публикуется под рубрикой «Герои гражданской войны». Вот основные моменты: агитатор в Харькове, затем секретарь члена РВС Первой конной армии, принимал участие в подавлении кронштадтского мятежа, Гражданскую войну завершил, имея два ордена Красного Знамени. В те времена это был высший и единственный орден. Пролистав мемуары участников Гражданской войны, находим награды тех лет: «наградить красными революционными шароварами» или — «наградить каурым жеребчиком», а ордена, как свидетельствует маршал С.М. Буденный, давали «героям из героев». Сталин, например, за Гражданскую войну имел один орден. Те, кто имел по два ордена, попадали в анналы истории. Хмельницкий среди них. После Гражданской войны Хмельницкий становится порученцем (т. е. выполняющим поручения особой важности) при командующем Северо-Кавказским военным округом. Потом — работа в штабе Московского военного округа. Далее следуют военная академия и должности: командир полка в 1-й Московской Пролетарской стрелковой дивизии, порученец Народного комиссара по военным и морским делам, возвращение на командную работу, на ту же должность — командир полка в 1-й Московской Пролетарской, далее — заместитель командира этой дивизии, через короткое время — командир этой лучшей дивизии Красной Армии. После — порученец Наркома обороны СССР. В 1940 году в Красной Армии введены генеральские звания. Рафаил Хмельницкий получает звание генерал-лейтенанта, в те времена — три звезды. Весной 1941 года генерал-лейтенант Хмельницкий назначен командиром 34-го стрелкового корпуса — самого сильного из всех стрелковых корпусов Красной Армии. Во время войны находился в распоряжении военного совета Ленинградского и Северо-Западного фронтов. С 1942 года был начальником управления снабжения в Центральном штабе партизанского движения. Потом следует должность генерала для особых поручений при заместителе Наркома обороны, и в самом конце войны генерал-лейтенант Рафаил Хмельницкий был начальником выставки образцов трофейного вооружения. Во Второй мировой войне Хмельницкий никак не отличился — вступил в нее генерал-лейтенантом и завершил в том же звании.

Биография составлена так, что, прочитав ее, мы зевнем и перевернем страницу: генерал, герой, ничего более. А у меня давняя ненависть к адъютантам и порученцам. Генерал-лейтенант Хмельницкий постоянно всю свою службу как заколдованный возвращался к должности офицера (потом генерала) для поручений особой важности. Это постоянство меня как-то неясно тревожило. И еще: командирская карьера неестественная, первая командирская должность — командир полка: ни взводом, ни ротой, ни батальоном не командовал, а этак сразу на полк. И не на простой полк. 1-я Московская Пролетарская стрелковая дивизия — это «придворная» столично-парадная дивизия: иностранные гости, смотры, торжества, показуха. Служба в «придворных» дивизиях своеобразна. Великая честь офицеру туда попасть, всю жизнь потом в аттестации в сияющем ореоле сверкает номер той дивизии. Служить там легко и трудно. С одной стороны, люди на подбор, нет в дивизии худых, болезненных солдатиков, которые не понимают русского языка, нет старого изношенного оружия, нет проблем со снабжением и расквартированием войск. С другой стороны, настоящей боевой подготовки тоже нет. Вместо нее — показуха или подготовка к следующей показухе, «балет» — как выражаются в Красной

Армии. У Хмельницкого из пяти командирских назначений четыре — в столично-придворно-балетную дивизию. И долго не засиживался. Должности занимал на несколько недель, а потом на долгие годы возвращался на должности адъютанта-секретаря-порученца...

Долго не давала покоя биография Хмельницкого, а понять не мог, чем она меня тревожит. А потом озарило: так это же тень биографии Ворошилова!

2

Перелистаем еще раз биографию Хмельницкого, только теперь на фоне карьеры Маршала Советского Союза К.Е. Ворошилова.

Итак, член военного совета Первой конной армии Клемент Ворошилов где-то на Гражданской войне встречает безвестного партийного агитатора и делает своим секретарем. Секретарь прижился. Навсегда. Не будем гадать, как секретарь Хмельницкий воевал, но первый орден он получил после разгрома советских войск в Польше. В Гражданской войне было три массовых награждения, когда ордена раздавали корзинками. Первый раз — в Польше. Надо было позор разгрома замазать героическими подвигами. Бегущим с фронта войскам выдавали вволю орденов. И тут в общем списке, приказом РВС Первой конной, Хмельницкий попадает в ряды героев. Не то на машинке ладно стучал, не то карандаши героически точил, не то — еще за какие заслуги. По существовавшим тогда порядкам в приказе должны были быть подробно изложены обстоятельства героического подвига, но в данном случае обстоятельства не изложены. Вместо подробного описания — «за отличия в боях секретарю члена РВС». Нехорошо героев подозревать, но не сам ли секретарь представление на себя и печатал? Приказ о награждении Хмельницкого Ворошилов подписывал дважды: в 1919 (еще до позора в Польше) и в 1920 году. Выдать орден получилось со второго раза. Но Москва не утвердила решения. Три года Хмельницкий носил свой первый орден как бы полулегально: Ворошилов наградил, Москва не утверждает. Решение было утверждено только 16 октября 1923 года.

Вторая массовая раздача орденов была после подавления кронштадтского мятежа. На подавление бросили преданных. Кронштадтское зверство представили боевой операцией и за карательные заслуги жаловали как за боевые. И снова орденов отсыпали. На расправе был и Ворошилов с секретарем. Ворошилову — второй орден. Секретарю — второй. Описание героических деяний снова отсутствует, скользко сказано: «вдохновлял бойцов». Так стал Хмельницкий двойным героем. И есть фотография: Ленин с участниками подавления. Справа от Ленина мордастый о двух боевых орденах. Это как раз и есть революционный герой Рафаил Хмельницкий. А позади Ленина — Ворошилов.

И еще была одна массовая раздача — при истреблении мужиков Тамбовской губернии. Но нашего героя там не оказалось, а то получил бы и третий орден.

После Гражданской войны Ворошилова назначают командующим Северо-Кавказским военным округом. Хмельницкий при нем — выполняет особо важные поручения. Мне довелось повидать адъютантов и порученцев. Да, иногда они выполняют поручения особой важности. Но вообще — работа холуйская. Ворошилов — холуй и холуев вокруг себя плодил. И надо было быть холуем врожденным, чтобы при Ворошилове держаться. Хмельницкий держался. Но было нечто и кроме холуйства: Хмельницкий имел кличку Руда и не стеснялся ее. Если бы он пришел в революцию из коммунистического подполья, то можно расценить кличку как партийный псевдоним, вроде «Товарищ Евлампий». Но до-октябрьский партийный стаж Руды не прослеживается. Откровенно блатные нотки в кличке Хмельницкого не смущали ни Ворошилова, ни самого Сталина. Ворошилов — босяк по кличке Володька, а сталинский уголовный псевдоним Коба воспринимается как родственный псевдониму Хмельницкого. Коба и Руда.

Так что Руда был вполне в своем кругу.

В 1924 году Сталин перетаскивает Ворошилова в Москву, назначает командующим Московским военным округом. Легко догадаться, как изменилась судьба Хмельницкого. Правильно — в штабе Московского военного округа ему нашли место. Ненадолго Хмельницкий отлучается в академию — диплом дело важное — и возвращается на ту же должность — порученец Ворошилова. Потом Руда получает полк в Московской Пролетарской стрелковой дивизии. И всем ясно — вот пришел новый командир полка, пришел для того, чтобы отметиться, чтобы отбыть номер, чтобы в характеристике появилась запись: «командовал полком». Сколько недель командовал — никого не интересует. Главное, в аттестации зафиксировано: командовал. Если бы потребовалось для аттестации, Ворошилов мог назначить своего холуя командовать чем угодно, хоть крейсером. И не побоялся бы Ворошилов дать Хмельницкому не просто крейсер, а лучший из крейсеров. И мог бы Хмельницкий на капитанском мостике не появляться и команд не отдавать. Лучше, если бы не появлялся: помощники, понимая, что за птица залетела, справились и без него — лишь бы работать не мешал. Так и в полку: всем ясно, что, «откомандовав», должен Хмельницкий вернуться на круги своя.

Эту систему видел в расцвете, во времена Брежнева, когда работал в Женеве. Прибывает из Москвы дипломатическая делегация. В делегации — несколько трудяг-дипломатов. А между ними детки членов Политбюро. Тоже дипломаты. Работой деток не обременяли: лишь бы не мешали. И сами детки к работе не тяготели. А характеристики им писали сладенькие, и посол советский Зоя Васильевна Миронова подписывала: инициативные, всесторонне подготовленные и пр. и пр. Глянешь в послужной список такого «дипломата» — мать моя, прошел и Париж, и Вашингтон, и Нью-Йорк, и Вену, и Женеву, да на какой работе: то Брежнева сопровождал, то Громыку, то еще кого. Одним словом, перспективный, подающий надежды, опытом умудрен, пора выдвигать...

При Брежневе это цвело буйным цветом. А тогда, в двадцатых—тридцатых, система только расцветала. Но и тогда приемы карьерного проталкивания четко определились: Хмельницкий попадал в войска на командирские должности, не меняя своей московской квартиры, не удаляясь от правительственных дач. На полк вернулся еще разок, отметился, побывал заместителем командира дивизии и командиром. В 1940 году ввели генеральские звания, и Хмельницкий — генерал-лейтенант. Много, конечно, для бывшего командира дивизии, но ничего, пережил. Для порученца тоже много. В те времена в Красной Армии званиями не бросались. На дивизиях — полковники или генерал-майоры. Командиры корпусов — генерал-майоры. Бывало, что и на корпусах стояли полковники. Примеры: И.И. Федюнинский, К.Н. Смирнов, В.А. Судец, Н.С. Скрипко. Генерал-лейтенант — это или командующий военным округом, или командующий армией, да и то не всегда: некоторые командующие армиями были в то время генерал-майорами, как М.И. Потапов. В общем, не пожалел Ворошилов генеральских звезд своему холую. Так герой Гражданской войны стал полководцем.

3

Заинтересовавшись личностью Хмельницкого, перелистал вновь мемуары советских генералов, адмиралов, маршалов и удивился, да как же я раньше Хмельницкого не замечал. А ведь он присутствует в воспоминаниях многих. Рассказ о приеме у Ворошилова каждый начинает с описания приемной, в которой восседает Хмельницкий.

Генерал-майор П.Г. Григоренко вспоминает, как перед войной попросил личной встречи с Наркомом обороны. «А в чем ваш вопрос?» — интересуется Хмельницкий и решает: незачем таким вопросом тревожить Ворошилова, обойдетесь встречей с Тухачевским.

Главный маршал артиллерии Н.Н. Воронов вспоминает, как в 1936 году Муссолини отправлял итальянских фашистов для захвата Абиссинии. Муссолини устроил пышную церемонию проводов. На церемонии — иностранные военные делегации. Самая представительная, это понятно, не от фашистской Германии, а от Советского Союза. Воронов это особо подчеркивает. В делегации, кроме самого Воронова, Городовикова и Лопатина, — наш герой Хмельницкий (На службе военной. С. 76—77). У нас с фашистами уже тогда было разделение труда: воюйте в Абиссинии, через много лет мы туда придем и устроим такую социальную справедливость, что мир дрогнет, глядя на детей-скелетов. Наши социальные преобразования обойдутся Африке бóльшим горем, чем фашистская агрессия...

Но вернемся к нашему герою. Адмирал флота Советского Союза Н.Г. Кузнецов вспоминает, как перед войной его отправили в Испанию. Все начинается со встречи с Хмельницким... Кузнецов возвращается из Испании — и опять первым делом к Хмельницкому. Проходит немного времени — Кузнецова назначают заместителем командующего Тихоокеанским флотом — и опять встреча с Хмельницким. Кузнецов был дружен с Хмельницким: «...Меня протолкнул Руда, как мы в своем кругу звали Хмельницкого» (Накануне. С. 175). Нет, нет, не на должность протолкнул, протолкнул на встречу с Ворошиловым. И все же надо было с Рудой быть в хороших отношениях: не каждого он на встречу проталкивал...

Маршал Советского Союза К.А. Мерецков тоже вспоминает, как вернулся из Испании — прежде всего визит к Хмельницкому. Хмельницкий приглашает Мерецкова пройти в большой зал, тут собирают всех, кто попался под руку: важное мероприятие — осудить врагов народа, Тухачевского с партнерами (На службе народу. С. 166). Мерецков не сообщает, как он лично вел себя, но после совещания Мерецкова круто понесло вверх, и вскоре он занял посты Начальника Генерального штаба и заместителя Наркома обороны, те самые, которые раньше занимал Тухачевский... Очень было важно демонстрировать преданность не только в присутствии Сталина или Ворошилова, но и в присутствии их секретарей-адъютантов-порученцев.

А вот Жуков летит на Халхин-Гол. Встреча с Ворошиловым, но предварительно — с Хмельницким. Важный был человек...

4

А потом напал Гитлер, но на войне генерал-лейтенант Хмельницкий крови не проливал и жизнью не рисковал. В начальном периоде войны — дикая нехватка генералов. Западным фронтом (а это четыре армии) командует генерал-лейтенант А.И. Еременко, Северо-Западным фронтом (три армии) командует генерал-майор(!) П.П. Собенников. А генерал-лейтенант Хмельницкий — сидит в распоряжении командующего Ленинградским фронтом.

Это означает: не отвечает ни за что. А почему в Ленинграде? Да потому, что туда послали Ворошилова, а Хмельницкого Ворошилов за собою тянет. Назвать Хмельницкого порученцем Наркома обороны было можно, но назвать порученцем командующего фронтом неудобно: генерал-лейтенант на побегушках у командующего фронтом, когда меньшие по званию сами фронтами командуют. Потому формулировка — в распоряжении...

В Питере Ворошилов оскандалился. Ленинградским фронтом Ворошилов командовал неполных семь дней, с 5 по 12 сентября 1941 года, и пришлось срочно заменить Жуковым. Но выгнать Ворошилова Сталин не мог: дутая слава Ворошилова в Гражданской войне связана с дутой славой самого Сталина. Объявить Ворошилова кретином — себе на хвост наступить. И потому Ворошилов — как бы в распоряжении Сталина, т. е. не отвечает ни за что, а Хмельницкий — в распоряжении Ворошилова. Потом Сталин придумал Ворошилову пост — Главнокомандующий партизанским движением. Партизанами управлять не надо, партизаны сами знают, что им делать. В биографии Ворошилова так описана эта заслуга: «Лично инструктировал командиров партизанских отрядов» (Советская военная энциклопедия. Т. 2. С. 364). Ах, работа не пыльная! Генерал армии С.М. Штеменко коротким мазком, без желания обидеть, описал личный поезд «пролетария» Ворошилова: уютные вагоны, со вкусом подобранная библиотека... Ворошилов учинил Штеменке целый экзамен... нет, не по стратегии и не по тактике, а по репертуару Большого театра. Сам Ворошилов — большой любитель оперы и балета и при случае горазд любого нижестоящего уличить в бескультурии... Фронт, война, гибнут люди, страна голодает, Генеральный штаб работает по установленному Сталиным круглосуточному графику, у офицеров и генералов Генштаба веки липнут от недосыпа. Штеменко случаем попал в поезд Ворошилова и хотел уж отоспаться, но нет, докладывай культурному маршалу... А еще в том уютном вагоне специальный холуй-полковник развлекает Ворошилова чтением классиков литературы: «Китаев читал хорошо, и на лице Ворошилова отражалось блаженство» (Генеральный штаб в годы войны. С. 207).

Теперь вообразим грязного, голодного, заросшего командира партизанского отряда, который много дней путал следы по лесам и болотам, уводя свой отряд от карателей. И вот приказ: прибыть к барину Ворошилову. Целая операция: через фронт гонят самолет, кострами поляну означают, везут командира на Большую землю. И вот он в салон-вагоне: ковры, зеркала, полированное красное дерево, бронза сверкает, а за окном ветер ревет, мгла. Сладко выспавшийся, плотно поевший и обильно попивший Ворошилов вдали от фронта и карателей лично инструктирует... А потом партизанского командира — в самолет, застегни ремни, взлетаем, проходим линию фонта, приготовиться... пошел!

Вот в том самом эшелоне рядом с прославленным культурным пролетарским маршалом и наш герой обитает. Ворошилов — над всеми партизанами главнокомандующий, Хмельницкий в штабе партизанского движения начальником управления снабжения. Не хочу плохого наговаривать, но из всех снабженческих должностей лучше всего заниматься снабжением партизан, по крайней мере недостачи не будет, материальные ценности тысячами тонн идут за линию фронта, бросают их в темноту и расписок в получении не требуют...

В конце войны, когда Ворошилову вовсе уж дела не находилось, поставили его на дипломатическую работу: гостей иностранных встречать, провожать, угощать, хвалиться победами. Генерал де Голль свидетельствует, что во время войны приемы в Москве поражали неприличным изобилием и подавляющей роскошью. Нашли работу и Хмельницкому — начальником выставки трофейного вооружения: дорогие заморские гости, посмотрите направо, посмотрите налево... Хотя это и экскурсовод может делать. Главное в другом: разрешил Сталин советскому солдату грабить Европу. Называлось это — «брать трофеи». И пошел грабеж. Александр Твардовский в поэме «Василий Теркин» грабежу в Германии отдал целую главу и получил Сталинскую премию первой степени. Грабили тогда солдаты, грабили сержанты и старшины, грабили офицеры, генералы и маршалы, но больше всех грабило советское государство. Государственный грабеж был одет в форму трофейной службы. Удостоверение трофейной службы давало власть: не для себя беру, для рабоче-крестьянского государства. Трофейная выставка была частью трофейной службы. Не скажу плохого про Хмельницкого, но его шеф, культурный Ворошилов, жаден был да высокого искусства, и потому Хмельницкий истоптал Европу точно как партизанский командир брянские леса. Тяжела работа Хмельницкого, но доставляла удовлетворение: генерал-лейтенант, не обремененный боевыми обязанностями, с батальоном «трофейной службы» рыщет по Европе, в кармане трофейной службы документ и рекомендации Ворошилова... Одним словом, где-то перешел Хмельницкий грань приличия и был устранен от Ворошилова, а потом уволен по болезни.

5

В этой героической биографии есть исключение, ради которого всю историю пришлось рассказать.

С момента первой встречи Ворошилов и Хмельницкий не расставались. Иногда Ворошилов выпускал Хмельницкого за рубеж к фашистам в гости. Но это не другая работа, а рабочий визит. Иногда Хмельницкий уходил на короткое время покомандовать полком или дивизией, но и полк, и дивизия в Москве. И в академии Хмельницкий учился, мягко говоря, не в полную силу, отдавая больше времени основной работе. И только однажды случилось из ряда вон выходящее. Весной 1941 года первый и единственный раз Ворошилов и Хмельницкий расстаются.

Ворошилов — в Москве, а генерал-лейтенант Хмельницкий получает под командование 34-й стрелковый корпус 19-й армии.

В Красной Армии в то время было:

29 механизированных корпусов (в каждом по 3 дивизии);

62 стрелковых корпуса (по 2—3 дивизии, очень редко — 4);

4 кавалерийских корпуса (по 2 дивизии);

5 воздушно-десантных корпусов (в их составе дивизий не было);

5 авиационных корпусов в составе ВВС (по 3 дивизии);

2 корпуса ПВО (в их составе дивизий не было).

Из всей этой сотни 34-й стрелковый корпус исключение — 5 дивизий. Удивителен корпус и тем, что во главе генерал-лейтенант. Пока мне удалось собрать сведения на 56 из 62 командиров стрелковых корпусов, которые существовали к лету 1941 года. Корпусами командовали генерал-майоры, иногда — полковники. Исключений два: генерал-лейтенант П.И. Батов во главе 9-го особого стрелкового корпуса и генерал-лейтенант Хмельницкий — во главе 34-го. С Батовым ясно. 9-й особый стрелковый корпус готовился к выполнению особой задачи — высадке с боевых кораблей на побережье Румынии, потому корпус назывался особым, потому во главе генерал-лейтенант. 34-й стрелковый корпус особым не назывался, но был таковым. 34-й стрелковый корпус необычен и по величине, и по составу: помимо стрелковых он имеет горнострелковую дивизию. Необычна особая секретность, которая окружает 34-й стрелковый корпус и всю 19-ю армию, в состав которой он входит. В «Ледоколе» я рассказывал о тайной переброске войск на территорию Одесского округа, настолько секретной, что сам командующий Одесским округом генерал-полковник Я.Т. Черевиченко не знал, что на территорию его округа перебрасывается целая армия. Так вот речь шла именно о той самой армии, в составе которой находился и 34-й корпус Хмельницкого.

Историки-коммунисты могут высказать смелое предположение, не обороны ли ради выдвигались к границам 19-я армия генерал-лейтенанта И.С. Конева и входящий в ее состав 34-й стрелковый корпус генерал-лейтенанта Хмельницкого? Или, может, замышлялись контрудары? Отметем сомнения: нет, не ради обороны, и контрудары не замышлялись. Зачем в обороне горнострелковые дивизии? Горы только по ту сторону границы — в Румынии.

Если замышлялась оборона или контрудары, так самый мощный из всех стрелковых корпусов надо было перебрасывать не на румынское направление, а на германское. И если планировалась оборона или мифические контрудары, то генерал-лейтенант Хмельницкий в этих краях не появился бы. Он бы в тылах пересидел. Кстати, как только Гитлер нанес упреждающий удар и война для Советского Союза превратилась в «великую» и «отечественную», генерал-лейтенант Хмельницкий еще до первой встречи с противником бросил 34-й корпус и больше на фронте не появился. Ему спокойнее было «в распоряжении командующего Ленинградским фронтом» или заведовать управлением снабжения в глубоком тылу.

6

Как полководец Ворошилов погорел во время Зимней войны, но его политическая карьера от этого не страдала. Он был снят с должности Наркома обороны... с повышением. Секрет выживания прост. Сталину были нужны молодые, талантливые, энергичные, напористые, зубастые хищники типа Жукова, Берия, Маленкова. Но поднимая к власти хищников, Сталин страховал себя от их напора, их таланта, их зубов. Сталин установил вокруг себя барьер старой гвардии. Лучше всех роль щита выполнял Ворошилов. Он не претендовал на сталинское место, он не спорил со Сталиным, он во всем Сталина поддерживал. Ворошилов был известен в стране и за рубежом, и Сталин (а за ним Хрущев и Брежнев) осыпал Ворошилова орденами, раздувая его незаслуженную славу. В благодарность за холуйскую покорность Сталин разрешал Ворошилову то, что не разрешал и не прощал другим. В свою очередь, Ворошилов осыпал щедротами своих собственных холуев. В 1941 году готовилось вторжение в Европу. Ворошилова Сталин держал при себе: побед от него ожидать не приходилось, но ворошиловскому холую Хмельницкому было позволено отличиться на поле брани. Ворошилов знал, где решится судьба войны, и именно туда послал Хмельницкого — на румынское направление, на самое выигрышное. Не против немцев воевать, против румын. Отрезать нефть от Германии — это то, что решит судьбу Европы. Задача выполнимая и почетная. Так вот Хмельницкому нашли место не в Первом стратегическом эшелоне, которому предстоит проливать кровь и нести потери, а во Втором стратегическом эшелоне, который по трупам первого эшелона донесет победные знамена до нефтяных вышек. Для того Хмельницкому самый сильный корпус. Для того в корпусе Хмельницкого горнострелковая дивизия.

Время усомниться: не страшно ли Сталину ставить Хмельницкого на столь ответственный участок? Думаю, не страшно: его же не фронтом ставят командовать, и не армией, и начальником штаба его не ставят. Не один Хмельницкий тут воевать будет. Задачу захвата Румынии Сталин поставил Жукову лично. Для захвата Румынии сосредоточены 15 механизированных, стрелковых, кавалерийских и десантных корпусов. Корпус Хмельницкого хоть и самый мощный, но лишь один из 15. В Первом стратегическом эшелоне собраны хорошие командиры, включая Малиновского и Крылова. Морским десантом поставлен командовать Батов, а в воздушном десанте — бригада Родимцева. Высадка морского десанта готовится силами всего Черноморского флота, где бригадой крейсеров командовал С.М. Горшков. Вот только после них в Румынию ворвется 19-я армия И.С. Конева, в состав которой входит корпус Хмельницкого. Не надо Хмельницкому быть гением, надо только приказы Конева передавать своим дивизиям. Выиграть войну — одно, а установить знамя победы на соответствующей высоте — другое. Хмельницкому вовсе не нужно выигрывать войну — это сделают Жуков, Конев, Малиновский, Крылов, Батов, Родимцев, Горшков. Хмельницкому только мелькнуть в победной сводке: «первыми в Плоешти вступили войска под командованием генерал-лейтенанта Хмельницкого». Большего не надо. И только для того Хмельницкий ехал на войну. Как только возможность отличиться пропала, пропал и он сам с передовых рубежей.

* * *

Коммунисты больше не могут отрицать того, что Сталин готовил захват Европы. Но, возражают они, Сталин готовил удар на 1942 год.

Не согласимся с коммунистами: если готовился удар на 1942 год, то Хмельницкий провел бы лето и осень 1941 года на курортах Кавказа и Крыма, зимой играл бы в снежки с героическим маршалом на подмосковной даче, а по вечерам читал бы ему завлекательные книжки и только весной 1942 года поехал бы принимать самый мощный стрелковый корпус Красной Армии.

ГЛАВА 23

ЖУКОВСКАЯ КОМАНДА

Г.К. Жуков, как было известно, зря не приезжает, а появляется только в чрезвычайных случаях, когда надо координировать боевые действия фронтов на том или ином стратегическом направлении.

Генерал-лейтенант Н.А. Антипенко.
На главном направлении. С. 146.

1

А у Жукова свои люди. Они тоже ехали на войну. О них писать интереснее. Ворошилов формировал свою команду из лизоблюдов, холуев, адъютантов, порученцев и секретарей. У Жукова другой подход.

Жуков не был мелочным. Он не любил наказаний типа выговор или строгий выговор. Жуковское наказание: расстрел. Без формальностей. Прибыв на Халхин-Гол с неограниченными полномочиями, он использовал их полностью и даже немного перебрал. Он действовал решительно, быстро, с размахом.

Генерал-майор П.Г. Григоренко описал один случай из многих. Вместе с Жуковым из Москвы прибыла группа слушателей военных академий — офицерский резерв. Жуков снимал тех, кто, по его мнению, не соответствовал занимаемой должности, расстреливал и заменял офицерами из резерва. Ситуация: отстранен командир стрелкового полка, из резерва Жуков вызывает молодого офицера, приказывает ехать в полк и принять его под командование. Вечер. Степь на сотни километров. Все радиостанции по приказу Жукова молчат. В степи ни звука, ни огонька — маскировка. Ориентиров никаких. Пала ночь. Всю ночь офицер рыскал по степи, искал полк. Если кого встретишь в темноте, то на вопрос не ответит, никому не положено знать лишнего, а если кто и знает, проявит бдительность: болтни слово — расстреляют. До утра офицер так и не нашел свой полк. А утром Жуков назначил на полк следующего кандидата. А тому, который полк найти не сумел, — расстрел.

Когда генерал-майор П.Г. Григоренко такое написал, западные эксперты не поверили — им наших порядков не понять. И решили, что генерал Григоренко просто зол на коммунистическую власть и потому преувеличивает.

А потом появились другие свидетельства. В отличие от мемуаров Григоренко они принадлежат людям советским, властью обласканным. Вот одно. Выбрал потому, что писал тоже генерал-майор, в тот самый момент он воевал на Халхин-Голе, и ситуация тоже связана с темнотой. Свидетель — Арсений Ворожейкин, дважды Герой Советского Союза, генерал-майор авиации. Во время войны он вошел в первую десятку советских асов. А тогда, летом 1939 года, был молодым летчиком. Ситуация: возвращался с боевого задания вечером. Сгущался мрак. Бензин на исходе. Внизу — колонна войск. И не понять в сумерках, свои или японцы. И бензина нет покрутиться над колонной. Дотянул до аэродрома. Сел. О замеченной колонне можно было не докладывать, в воздухе он был один, мог бы промолчать: не видел ничего, да и делу конец. Но доложил: видел колонну, а чья, не понял, вроде японцы.

Через некоторое время молодого летчика вызывают прямо к Жукову. И вопрос: чья же колонна, наши или японцы?

Летчик отвечает, что рассмотреть было невозможно.

Дальше произошло вот что:

«Жуков спокойно сказал:

— Если окажутся наши, завтра придется вас расстрелять. Можете идти.

До меня не сразу дошел смысл этих слов. Но когда осознал угрозу, во мне закипела обида. Вытянувшись по стойке «смирно», решительно заявил:

— Расстреливайте сейчас...

Жуков хмыкнул. Повернувшись к тумбочке, стоявшей позади него, достал початую бутылку коньяка и стакан, налил его до половины, протянул мне:

— Выпейте и успокойтесь.

— Я никогда не пью один.

Он снова хмыкнул и, подумав, достал второй стакан, налил себе...» («Красная звезда», 5 августа 1992 г.).

Ворожейкина спасла твердость характера. И повезло: у него была возможность проявить твердость перед Жуковым.

Тем, кого головорезы из батальона Осназ НКВД арестовывали в степи и стреляли на заре, проявленная твердость не помогала.

У стремления Жукова к порядку (через расстрелы) была и другая сторона. Тех, кого испытал в бою, которым поверил, Жуков смело ставил на любой пост, доверял любое дело. Нужно сказать, в большинстве выбор Жукова оказывался правильным, люди жуковского выбора были самостоятельны, рассудительны, решительны и тверды.

Мы знаем, что Сталин послал воевать своего личного пилота Голованова, а Ворошилов — своего генерала для поручений особой важности Хмельницкого. Неплохо посмотреть и на жуковскую команду в начале июня 1941 года. Да и на самого Жукова.

2

Жуков — наступление. На фронте это знал каждый. Появление Жукова означало не простое наступление, но наступление внезапное, решительное, сокрушительное. Вот почему предпринимались меры к тому, чтобы скрыть присутствие Жукова в данный момент на данном участке фронта. Жуков появлялся без знаков различия, о его присутствии запрещалось говорить, в шифровках не указывалось его имя, лишь псевдоним.

Эти правила распространялись и на других маршалов и генералов, но все же Сталин прятал Жукова особо.

Или особо демонстрировал. В октябре 1941 года наступил критический для Советского Союза момент. Германские войска вышли к Москве. Москву защищал Западный фронт, командование которым 13 октября принял Жуков. Главный редактор «Красной звезды» Д. Ортенберг (сослуживец Жукова по Халхин-Голу) послал в штаб Западного фронта фотокорреспондента с приказом сделать снимок: Жуков над картой сражения. Жуков прогнал корреспондента из штаба, не до фотографий. Но через несколько дней корреспондент вернулся в штаб Западного фронта с тем же приказом, но теперь приказ отдал Сталин лично. Снимок появился на первых страницах газет: вся армия, вся страна, весь мир должны знать, что Москва не будет сдана — оборона Москвы поручена Жукову. Понятно, Жуков не только оборонялся, но и перешел в решительное наступление, которое было полной неожиданностью для германского командования.

Другой пример. Весной 1945 года 1-й Белорусский фронт под командованием Жукова готовится к Берлинской операции. 13 апреля в Москве Сталин как бы невзначай сообщает Гарриману, что немцы по понятным причинам ждут удара на Берлин, а мы их обманем, главный удар — не на Берлин, а на Дрезден. Разочарованным советским солдатам и офицерам у самых стен Берлина тоже сообщили, что удар будет наноситься на другом направлении. И чтобы развеять сомнения, объявляют приказ о том, что командование фронтом принял генерал армии В.Д. Соколовский, а Маршал Советского Союза Г.К. Жуков убыл на другое направление... Понятно, Жуков не убывал и командование фронтом Соколовскому не передавал, просто перед началом наступления неплохо позволить противнику расслабиться и с облегчением вздохнуть.

Принцип понятен: когда Сталин боится за прочность своей обороны, он Жукова демонстрирует, когда Сталин готовит внезапный удар, он Жукова прячет.

В июне 1941 года Г.К. Жуков, как Начальник Генерального штаба, должен был оставаться в Москве. Но 21 июня на заседании Политбюро было принято решение на румынской границе тайно развернуть Южный фронт (под командованием генерала армии И.В. Тюленева), а Жукова направить в Тернополь координировать действия Южного и Юго-Западного фронтов.

Решение направить Жукова в Тернополь Сталин принимал не в связи с угрозой германского нападения: Сталин такого оборота не ожидал.

Если бы Сталин боялся за свою оборону, то из полета Жукова в Тернополь не следовало делать тайны. А можно было даже и поместить на первых страницах снимок: Жуков с чемоданом идет к самолету.

Но полет Жукова был абсолютной государственной тайной. Случилось так, что Жуков полетел в Тернополь 22 июня (взлет в 13.40), т. е. уже после начала германского вторжения. Но решение принималось накануне. Точнее, решение было принято в мае, а утверждалось 21 июня. Как чрезвычайно секретное.

О степени секретности свидетельствует такой факт: 19 июля генерал-полковник Ф. Гальдер записывает в служебном дневнике свои сомнения в существовании Южного фронта: «Если бы здесь действительно была создана новая крупная руководящая инстанция, нам наверняка было бы точно известно имя ее руководителя...» Гальдер также высказывает сомнения в существовании 9-й и 18-й армий, которые входили в состав Южного фронта. У Гальдера не вызывает сомнения только присутствие в этом районе 2-й армии (которая ни до, ни во время, ни после Второй мировой войны на европейской части СССР не появлялась, она постоянно находилась на Дальнем Востоке).

Если в ходе войны, почти через месяц после ее начала, германская разведка не смогла вскрыть существования Южного фронта, то тем более она не могла знать о миссии Жукова, который 21 июня получил задачу координировать действия Южного и Юго-Западного фронтов.

Сталин умел хранить тайны. В 1940 году Гитлер понял, что над нефтяными месторождениями нависла советская угроза, но всей серьезности положения Гитлер не понимал, т.к. германская разведка не сумела вскрыть не только тайного выдвижения Второго стратегического эшелона Красной Армии к границам (в составе которого помимо прочих была и 19-я армия Конева с 34-м корпусом Хмельницкого), но даже и сам факт существования Второго стратегического эшелона. Германской разведке было ничего не известно о Третьем стратегическом эшелоне и даже о существовании целого Южного фронта в составе Первого стратегического эшелона. Вот почему я утверждаю: удар Южного фронта в Румынию представлял для Германии смертельную опасность, ибо был подготовлен как совершенно внезапный, ибо для его отражения в Румынии не было сил и перебросить их туда было невозможно до того, как советские войска подожгут нефтяные промыслы.

3

Нужно понять замысел Жукова (одобренный Сталиным), и тогда назначения и перемещения генералов жуковского выбора обретают особый смысл.

355

До Жукова вторжение в Германию планировалось осуществить в основном силами Западного фронта, т. е. войск, расположенных в Белоруссии. Позади Западного фронта из войск и штабов Московского военного округа планировалось развернуть еще один фронт, а в Прибалтике и на Украине развернуть соответственно Северо-Западный и Юго-Западный фронты для нанесения вспомогательных ударов.

Оттого, что Западному фронту отводилась основная ударная роль, в Белоруссии перед началом Второй мировой войны были сосредоточены самые мощные и подвижные соединения Красной Армии: кавалерийские, танковые, механизированные, десантные. Цвет Красной Армии мы находим именно тут: 100-я стрелковая и 4-я кавалерийская дивизии, 21-я танковая бригада. Были и в других округах хорошие дивизии и бригады, но в Белоруссии их целое созвездие. Тут же в Белоруссии служили и самые «наступательные» командиры — Тимошенко, Рокоссовский, Еременко, Апанасенко, Черевиченко, Костенко, Потапов. Вся служба Жукова между войнами тоже прошла в Белоруссии.

В 1940 году Жуков предложил другую схему вторжения. В результате раздела Польши в соответствии с пактом Молотова—Риббентропа на западной границе образовались два мощных выступа в сторону Германии — в районах Белостока и Львова. Получилась ситуация, которая позволила провести классическую операцию на окружение — удары двух обходящих подвижных группировок. Проведением такого маневра обессмертили свое имя величайшие полководцы от Ганнибала при Каннах до самого Жукова на Халхин-Голе. (Жукову суждено обессмертить себя и еще раз проведением такой же операции в ноябре 1942 года под Сталинградом.) Случилось так, что в 1941 году представилась возможность повторить Канны против Германии. (Германская граница тоже имела два мощных выступа в советскую сторону, в районах Сувалок и Люблина, и германская армия готовила точно такую же операцию.)

Для проведения вторжения по приказу Жукова во Львовском и Белостокском выступах были сосредоточены ударные группировки, штабы, узлы связи, аэродромы, стратегические запасы, госпитали. (Немцы делали то же самое в районах Люблина и Сувалок.)

С оборонительной точки зрения — смертельный риск: лучшие армии со всеми запасами уже в мирное время с трех сторон окружены противником, однако Жуков читал Бисмарка и знал, что Германия на два фронта воевать не может, Жуков читал разведывательные сводки ГРУ и знал, что промышленность Германии работает в режиме мирного времени, а без перевода промышленности на режим военного времени нападение превращается в авантюру. Жуков был профессионалом и потому не мог предположить, что Гитлер пойдет на авантюру.

Если смотреть на ситуацию с точки зрения подготовки внезапного удара, то концентрация главных сил на флангах в двух выступах — это лучшее, что можно придумать: советские войска уже в мирное время выдвинуты далеко вперед, они как бы уже на территории Германии, они нависают над группировками противника, угрожая флангам и тылу.

Из двух ударных группировок Львовской Жуков отводил главную роль. И это правильно. Реки текут с гор Центральной Европы к Балтийскому морю. Чем ближе к морю, тем они шире. Если наносить удар из Прибалтики, то перед советскими войсками укрепления Восточной Пруссии, кроме того, у самого побережья Балтийского моря форсирование рек затруднено. Вот почему советским войскам в Прибалтике (Северо-Западный фронт) ставились ограниченные задачи. Удар из Белостокского выступа сулил больше: впереди укрепленных районов нет, а реки в среднем течении не так широки. Войскам Западного фронта потому ставились решительные цели. Но самый главный удар — из Львовского выступа: укреплений впереди нет, реки в верхнем течении узкие, вдобавок правый фланг наступающей советской группировки прикрыт горами. Местность от Львова до Берлина по военным понятиям — единый стратегический коридор. Удар из Львовского выступа, если для его проведения привлекаются достаточные силы (а они привлекались), отразить невозможно. Такой удар не только выводил советские войска в промышленные районы Силезии, но и отрезал Германию от источников нефти и от главных союзников. Удар из Львовского выступа раскрывал сразу веер возможностей. Получалась ситуация, о которой могут мечтать стратеги и шахматные гроссмейстеры: один только ход, но он ломает всю структуру обороны противника, нарушает все связи и создает угрозу сразу многим объектам. Именно таким мог быть удар из Львовского выступа, он давал возможность развивать наступление на Берлин или на Дрезден. Если противник будет защищать Силезию, то можно было повернуть и нанести удар в направлении балтийского побережья, используя Вислу и Одер для прикрытия своих флангов. Такой удар отсекал германские войска от их баз снабжения и от промышленных районов...

Жуков планировал и еще один удар, как мы знаем, неотразимый и смертельный. В Румынию. И для этого предложил не разворачивать еще один фронт позади Западного, а вместо этого развернуть его на границе Румынии...

А кроме этого — вспомогательные удары из Прибалтики на Кенигсберг, удары двух горных армий через Карпаты и Трансильванские Альпы, высадка пяти воздушно-десантных корпусов. Кроме всего, во всех семи внутренних округах тайно создавались армии Второго стратегического эшелона, которые должны были перед самым вторжением начать выдвижение к западным границам так, чтобы в решающий момент вступить в сражения, дополняя и усиливая Первый стратегический эшелон.

На себя лично Жуков взял роль координировать действия Юго-Западного фронта, которому предстояло наносить удар из Львовского выступа, и Южного фронта, который создавался для вторжения в Румынию.

В свете этого замысла посмотрим, что делают те, кто удостоен выбора Жукова.

4

Генерал армии И.В. Тюленев — старый товарищ Жукова. Они вместе служили в инспекции кавалерии РККА. В парторганизации Жуков был секретарем, Тюленев — заместителем. К лету 1940 года оба поднялись высоко. Сталин ввел в Красной Армии генеральские звания, но только трое из тысячи получили по пять звезд, среди них Жуков и Тюленев. Жуков в то время командовал самым мощным военным округом — Киевским, Тюленев — самым важным — Московским. В феврале 1941 года Жуков поднялся выше, стал Начальником Генерального штаба и предложил использовать талант Тюленева не против Германии, а против Румынии, управление и штаб Московского военного округа превратить в штаб Южного фронта, перебросить на румынскую границу, Тюленева назначить командующим.

На заседании Политбюро 21 июня 1941 года это предложение утверждено. Но принималось оно раньше. Генерал-полковник инженерных войск А.Ф. Хренов в 1941 году был генерал-майором, начальником инженерных войск Московского военного округа. Вот его рассказ: «В начале июня командующий собрал руководящий состав штаба округа и сообщил, что нам приказано готовиться к выполнению функции полевого управления фронта. Какого? Этот вопрос вырвался у многих.

— К тому, что я сказал, ничего добавить не могу, — ответил Тюленев.

Однако когда он стал давать распоряжения относительно характера и содержания подготовки, нетрудно было догадаться, что в случае войны действовать нам предстоит на юге» (Мосты к победе. С. 73).

Комбриг А.З. Устинов на Халхин-Голе был начальником штаба всей подчиненной Жукову авиации. Кредо Устинова — не воздушные бои, а удар по спящим аэродромам. В июне 1941 года Жуков рекомендует генерал-майора авиации А.З. Устинова на должность командующего авиацией Южного фронта. Сталин кандидатуру принимает.

Генерал-полковник Я.Т. Черевиченко — сослуживец Жукова по Белоруссии. Когда Жуков сдавал 3-й кавалерийский корпус, Черевиченко его принимал. 19 июня 1941 года на румынской границе развернута самая мощная армия в истории человечества — 9-я. 21 июня в момент создания Южного фронта она входит в его состав (вместе с 18-й, тайно перебрасываемой из Харьковского военного округа). Командующий 9-й армией — Черевиченко.

Генерал-майор П.А. Белов — подчиненный Жукова во время службы в инспекции кавалерии. С апреля 1941 года 2-й кавалерийский корпус Белова появился на румынской границе. В момент тайного развертывания 9-й армии корпус Белова вошел в ее состав. И пусть не введет нас в заблуждение кавалерийское название. Каждая советская кавалерийская дивизия имела в своем составе собственный танковый полк. Ни одна германская моторизованная дивизия того времени не имела в своем составе ни танкового полка, ни батальона, ни роты, ни взвода и ни одного танка. Кавалерист Белов любил танки и умело их применял. Он будет воевать под командованием Жукова всю войну от Москвы до Берлина. Войну завершит генерал-полковником.

Генерал-лейтенанты И.Н. Музыченко и Ф.Я. Костенко в свое время были командирами полков в дивизии Жукова. В начале июня 1941 года они командовали соответственно 6-й и 26-й армиями. Обе армии во Львовском выступе — хорошее положение для наступления. С точки зрения обороны положение этих армий катастрофическое.

Полковник И.Х. Баграмян. В начале 20-х был, как и Жуков, командиром кавалерийского полка, потом в 1924—25 годах учился вместе с Жуковым на кавалерийских курсах. Служба Баграмяна после того не сложилась, попал на преподавательскую работу и к началу войны оставался полковником. В 1940 году Жуков назначает Баграмяна в штаб 12-й (горной) армии, задача которой во время войны — отрезать румынские нефтепромыслы от германских потребителей. Гитлер упредил Жукова и Баграмяна, и совершить планируемое не удалось. Но Баграмян пошел все выше и выше. Во время войны он сделал самую успешную карьеру во всей Красной Армии: вступив в нее полковником, закончил генералом армии на маршальской должности. Потом он станет Маршалом Советского Союза.

На тех же кавалерийских курсах в той же группе учился еще один друг Жукова — А.И. Еременко. 19 июня 1941 года генерал-лейтенант Еременко сдал должность командующего 1-й армией на Дальнем Востоке и срочно выехал по вызову Жукова в Москву. Еременко прибыл в Москву после начала германского вторжения, и его отправили в Белоруссию. Но это было не то назначение, ради которого его вызывали. Как и Баграмян, Еременко завершил войну генералом армии, но на маршальской должности и после войны стал Маршалом Советского Союза.

Генерал-майор К.К. Рокоссовский. Учился вместе с Жуковым, Баграмяном и Еременко на тех же кавалерийских курсах, в той же самой группе. Затем долгое время был начальником Жукова. Во время великой чистки Рокоссовский сел. В 1940 вышел. Жуков забирает Рокоссовского к себе. Жуков лично командовал Южным фронтом, который летом 1940 года провел «освободительный поход» в Румынию. Рокоссовский находился в резерве Жукова в готовности появиться там, где возникнет кризисная ситуация. Летом 1941 года Рокоссовский командовал 9-м механизированным корпусом на Украине. Корпус готовился к нанесению внезапного удара. В начале июня вся артиллерия корпуса была тайно переброшена в приграничные районы и весь корпус получил приказ на тайное выдвижение к границам. Правда, все вышло не так, как планировали Жуков и Рокоссовский... Им суждено встретиться на параде Победы: Маршал Советского Союза К.К. Рокоссовский будет командовать парадом. Маршал Советского Союза Г.К. Жуков — парад принимать.

Генерал-майор танковых войск М.И. Потапов, «гений внезапного удара». Сослуживец Жукова с начала тридцатых годов. Летом 1939 года на Халхин-Голе Потапов командовал 21-й танковой бригадой. В ходе боев Жуков оценил способности Потапова и сделал своим заместителем. Для внезапного удара по 6-й японской армии Жуков создал три группы. «Главный удар наносила южная группа полковника М.И. Потапова, имевшая две дивизии, танковую, мотоброневую бригады и несколько танковых батальонов» (История второй мировой войны. Т. 2. С. 217). В 1940 году Жуков становится командующим Киевским военным округом, Потапова он потребовал под свое командование и поручил формирование 4-го механизированного корпуса во Львовском выступе. Советские механизированные корпуса были самыми мощными танковыми соединениями мира. Они предназначались для вторжения и могли использоваться только в наступательных операциях. В 1941 году Гитлер бросил против Советского Союза 10 механизированных корпусов, в среднем каждый из них имел по 340 легких и средних танков. Сталин по требованию Жукова формировал 29 механизированных корпусов по 1031 танку в каждом, включая легкие, средние и тяжелые. Не все советские механизированные корпуса были полностью укомплектованы на 22 июня 1941 года. 4-й мехкорпус, например, имел 892 танка. Даже неукомплектованный советский корпус был мощнее, чем два германских, вместе взятых. Из общего числа танков в составе 4-го мехкорпуса — 413 Т-34 и КВ. Мало, говорят коммунисты. Этого и вправду мало, если не сравнивать с германской армией, — во всех десяти германских мехкорпусах, как, впрочем, и во всем мире, не было ни одного танка, даже отдаленно напоминающего Т-34 или КВ. 4-й мехкорпус Потапова, как и соседний 8-й (969 танков) и еще один соседний 15-й (733 танка) и все остальные мехкорпуса, на учениях отрабатывал только наступательные темы. В феврале 1941 года Жуков получил повышение, а вместе с ним и генерал-майор танковых войск Потапов — он стал командующим 5-й армией, это у северного основания Львовского выступа. Война началась не так, как планировали Жуков и Потапов, все пошло прахом, но германские источники отмечают твердое, энергичное и разумное руководство 5-й армией в первые месяцы войны.

Расплачиваясь за чужие ошибки, Потапов попал в плен. После освобождения из плена каждого ждал расстрел или тюрьма. Однако для Потапова даже Сталин сделал исключение — доверил командование все той же 5-й армией. После войны Потапов дошел до генерал-полковника. По моим сведениям, это единственный случай служебного роста сталинского генерала после плена.

Генерал-майор А.А. Власов попал в поле зрения Жукова только в 1940 году, но Жуков его поддерживал и возвышал энергично. Власов командовал 99-й стрелковой дивизией, которую в короткое время превратил в лучшую из всех трехсот дивизий Красной Армии. В ходе войны 99-я стрелковая дивизия самой первой из всех получила боевой орден. Но Власов ею уже не командовал: после того как Потапов поднялся на 5-ю армию, Власов занял его место командира 4-го мехкорпуса во Львовском выступе. В ходе войны Власов покажет себя как один из самых талантливых советских командиров. Под Москвой Западным фронтом командовал Жуков, а 20-й армией Западного фронта Власов. Операция 20-й армии на реке Ламе до сих пор изучается как образец ведения внезапного наступления. Правда, при этом имя Власова не упоминается.

Полковник И.В. Галанин на Халхин-Голе командовал 57-й стрелковой дивизией. В 1941 году он командовал 17-м стрелковым корпусом на румынской границе. 17-й стрелковый корпус был необычным: 4 дивизии — это почти как у Хмельницкого. Из 4 дивизий — 3 горнострелковых. Корпус готовился к форсированию пограничной реки Прут и наступлению через Трансильванские Альпы.

Полковник И.П. Алексеенко на Халхин-Голе командовал северной ударной группой. В 1940 году генерал-майор танковых войск И.П. Алексеенко сформировал в Забайкалье 5-й механизированный корпус. В начале июня 1941 года началась переброска 5-го мехкорпуса из Забайкалья на Украину. В корпусе Алексеенко было более 1000 танков (ЦАМО. Фонд 209. Опись 2511. Дело 20. С. 128). «21 июня в район новой дислокации начали прибывать и разгружаться первые эшелоны 5-го механизированного корпуса» (Сквозь огненные вихри. Боевой путь 11-й гвардейской армии в Великой

Отечественной войне. С. 13). Корпусу (как многим другим корпусам и армиям) круто не повезло. Первые эшелоны уже разгрузились, но Гитлер напал, характер войны изменился, изменились и планы. Остальные эшелоны повернули в Белоруссию. Корпус был разорван на части. В пути эшелоны с танками были подвержены бомбардировкам и понесли потери еще до вступления в бой. Эшелоны корпуса разгружались в разных местах и вступали в бой разрозненно.

Полковник В.А. Мишулин на Халхин-Голе командовал 8-й мотоброневой бригадой. В 1941 году он сформировал 57-ю отдельную танковую дивизию в Забайкалье. В дивизии — более 370 танков. В начале июня 1941 года 57-я танковая дивизия Мишулина тайно перебрасывалась из Забайкалья на Украину. Ее судьба похожа на судьбу 5-го мехкорпуса, хотя дивизия Мишулина и не входила в его состав.

Майор И.И. Федюнинский на Халхин-Голе командовал 24-м мотострелковым полком 36-й мотострелковой дивизии. В апреле 1941 года полковник Федюнинский прибыл на германскую границу и принял под командование 15-й стрелковый корпус в 5-й армии Потапова. 15-й корпус, как и вся 5-я армия, был придвинут к границе. Федюнинский — полковник, но в его подчинении заместители командира корпуса — генералы, например, начальник штаба генерал-майор З.З. Рогозный. И командиры дивизий 15-го корпуса — генерал-майоры Г.И. Шерстюк и Ф.Ф. Алябушев. Полковник Федюнинский командует генералами неспроста. Жуков знает, что Федюнинский неотразим во внезапном ударе. Это главное, и потому Федюнинскому доверен корпус, а звезды догонят. Они его догнали. Он станет генералом армии.

Полковой комиссар М.С. Никишев на Халхин-Голе был политкомиссаром у Жукова. В июне 1941 года — в 5-й армии у Потапова. Люди Жукова собраны вместе. Но нанести внезапный удар Гитлер им не позволил. Генерал армии Федюнинский вспоминает, как в первые дни войны собрались вместе ветераны Халхин-Гола: Потапов, Никишев и он сам. Потапов огорчен, что пришлось поменяться ролями с противником: не мы, а он нанес внезапный удар. «Удачно мы тогда провели удары по флангам, — заметил генерал Потапов и, вздохнув, добавил: — Сейчас так не получается» (Поднятые по тревоге. М., Воениздат, 1964. С. 38).

5

Возразят, что каждый генерал, поднимаясь вверх, тянет за собой команду, чтобы расставить своих на ключевых постах и укрепить власть людьми, которые ему обязаны лично. Это так.

Но Жуков — Начальник Генерального штаба. Он поднимает на высокие посты не лизоблюдов, а людей, отличившихся во внезапном нападении, знающих, как внезапные удары готовятся и осуществляются. И расставляет Жуков этих людей не по московским кабинетам и не по огромной стране, а всех — во Львовском выступе или на румынской границе.

Жуковская команда — кавалеристы в подавляющем большинстве. Как и он сам. Командир кавалерийского склада — внезапность, решительность, наступательный порыв, обходы и охваты, не позиционная, а маневренная война.

Советских командиров 1941 года критикуют. Но мало кто вспоминает о том, что до 1941 года и после те же люди были храбрыми, понятливыми, предусмотрительными, решительными, коварными. А в 1941 году на всех снизошло затмение...

Нужно сказать, что в направлении румынских границ тайно двигались не только жуковцы. Как мы знаем, сюда же генерал-лейтенант И.С. Конев выдвигал 19-ю армию. А генерал-майор Р.Я. Малиновский — 48-й стрелковый корпус...

На мой взгляд, если Жуков, Рокоссовский, Конев, Крылов, Потапов, Малиновский собрались вместе и все против Румынии, то это — серьезно.

6

Генерал-лейтенант А.А. Власов, попавший в плен в 1942 году, на допросе показал, что «концентрация войск в районе Львова указывает на то, что удар против Румынии намечался в направлении нефтяных источников». Власов настаивал, что Сталин готовил нападение на Германию и Румынию, что подготовка Красной Армии была ориентирована исключительно на наступление, а оборонительная операция не готовилась и даже не предусматривалась (Протокол допроса от 8 августа 1942 г.).

«Красная звезда» (27 октября 1992 г.) объявила, что Власов выслуживался перед Гитлером, хотел угодить и потому повторял выдумки пропаганды Геббельса. Такими показаниями, мол, он полностью раскрыл свое истинное лицо.

А теперь прочитаем, что годом раньше писал в той же «Красной звезде» заместитель Начальника Генерального штаба ВС СССР генерал армии М. Гареев: «Направление сосредоточения основных усилий советским командованием выбиралось не в интересах стратегической обороны (такая операция просто не предусматривалась и не планировалась...), а применительно совсем к другим способам действий... Главный удар на юго-западе пролегал на более выгодной местности, отрезал Германию от основных союзников, нефти, выводил наши войска во фланг и тыл главной группировки противника...» (27 июля 1991 г.).

Сравним мнения двух генералов. Они говорят об одном: никакой подготовки к обороне, только наступление, причем наступление на юго-западном направлении, т. е. из Львовского выступа, с целью отрезать от Германии нефть и основных союзников.

Если Андрей Андреевич Власов такими показаниями хотел выслужиться перед Гитлером, то перед кем хотел выслужиться генерал армии Гареев? Если допустить, что Власов просто повторял выдумки Геббельса, то и газету «Красная звезда» надо объявить рупором фашистской пропаганды.

Высказывания Гареева публиковались в Советском Союзе в Центральном органе Министерства обороны и не вызвали протестов ни военных историков, ни Начальника Генерального штаба, ни Министра обороны, ни самого Президента. А не протестовал никто потому, что генерал армии Гареев сказал правду, точно как и генерал-лейтенант Власов. И если кто-то самостоятельно на карте расставит советские армии вторжения, механизированные и десантные корпуса, аэродромы, штабы и жуковских генералов, то вынужден будет признать даже без свидетельств Власова или Гареева: готовилась наступательная операция удивительной красоты.

ГЛАВА 24

ПРО ТРЕТИЙ СТРАТЕГИЧЕСКИЙ ЭШЕЛОН

> Насилие необходимо и полезно.
> *Ленин*
> Будьте уверены, рука у нас не дрогнет.
> *Сталин*

1

Первый стратегический эшелон Красной Армии — 16 кадровых армий вторжения и несколько десятков отдельных корпусов и дивизий. Задача — нанести одновременно несколько ударов.

Второй стратегический эшелон — 7 недавно сформированных армий, укомплектованных резервистами, в том числе зеками. Задача — развить успех Первого стратегического эшелона.

А позади Второго стратегического эшелона шло развертывание Третьего стратегического эшелона. Первоначально в его составе было 3 армии — 29-я, 30-я, 31-я. На первый взгляд — обычные армии вторжения. На второй взгляд — очень даже необычные.

Официально Третий стратегический эшелон возник в последние дни июня 1941 года как реакция на германское нападение. Однако возник Третий стратегический эшелон подозрительно быстро.

Сформировать три армии даже в мирное время непросто, требуется много времени, много оружия, много солдат и офицеров, много машин, много боеприпасов, продовольствия и топлива, много сапог, наконец. А эти армии возникли в считанные дни в конце июня 1941-го в обстановке паники и всеобщей неразберихи, и паника их не коснулась, и неразбериха обошла стороной. Секрет в том, что три армии Третьего стратегического эшелона создавались по планам мирного времени — механизм был взведен и пущен до германского вторжения и сработал безотказно, несмотря на хаос и отсутствие Сталина у руля государственной власти.

Что же за армии были в Третьем стратегическом эшелоне? Если во Втором стратегическом эшелоне целые дивизии и даже корпуса сформированы из зеков, попробуем догадаться, кто должен находиться в Третьем стратегическом эшелоне позади зеков.

2

Правильно.

Третий стратегический эшелон — чекисты. Все три армии.

29-й армией командовал заместитель Наркома внутренних дел генерал-лейтенант НКВД И.И. Масленников, 30-й — бывший начальник пограничных

374

войск Украинского округа генерал-майор НКВД В.А. Хоменко, 31-й — бывший начальник Прибалтийского пограничного округа генерал-майор НКВД К.И. Ракутин, затем бывший начальник Карело-Финского пограничного округа генерал-майор НКВД В.Н. Долматов. Три армии — это целый фронт. Общее руководство тремя армиями осуществлял бывший начальник пограничных войск Белорусского округа генерал-лейтенант НКВД И.А. Богданов, а политкомиссаром при нем — заместитель Наркома государственной безопасности (НКГБ) комиссар государственной безопасности 3-го ранга С.Н. Круглов.

Долгие годы как мозаику собираю сведения о советских войсках и командирах сорок первого года. В том числе — о трех чекистских армиях. Все, что удалось собрать, подтверждает: в Третьем стратегическом эшелоне не только все командующие армиями, командиры дивизий, полков и батальонов были чекистами из НКВД и НКГБ, но и все командиры рот, взводов и отделений из тех же ведомств. Исключений обнаружить не удалось.

Чем больше сведений о Третьем стратегическом эшелоне собирал, тем больше возникало вопросов. Для чего предназначался целый чекистский фронт? Как пограничники многими тысячами сумели 22 июня выскочить из-под огня наступающих германских войск, отскочить в глубокий тыл (железные дороги забиты) и там через несколько дней после начала германского вторжения организоваться в стройную структуру с фронтовым и тремя армейскими управлениями, со штабами новых дивизий, полков и батальонов, с налаженной службой связи и снабжения? А ведь штаб Украинского пограничного округа находился во Львовском выступе. Как генерал-чекист Хоменко со своим штабом вырвался из этого пекла? Штаб Белорусского округа находился в еще более неудобном для эвакуации месте — в Белостоке. Там все попали в окружение. Кроме генерала-чекиста Богданова, его штаба и тысяч пограничников от рядовых до генералов. Богданов со своим штабом каким-то образом вырвался из котла, оказался в тылу и возглавил весь чекистский фронт. Допустим, что Богданова можно вывезти из окружения самолетом, но три чекистских армии откуда взялись? Всех пограничников с западных границ 22 июня самолетами не вывезешь. А именно они, пограничники с западных границ, — основа трех чекистских армий, и все командование — с западных границ. Чудеса.

Историки-коммунисты написали тысячи книг о героях-чекистах, об их подвигах в первые дни войны, но книги молчат о том, как возник чекистский фронт. На этот вопрос историки не только не дали ответа, но не нашли нужным его даже поставить.

3

Чтобы ответить на вопрос о происхождении Третьего стратегического эшелона, мы должны вернуться в Первый стратегический эшелон и желательно — на румынскую границу. Книг об этой поре написано много, и мы откроем одну из них. Например, книгу Героя Советского Союза генерал-майора А.А. Свиридова. Книга называется «Батальоны вступают в бой», выпущена Воениздатом в 1967 году. Книга прошла общую цензуру и особую военную. Факты, которые в ней приводятся, как и факты в любой из книг Воениздата, проверены экспертами Института военной истории и протеста не вызвали. Книгу читали тысячи людей, включая ведущих советских и зарубежных историков, книгу читали участники тех событий — подчиненные генерала Свиридова и его командиры. Не протестовал никто.

В июне 1941 года автор был капитаном, командиром 144-го отдельного разведывательного батальона 164-й стрелковой дивизии 17-го стрелкового корпуса 12-й армии во Львовском выступе. 17-й корпус только по названию стрелковый, на самом деле — горнострелковый. Командовал корпусом выдвиженец Жукова генерал-майор И.В. Галанин. И вся 12-я армия, как мы знаем, только по названию обычная, на самом деле горная. Именно в этой армии по личному приказу Жукова И.Х.Баграмян проводил эксперименты по быстрому овладению горными перевалами.

Книга Свиридова интересна тем, что дает описание той же армии, но вид открывается не сверху, а снизу. Итак, спустимся с высот корпуса и армии в 144-й разведывательный батальон, которым командует капитан А.А. Свиридов. Повествование начинается с 19 июня 1941 года. Открываю первую страницу и цитирую на выбор прямо с первой строки: «На реке Прут наша дивизия сменила пограничников. Покидая государственный рубеж, они передали нам укрепленный берег и оставили не совсем обычные сувениры — ореховые удочки, разбитый пулемет и старую овчарку...». «Пограничники, сдавая нам государственный рубеж...», «лес, в котором мы располагались...» С румынской стороны «доносился плач румынской деревни: крестьян выселяли подальше от границы». «Все мы, советские воины, готовились бить врага только на его земле». «Командир эскадрона старший лейтенант Коробко после доклада попросил разрешения послать разведку на ту сторону реки.

— Погоди, не торопись. Придет твое время. А пока наблюдай и прислушивайся».

Вникнем. 164-я стрелковая дивизия приняла от пограничников укрепленный берег, но укреплениями не спешит воспользоваться — дивизия прячется в приграничном лесу. В приграничной полосе так действовали все советские дивизии. Их выдвинули на границу, но не для обороны. На том берегу германские дивизии действуют по тому же сценарию, тоже прячутся в лесах. Они тоже не для обороны.

Удивительны особенности слуха советского капитана-разведчика: плач выселяемой румынской деревни с той стороны пограничной реки он услышал, а с нашей вроде и плача нет. А между тем советские пограничные войска с 13-го по 20-е июня провели операцию по насильственному выселению людей из приграничной полосы от Белого до Черного моря. Немцы выселяли население в полосе шириной в 20 км, наши — 100. Немцы в основном население перемещали. Наши перемещали и истребляли. В описываемый момент операция НКВД по очистке прифронтовой полосы вошла в свой кровавый апогей. Но нашему «герою» и дела нет. Он плача советских людей не слышит и слышать не желает. Он себя мнит освободителем Европы и потому слышит только плач с той стороны.

После публикации моих первых статей об истинном значении Сообщения ТАСС от 13 июня 1941 года группа американских экспертов опубликовала гневное открытое письмо: Сообщение ТАСС — это просто сталинская глупость, мы, историки, это давно установили. Может, для вас, господа, Сообщение ТАСС и глупость, но день, когда это сообщение было опубликовано в печати, является днем национальной скорби для многих народов: в отличие от фашистов, которые выселяли население на несколько километров в глубь своей территории, наши доблестные чекисты высылали десятки тысяч людей в заполярную тундру и мало кто из них потом вернулся под родное небо.

Завершив насильственную репатриацию людских масс, доблестные пограничники не просто сняли минные и проволочные заграждения на советских границах (об этом — в «Ледоколе»), но и сами ушли с границ. Свидетельство генерала Свиридова — только один пример. Таких свидетельств каждый желающий может найти в достаточных количествах как в мемуарах советских генералов, так и в германских архивах. Совершенно однозначно из этих свидетельств следует, что на участках в десятки, иногда в сотни километров (там, где готовились советские удары) граница была открыта, т. е. пограничники ушли, передав границу в распоряжение Красной Армии. Вот тут и надо искать ответ на вопрос, как пограничники оказались в глубоком тылу в первые дни войны: все необходимое для формирования трех чекистских армий было подготовлено заранее, а личный состав от генералов до рядовых, целые пограничные заставы, комендатуры, отряды и штабы пограничных округов отошли в тыл ДО германского вторжения.

В своей жизни видел только однажды ситуацию, когда пограничники открыли границу: летом 1968 года там же, в Карпатах, наших солдатиков переобули в кожаные сапоги, а пограничные заставы сняли часовых, оставив границу нашим дивизиям.

В 1941 году все делалось по тому же сценарию.

Уходя 18—19 июня с границ, чекисты знали, что это война. Каждому советскому человеку с детства как гвоздь в голову вбивали истину — граница на замке! Каждый пограничник жил этой истиной. Уходя 19 июня 1941 года с границ, любой начальник заставы и любой рядовой понимали значение ухода. Вспомним почти незаметный штрих на самой первой странице воспоминаний генерала Свиридова: пограничники, сдавая государственный рубеж, бросили неисправный пулемет. Каждый, кто служил в Красной Армии, в Советской Армии, в погранвойсках, в НКВД, в КГБ, поддержите меня: в мирное время бросить пулемет, пусть неисправный, нельзя. В любом случае испорченное имущество, тем более оружие, положено сдавать, составляя при этом акт. Неисправную вещь (будь то секретная карта или рваная солдатская шинель) надо предъявить: вот она, а вот акт на списание, подпишите. И никаких проблем. Но поди отбейся от комиссии, если акт есть, а порванной шинели нет, поди докажи, что ты ее не украл и не пропил. А из двух поломанных пулеметов можно в пятнадцать минут собрать один целый. Тем более по тексту генерала Свиридова следует, что его ребята брошенный пулемет быстро отремонтировали, не имея ни запасных частей, ни второго неисправного пулемета, который можно было бы пустить на запчасти. Как же понять поведение начальника пограничной заставы и старшины, за которыми этот пулемет числится? Как они собирались отчитываться за отсутствующий пулемет? Кто поверит, что они не отдали пулемет врагам советской власти? Кто поверит, что пулемет был неисправным?

Понять поведение уходящих пограничников просто. Если иметь в виду, что мирное время кончилось и все, до начальника заставы включительно, понимают, что уже идет война. А на войне именно так и делается. Всегда. Выводится, например, 1-я гвардейская танковая армия из сражения — и приказ: выходить налегке. Незачем выводить с переднего края оружие, боеприпасы, боевую технику, которые с таким трудом туда доставлены. Потому вывод частей из боя часто осуществляется так: запасы, все оставшееся после жестоких боев вооружение и боеприпасы передаются свежим частям, а отходящие в тыл ничего лишнего с собой не берут, там в тылу их доукомплектуют и вооружат новым оружием прямо с заводов. Именно так 19 июня 1941 года проходила смена советских войск на границах: уже не по стандартам мирного времени, а так, как делается на войне.

5

Удивительны настроения в боевых частях Красной Армии, которые прячутся в лесах у границы. В том же, например, 144-м отдельном разведывательном батальоне капитана Свиридова.

Кстати, надо батальон описать. Организация его стандартна: управление и штаб, танковая рота, рота тяжелых пушечных бронеавтомобилей, мотострелковая рота, кавалерийский эскадрон и подразделения обеспечения. Основное вооружение батальона — 16 плавающих танков и 13 пушечных бронеавтомобилей. У Сталина таких батальонов только в составе стрелковых дивизий 207 полностью укомплектованных и несколько десятков — не полностью. Оценим. Вот только один 144-й разведывательный батальон. В его составе 16 танков, а во всех германских пехотных дивизиях, вместе взятых, — ни одного. И во всех германских моторизованных дивизиях, вместе взятых, — ни одного. А у Сталина в каждой стрелковой дивизии — разведывательный батальон с танками. Только в составе разведывательных батальонов стрелковых дивизий у Сталина больше танков, чем во всем Вермахте на Восточном фронте. Да ведь и танки не простые, а плавающие. Их у Сталина 4000. А во всем Вермахте — ни одного. И во всем остальном мире — ни одного плавающего танка в то время не было.

И выходит, что командир батальона капитан Свиридов на румынской границе имеет 16 плавающих танков, а ни один германский генерал и фельд-маршал не имеет ни одного. Генералы и фельдмар-шалы всех остальных стран — тоже ни одного. Так вот у командира **такого** батальона подчиненный ко-мандир эскадрона просит разрешения выслать раз-ведку на ту сторону реки... Представляю ту же си-туацию где-нибудь в 1970 году: молодой офицер-разведчик спрашивает у командира развед-бата разрешения послать разведгруппу на ту сторо-ну реки... скажем, в Западную Германию. Представ-ляю себя лично задающего этот вопрос моему комбату... Да меня бы за такой вопрос вмиг про-стынями повязали и под вой сирен доставили в со-ответствующее учреждение. А в 1941 году старший лейтенант-разведчик задает вопрос капитану, а тот бурно не реагирует: правильный вопрос, но пока еще время не наступило. Скоро наступит.

В разведывательных подразделениях и частях ду-раков не держат. Старший лейтенант описан дело-вым, энергичным, инициативным. Сам автор тоже хороший командир, от капитана дошел до генерал-майора, стал Героем Советского Союза. В данном случае старший лейтенант получил отрицательный ответ, но он вопрос задавал с пониманием того, что положительное или отрицательное решение о посылке вооруженной группы на сопредельную тер-риторию зависит уже не от товарища Сталина и не от товарища Молотова, не от Жукова и не от Начальника ГРУ генерал-лейтенанта Голикова, а от капитана, который стоит там, где полагалось бы стоять пограничным постам.

В данном случае капитан не разрешил высылать разведку на территорию противника, но известны сотни случаев, когда другие советские капитаны и майоры разрешили. Мы привыкли возмущаться тем, что германские разведывательные самолеты кружили над советской территорией, что германские разведывательные группы рыскали по нашей земле. При этом мы как-то забываем о наших самолетах, которые летали в германском небе, о наших разведгруппах, которые рыскали по германской земле.

Читая эти строки, вспоминаю книгу Б.М. Шапошникова «Мозг армии». За много лет до 1941 года Шапошников предупреждал, что «перевод армии на военное положение создает известный подъем ее военной доблести, повышает моральный уровень армии». Шапошников предупреждал, что армия, которую перевели на военное положение и придвинули к границам, испытывает нервное напряжение, сдержать ее порыв невозможно. Шапошников предупреждал, что армию нельзя долго держать у границ, ее надо пускать в дело.

Сталин внимательно читал книгу Шапошникова, знал ее и цитировал. Сталин покровительствовал Шапошникову. 1940-й год — это возвышение

Шапошникова, в мае ему присвоено звание Маршала Советского Союза. Официально он заместитель Наркома обороны, на практике — главный военный советник Сталина. В середине июня 1941 года советские армии вторжения придвинуты к границам. Высшее советское военное руководство знает, что и командиры, и солдаты уже рвутся в бой, что их наступательный порыв не сдержать. Но его уже и не сдерживают — до всесокрушающей войны остается всего две недели... Красную Армию от противника не разделяет даже тонкая цепочка пограничников НКВД. А ведь ни Жуков, ни Тимошенко, ни Шапошников не обладали такой властью, чтобы приказывать пограничникам уйти с границы. Пограничники — не их ведомство. Пограничники — бериевцы. А Берия не обладал такой властью, чтобы приказать армейским дивизиям сменить его людей на границе. Приказать Наркому внутренних дел отвести пограничников от границы и приказать Наркому обороны подвести армейские дивизии к границам мог только один человек — председатель Совнаркома товарищ Сталин.

Сталин отдал приказы чекистам отойти в тыл, а частям Красной Армии выйти на границы. Сталин знал, что после этого надо будет спустить Красную Армию с цепи...

Иначе она сама сорвется.

6

А потом случилось то, чего никто не ждал. Германская армия нанесла удар.

Рассмотрим последствия удара на примере 164-й стрелковой дивизии, в которой служил капитан Свиридов. В этом районе две реки: пограничный Прут и параллельно ему на советской территории — Днестр. Если бы дивизия готовилась к обороне, то в междуречье лезть не следовало, следовало вырыть окопы и траншеи на восточном берегу Днестра, используя обе реки как водные преграды. Мосты следовало подготовить к взрывам. В междуречье не держать ни складов, ни госпиталей, ни штабов, ни крупных войсковых частей, а лишь небольшие отряды и группы подрывников и снайперов. Но 164-я дивизия (как и все остальные дивизии) готовилась к наступлению и потому Днестр перешла, перетащила за собой в приграничные леса сотни тонн боеприпасов, топлива и продовольствия, штабы, госпиталя, узлы связи и остановилась у последнего рубежа — у пограничной реки. В дивизии 15 000 солдат. Много пушек. Много снарядов. Много машин. Рядом — другие дивизии. И все в междуречье: позади Днестр, впереди пограничный Прут. Нанесли немцы удар, мост на пограничной реке захватили, он не был заминирован, и начали переправлять свои части, а мосты позади советских дивизий — разбомбили. Севернее этого участка прорвалась германская 1-я танковая группа и огромным крюком охватывает советский фронт, отсекая советские войска от тылов. И советские дивизии в западне. Массы людей и оружия (тут же и 96-я горнострелковая дивизия — 13 000 солдат), но оборону никто не готовил, траншей и окопов не рыл. Отойти нельзя — позади Днестр без мостов. И начинается разгром. Кое-кто вырвался из мышеловки по наплавным мостам, но попробуйте по одному месту под бомбежкой вывести хотя бы 10 000 солдат и пару тысяч тонн боеприпасов...

Вернемся к рассказу Свиридова. Он смотрит на пограничный мост через реку Прут, по которому нескончаемым потоком переправляются германские войска: «Мост! Мы сохраняли его для наступления, а теперь никак не можем подорвать». «Дело в том, что вся моя военная учеба проходила в основном под девизом: только наступать! Отход считался позором, и этому нас не учили. Теперь, когда довелось отступать, опыта-то никакого и не было. Пришлось постигать эту премудрость под жестокими ударами врага».

В этом примере раскрыты причины поражения: готовность к оборонительной войне и готовность к наступательной — разные вещи, 164-я дивизия готовилась к наступлению, оттого так все и получилось... После выхода «Ледокола» выступили именитые историки и заявили, что моя версия не нова, это просто повторение того, что говорили фашисты. Своего читателя призываю в свидетели: разве я увлекаюсь цитированием фашистов? Мои книги пропитаны цитатами из Маркса, Энгельса, Ленина, Троцкого, Сталина, Фрунзе, Хрущева, Брежнева, Шапошникова, Жукова, Рокоссовского, Конева, Василевского, Еременко, Бирюзова, Москаленко, Мерецкова, Кузнецова и многих с ними. Кто же из них фашист? Маркс — фашист? Или Ленин? Или, может, Троцкий? Эта глава почти целиком на цитатах из книги генерал-майора А.А. Свиридова, Героя Советского Союза. А могла бы быть на цитатах из Калядина, Куприянова, Шепелева и кого угодно. Если версия фашистская, то следует упрекать не меня, а советских маршалов и генералов, я только повторяю их слова. Мне плохо понятна ярость моих критиков. Отчего на меня ополчились? Почему вы молчали, когда выходили книги Жукова и Рокоссовского, Баграмяна, Еременко и того же Свиридова? На их головы следовало обрушить ваш благородный гнев. А я лишь скромный собиратель цитат...

А некоторые историки заявили, что спорить с моей версией невозможно, но и верить мне пока нельзя потому, что совершенно секретных документов о подготовке советской агрессии не найдено.

Товарищи историки, совершенно секретные документы найдут. Обязательно найдут.

Если захотят.

Но захотят ли? Представим себя на месте знаменитого профессора, который получил за свою работу всемирное признание, ученые степени и звания, премии, дачи, ордена, который написал десятки книг и сотни статей о том, что Сталин — невинная жертва. Если будет найден и опубликован всего один документ, всего один лист, то весь мир узнает, что выдающийся ученый, мягко говоря, ошибался, что премии и ордена не заслужены им, что жизнь свою и талант он загубил в услужении коммунистам. Вот и прикинем, желает ли наш ученый муж такую бумажку найти и себя самого разоблачить? И коллеги его многочисленные в том же положении: один листок может сокрушить все их теории, труды и старания. Дрожат ли они трепетной страстью тот листок найти в архивной пыли и опубликовать?

Представим себя на месте генералов и маршалов: горят ли они желанием найти тот самый документ, который превратит их из героев в кровожадных захватчиков?

Представим себя на месте Президента России. После крушения коммунизма всем городам вернули исторические имена, город Калинин, например, стал снова Тверью, один только город Калининград никак в Кенигсберг переименовывать не хочется. Хочется ли нашему Президенту найти такой документ, который покажет, что вина Иосифа Сталина в развязывании Второй мировой войны ничуть не меньше вины Адольфа Гитлера? Если найдут листочек со сталинским планом, то городу Калининграду придется вернуть настоящее имя, а сам город — законному владельцу. Представим, что Президенту доложили: документы найдены. Интересно, как прикажет наш Президент с теми документами поступить?

У нас ведь находятся только те документы, которые нужны. 50 лет мы отрицали убийство польских офицеров, а свидетелей убийства убивали. Даже тех свидетелей умудрялись убивать, которые находились в руках западных союзников. И на каждого, кто осмеливался иметь свое мнение в этом вопросе, вешали ярлык: фашист. А потом отрицать это преступление стало просто неприличным: весь мир знал, чьих рук это дело. И был дан приказ: признать преступление и документы найти. И они нашлись в один момент.

А без приказа не нашлись бы. Наши историки находят только то, что разрешено находить.

Но даже если и найдутся сталинские планы, поможет ли нашим историкам секретная бумажка из архива? Книга генерала Свиридова издана 25 лет назад тиражом 65 000. Эту книгу можно найти на полках любой научной библиотеки Москвы и Лондона, Парижа, Рима и Катманду. В книге Свиридова все написано открытым текстом, генерал честно и понятно объяснил и намерения советского командования, и замыслы, и причины разгрома. Приведенные факты неоспоримы. Ради интереса приведенные генералом факты решил проверить по другим источникам и нашел 28 независимых подтверждений, включая германские разведсводки. Все сходятся на одном: 164-я стрелковая дивизия находилась в междуречье Днестра и Прута. Кроме нее, и других дивизий там было в избытке. И есть только одно объяснение, зачем дивизии забрались в столь неудобное для обороны место: для наступления. Так какие совершенно секретные документы ждут наши историки? И что надеются в них отыскать? Предрекаю: когда найдете совершенно секретные документы, то в них будет та же информация — 164-я стрелковая дивизия находилась между Прутом и Днестром... И по любой дивизии, корпусу, армии найдете совершенно секретные документы и в них обнаружите, что к обороне они не готовились, готовились к наступлению. Если генерал Свиридов и тысячи других участников войны отошли от исторической правды, то следовало их разоблачить 25 лет назад, объявить их версию фашистской и опубликовать опровергающие материалы. Но этого никто не делал и не делает. Мемуары наших генералов лежат на полках, их никто не читает. Тысячи историков пишут книги и диссертации о войне, но ни один не удосужился поинтересоваться фактами. Историческая наука существует сама по себе, факты — сами по себе. Свидетельства тех, кто воевал, наша историческая наука игнорирует. Еще в Союзе я собрал библиотеку военных книг во много тысяч томов. Все книги воспоминаний — о подготовке «освобождения». И все это открыто — в магазине «Военная книга» на Арбате. В ГРУ моя коллекция военных книг была известна в достаточной степени, чтобы через 20 лет Начальник ГРУ генерал-полковник Евгений Леонидович Тимохин ее помянул в «Красной звезде» (29 апреля 1992 г.). Жаль, но коллекцию пришлось бросить в Москве на память советской власти. Тут, на Западе, за 15 лет библиотеку собрал новую на зависть многим научным учреждениям. И утверждаю: попасть в секретные архивы — мечта историка, но и в открытых публикациях содержится достаточно сведений для анализа действий Красной Армии, планов и намерений ее командования. Точно так же одних только публикаций газеты «Правда» вполне достаточно для того, чтобы объявить коммунистическую партию преступной организацией. Точно как открыто опубликованных работ Ленина вполне достаточно для того, чтобы объявить его врагом человечества.

Собирал книги тогда, собираю сейчас и удивляюсь — все, написанное советскими генералами и маршалами, об одном: «Мы, советские люди, готовились бить противника только на его территории», а дальше пласты материалов о подготовке советской агрессии. Простите, освободительного похода. Неужели всего этого никто, кроме меня, не читал? Чем же занимаются тысячи наших историков? Сейчас только в моей библиотеке книг (или их фотокопий), по смыслу и духу напоминающих книгу генерала Свиридова, — 4130. «Ледокол» я мог бы растянуть на сто томов, и все равно всего не расскажешь. В мемуарах советских генералов любая дивизия описывается многими авторами. Бывший командир дивизии пишет мемуары, и бывший начальник штаба той же дивизии пишет, и командиры полков пишут, и командиры батальонов, и соседних дивизий командиры пишут, и командир корпуса, в который дивизия входила, и командующий армии, и командующий фронтом, и солдат рядовой вспоминает. И все стыкуется! Сейчас каждый любитель истории способен собрать сведения о всех советских дивизиях (за исключением НКВД). Любой человек сам может изучить все предшествующие комбинации и перемещения и увидеть ситуацию в развитии, ведь известно все о движении бригад, дивизий, корпусов, армий в феврале, марте, апреле, мае, июне 1941 года. Так неужто, имея полную картину перед глазами, мы не способны понять замысел Великого Гроссмейстера? Неужто Он должен был оставить нам совершенно секретные конспекты своих тайных помыслов? Замысел Сталина гениален, но прост. Достаточно дивизии расставить на карте, как фигуры на шахматной доске, и замысел воссияет перед нашими глазами.

Да не так уж архивы были и засекречены. Правда, в генеральских мемуарах сталинский замысел мы видим не единым документом, а миллионом сверкающих осколков. Генерал армии К.Н. Галицкий, например, в книге «Годы суровых испытаний» (С. 33) описывает такой же разведывательный батальон, как и у Свиридова, но не во Львовском выступе, а в Белостокском. Этот батальон — в составе 27-й Омской имени Итальянского пролетариата стрелковой дивизии, которая была тайно выдвинута в приграничные леса. Разведывательный батальон находился в готовности вести разведку на территории, занятой германскими войсками. И чтобы поверили, генерал армии К.Н. Галицкий приводит ссылку на архив. Другими словами, находились в готовности к войне, только не к «великой отечественной».

Кто мешал историкам собирать эти бесценные свидетельства со ссылками на архивы и сейчас, когда двери архивов приоткрыты, проверить их правильность?

Наши историки все норовят между строк читать. А мне пришло в голову читать то, что в строках, то, что открытым текстом. 50 лет историки ждут, когда перед ними распахнут двери архивов. Помогут ли архивы, если они не удосужились прочитать даже того, что открыто лежит на полках?

7

Вопрос о происхождении Третьего стратегического эшелона, надеюсь, ясен: ДО ГЕРМАНСКОГО ВТОРЖЕНИЯ ГРАНИЦА БЫЛА ВО МНОГИХ

МЕСТАХ ОТКРЫТА и многие тысячи погранич-ников отведены в тыл, где и были организованы в три карательные армии.

Остается вопрос о назначении целого фронта чекистов. Стрелять в затылки наступающих войск, подбадривая нерадивых? Может быть. Но для того существовали заградительные отряды, созданные до германского нападения во всех советских армиях и корпусах. Заградительные отряды НКВД органически входили в состав войск и Первого, и Второго стратегических эшелонов. Чтобы представить мощь заградительных отрядов, приведу статистику. Эта совершенно секретная справка адресована «Народному комиссару внутренних дел СССР, Генеральному комиссару государственной безопасности товарищу Берия». Всего три печатные страницы, в которых сведения о расстрелах в Красной Армии за первые неполных четыре месяца войны. Речь не обо всех расстрелах, а только расстрелах среди военнослужащих, остановленных оперативными заслонами и заградительными отрядами. Справка начинается словами: «С начала войны по 10 октября с.г. Особыми отделами НКВД и заградительными отрядами войск НКВД по охране тыла задержано 657 364 военнослужащих, отставших от своих частей и бежавших с фронта. Из них оперативными заслонами Особых отделов задержано 249 969 человек и заградительными отрядами войск НКВД по охране тыла — 407 395. Особыми отделами арестованы 25 878 человек, остальные сформированы в боевые части и отправлены на фронт. По постановлениям Особых отделов и по приговорам военных трибуналов расстреляно 10 201 человек, из них перед строем 3321». Далее следует статистика арестов, расстрелов вообще и расстрелов перед строем по различным фронтам. Из статистики следует, что арестовывали больше всего на Западном фронте — по 1000 человек в месяц, 4013 человек за 4 месяца. На этом же фронте и расстреливали больше всего — 2136 человек. Вероятность выжить после ареста меньше 50%. А расстреливали перед строем чаще всего на Северо-Западном фронте — 730 человек за первые неполных 4 месяца войны.

Справка подписана заместителем начальника Особого отдела НКВД СССР комиссаром государственной безопасности 3-го ранга Мильштейном. Этот документ был представлен в Конституционный суд России как один из обвинительных документов преступной деятельности коммунистической партии.

Из документа следует, что в каждый из первых 111 дней войны на фронте расстреливали по 92 военнослужащих, в том числе по 30 человек каждый день расстреливали перед строем частей и подразделений. В этой статистике только те, кого останавливали Особые отделы и заградительные отряды. Статистика не учитывает тех, кого арестовывали на боевых постах. Вот, например, 22 июня в районе города Гродно сбит самолет 207-го бомбардировочного авиационного полка, экипаж погиб, в живых остался только стрелок-радист младший сержант А.М. Щеглов. Он вернулся в полк (авиагарнизон Боровское в Смоленской области) 28 июня, «был арестован органами НКВД и расстрелян за измену Родине» («Красная звезда», 26 июня 1991 г.). Это уже совсем другой вид преступления и совсем другая статистика, не связанная с заградительными отрядами и оперативными заслонами особых отделов. Этот случай (и тысячи подобных) не из категории «отставших от своих частей и бежавших с фронта», тут как раз обратный случай — младший сержант добрался до своего родного полка...

Когда-нибудь будет опубликована статистика расстрелов вернувшихся в свои части. Но даже и статистика расстрелов отставших однозначно показывает, что оперативные заслоны и заградительные отряды НКВД справлялись с возложенными на них обязанностями и в помощи Третьего стратегического эшелона не нуждались даже в критической обстановке всеобщего отступления, паники и неразберихи. В «освободительной» войне Особые отделы и заградительные отряды и подавно обошлись бы без помощи Третьего стратегического эшелона. На основании этой статистики считаю, что Третий стратегический эшелон в составе трех армий НКВД формировался не для расстрелов советских солдат Первого и Второго стратегических эшелонов.

А может быть, чекистский фронт сформировали для подавления сопротивления на «освобожденных» территориях? Не исключено. Но для этой цели в составе Первого и Второго стратегических эшелонов находились десятки мотострелковых дивизий НКВД с танками, гаубичной артиллерией и всем необходимым для установления социальной справедливости.

Главная задача Третьего стратегического эшелона была другой. Перед каждым «освобождением» 1939—40 годов пограничники делились на две неравные группы: одни оставались на границе и использовались в первом эшелоне нападения в качестве элитных диверсионных отрядов и групп, а другие отходили в тыл и вводились в бой на самом последнем этапе «освободительного похода», закрепляли успех армейских формирований и принимали под охрану новую границу.

Именно так были разделены советские пограничные войска в середине июня 1941 года...

Так делали и немцы. Разведывательная сводка Штаба Северо-Западного фронта 02 от 21 июня 1941 года сообщает о деятельности германских войск на границе Восточной Пруссии: «Охрана границы и наблюдение за нашей границей возложены на полевые части... Гражданскому населению предложено эвакуироваться в глубь от границы на 20 км» (ЦАМО. Фонд 221. Опись 1362. Дело 5. С. 27).

У немцев все как у нас, но меня удивило не содержание документа, а номер. Ноль вводится для секретных документов. Два ноля — для совершенно секретных... С начала каждого года нумерация возобновляется. Так почему же 21 июня только вторая разведсводка? Начальник разведки округа раз в неделю кладет новую разведсводку на стол командующему округом, а при обострении обстановки — каждый день. Отчего же номер так мал? Да оттого, что 19 июня из Прибалтийского военного округа уже выделился Северо-Западный фронт, со своим собственным штабом, разведывательным и другими отделами, и зажил своей собственной жизнью, и пошли номера приказов, разведсводок и других документов с самого начала — с 01 и выше. И уже 21 июня 1941 года полковник Карлин подписывается в документах как помощник командующего СЗФ (Северо-Западного фронта) по ПВО (ЦАМО. Фонд 344. Опись 5564. Дело 1. С. 62). И во всех остальных округах выселение людей, отход пограничников и замена их полевыми частями означали, что Красная Армия уже в войне, она уже развернула фронты и приняла на себя границу, за исключением некоторых участков и пропускных пунктов.

Адмирал Ю.А. Пантелеев вспоминает, как за несколько дней до 22 июня ему доложили о положении в Финляндии: «Финские пограничники и все местное население ушло в глубь страны... Граница открыта... Это же война!» (Морской фронт. С. 27).

Совершенно правильный анализ ситуации. Но позвольте, а на нашей стороне разве не то же самое происходило? Разница только в том, что население Финляндии ушло из приграничных районов добровольно...

Насильственная депортация сотен тысяч людей из приграничных районов, уничтожение собственных пограничных заграждений, отход пограничных войск и формирование трех чекистских армий позади двух стратегических эшелонов Красной Армии — не просто признаки войны, это сама война во всей своей великолепной неизбежности, с первыми десятками тысяч жертв из числа наших же советских мирных жителей приграничной полосы. Тайная мобилизация зашла слишком далеко. Неотвратимо и скоро после отхода пограничников с государственных рубежей должен был наступить День «М».

ГЛАВА 25

ВЕРИЛ ЛИ СТАЛИН ГИТЛЕРУ?

Я никому не верю. Я сам себе не верю.

Сталин

Свидетельство Хрущева.
«Огонек». 1989. № 36. С. 17

1

22 июня 1941 года перед рассветом через пограничный мост в Бресте с советской стороны на германскую мирно простучал эшелон, груженный зерном, а через несколько минут с германского берега ударили артиллерийские батареи и пошли танки Гудериана. Нам говорят: так случилось потому, что Сталин поверил Гитлеру. И повторяют десятилетиями: Сталин поверил Гитлеру. И приводят факты. Мы верим. Нашу веру трудно пошатнуть, она основана на знании того, что случилось 22 июня.

В свете наших знаний действия Сталина представляются глупостью, действия Гитлера — коварством.

Но давайте проявим объективность. Для этого надо на минуту отрешиться от наших знаний последующих событий. Нам надо представить себя в 1939 году, в 1940-м, в первой половине 1941-го и оценить события глазами людей того времени. А в те времена известные нам факты воспринимались совсем по-другому, ибо никто не мог знать, к чему советско-фашистский сговор приведет, чем все это завершится. Интересно глянуть на политические карикатуры тех дней. Карикатуристы рисовали Сталина и Гитлера в поцелуе: Гитлер, обнимая Сталина, приставляет ему нож к спине, Сталин, обнимая Гитлера, делает то же самое. Или — Сталин с Гитлером в обнимку, у каждого одна рука обнимает партнера, другая — свободная — достает пистолет. Потом ситуация изменилась, Гитлер увяз в войне против Запада, изменились и политические карикатуры: у Гитлера обе руки заняты, а у Сталина обе свободные, и он примеряется к топору... Или — германский орел дерется с британским львом, позади большой медведь со сталинскими усами оценивающе поглядывает на драку.

Если представить себя в том времени, то действия Сталина не так глупы. Сталин кормил Гитлера хлебом. Это так. Но и мы не жалеем сыра для мышеловок. Наша щедрость диктуется не заботой о счастливой жизни мышей, а другими соображениями. Сталин посылал Гитлеру дружеские успокаивающие послания... Но и живодер успокаивающе поглаживает быка по шее перед тем, как всадить нож. Германский бык поддел живодера на рога, но из этого не следует, что ласковые движения живодера были продиктованы лишь наивностью и добротой. Просто бык на мгновенье опередил живодера.

Можно на советско-германскую дружбу взглянуть и с другой стороны. Надо вспомнить, что Гитлер постоянно и глубоко недооценивал Сталина, мощь Красной Армии и Советского Союза в целом. Гитлер понял, что Сталин готовит вторжение, но не оценил сталинского размаха. Вдобавок советской разведке удалось ввести в заблуждение германскую разведку относительно сроков советского нападения. Большая часть германских экспертов тогда (и современных историков сейчас) считали, что советское нападение готовилось на 1942 год. Гитлер не представлял, насколько опасность велика и близка. Гитлер несколько раз откладывал срок начала войны против Советского Союза. Давайте представим, что Гитлер еще раз отложил войну против Сталина, а Сталин 6 июля 1941 года нанес удар и одновременно объявил всеобщую мобилизацию — День «М». Оценим действия Сталина с этой точки зрения, и они сразу перестают казаться глупыми.

Возьмем тот же пример с поставками хлеба. Кроме хлеба, Советский Союз снабжал Германию нефтью, лесом, многими видами стратегического сырья. Начиная с марта 1941 года из Советского Союза даже шли жалобы на то, что германская сторона не подает достаточно вагонов для советского зерна... Наивная глупость и ничего больше. А я обратил внимание вот на какую мелочь: не мог Сталин в марте-апреле-мае-июне поставлять в Германию хлеб урожая 1941 года. Это был хлеб 1940 года. Хранение миллионов тонн зерна — дело сложное и дорогостоящее. И непонятно, почему, собрав урожай 1940 года, зерно не отправили прямо в Германию, а засыпали в советские элеваторы и хранили до весны. Выяснилось: осенью 1940 года Германия требовала, а советская сторона находила причины хлеб поставлять в минимальных количествах. А потом вдруг с весны 1941 года зерно и многие другие виды продовольствия и сырья начали гнать в Германию в возрастающих количествах, требуя все больше вагонов. Сюжет показался интересным, поднял германскую статистику и ахнул. Главное стратегическое направление советско-германской войны в любом случае проходит по оси Москва — Смоленск — Брест — Варшава — Франкфурт (на Одере) — Берлин (или наоборот). Так вот к началу июня 1941 года стратегическая железнодорожная магистраль в районы Франкфурта была почти полностью закупорена эшелонами с советским лесом и рудой. Это то самое дружеское объятие, которым душат вчерашнего приятеля. С одной стороны, мы демонстрируем свою трогательную наивность, а в результате пропускная способность главной германской магистрали резко снижена. В случае советского удара германское командование не могло в полной мере использовать магистраль для эвакуации, переброски подкреплений и маневра резервами. Так что не так глупы были те, кто в Москве планировал поставки в Германию.

3

Советский Союз поставлял в Германию уголь, кокс, марганец и многое другое. Это помнят, над этим смеются. Но почему-то не помнят, что поставлялось не бесплатно.

Всю войну и много лет после нее на Урале работал уникальный германский пресс фирмы «Шлеман» с усилием в 15 000 тонн. Раскаленные слитки прочной стали весом по 160 тонн подавались на пресс краном (германским), одни крюки и цепи которого весили 100 тонн. Пресс сжимал слиток, после чего огнедышащий стальной монолит подавался на прокатный стан (тоже германский). Без такого пресса производство танков в Советском Союзе было бы гораздо меньшим, а без достаточного количества танков побед под Москвой, Сталинградом и Курском могло не быть. Пресс фирмы «Шлеман» был доставлен из Германии в момент, когда Советский Союз был «нейтральным», а Германия уже воевала против всей Европы. Если бы Сталин напал на Гитлера, то мы бы сейчас смеялись над наивным, доверчивым Гитлером. Но даже

406

и без сталинского нападения продажа уникального агрегата мне лично кажется не самым разумным шагом.

Гитлеру не удалось захватить Ленинград. Причин много. Среди них — мощь береговых укреплений, возводимых вокруг города со времен Петра до сталинских времен включительно. В 1940 году береговые батареи на Балтийском море (орудийные башни весом в несколько сот тонн каждая) возводили с помощью германских плавучих кранов фирмы «Демаг».

Можно целую книгу написать о том, что Сталин получил от Гитлера в период союза. Все это можно выразить коротко: с первого дня войны германские солдаты и офицеры встречали на полях сражений незнакомые образцы советского вооружения, характеристики которых превосходили мировые стандарты. Примеров много, начиная с Т-34. А Красная Армия в 1941 году никаких технических сюрпризов не встретила. Все образцы вооружения, которыми располагал Вермахт в 1941 году, были проданы Сталину за несколько месяцев или лет до вторжения. Германская сторона своими действиями оказала Сталину и еще одну услугу: имея образцы германского вооружения и всю техническую документацию, советская военная разведка проверила сообщения своих тайных агентов и определила, кто из агентов сообщал точную информацию, а кто — не очень точную, т. е. на кого в грядущем можно положиться, а на кого нельзя.

4

Советский Нарком черной металлургии И.Ф. Тевосян посетил германские танковые заводы в мае 1941 года, и ему было показано ВСЕ (а он плевался, узнав, что в Германии нет танков с противоснарядным бронированием, нет танков с дизельными двигателями, нет танков с широкими гусеницами, нет танков с мощными пушками, Тевосян этому отказывался верить). Если бы Сталин напал на Гитлера в июле, как бы мы сейчас оценили визит советского министра на секретные танковые заводы, где от него ничего не скрывали?

А самолеты Гитлер продавал не только те, что стояли на вооружении Люфтваффе, но и те, что находились в разработке. Гитлер продал самолеты так, что советская сторона имела год на их изучение. Для изучения и покупки германской авиационной техники Сталин отправлял в многократные длительные командировки своих лучших летчиков-испытателей и авиаконструкторов, включая своего референта по вопросам авиации А.С. Яковлева. Вот его рассказ: «Признаться, меня тоже смущала откровенность при показе секретнейшей области вооружения» (Цель жизни. С. 220). «Сталина, как и прежде, очень интересовал вопрос, не обманывают ли нас немцы, продавая авиационную технику. Я доложил, что теперь, в результате этой третьей поездки, создалось уже твердое убеждение в том (хотя это и не укладывается в сознании), что немцы показали истинный уровень своей авиационной техники» (Там же. С. 247). И тут же реакция Сталина: «Организуйте изучение нашими людьми немецких самолетов. Сравните их с новыми нашими. Научитесь их бить» (Там же).

У Сталина тоже было кое-что в области авиации. Советские бомбардировщики Ер-2 и Пе-2 по всем характеристикам превосходили германские аналоги. Но Сталин их не только не продавал, но и не показывал Гитлеру.

Так кто же кому больше верил?

Проданный Германией тяжелый крейсер «Лютцов» не был достроен. По этой причине ходят слухи о том, что немецкая сторона недобросовестно относилась к выполнению заказа. В это верил и я. А потом нашел сведения о том, что почти все было доставлено в оговоренные контрактами сроки. И если не все успели доставить, то помешали обстоятельства. Но из восьми орудий главного калибра доставлены и смонтированы были четыре. В ходе войны крейсер использовался как неподвижная плавучая батарея. Но так же использовались и все другие корабли Балтийского флота, запертые в Финском заливе. О том, как добросовестно немецкие фирмы относились к выполнениям заказов, свидетельствует «Красная звезда» от 7 января 1989 года. Немцы поставили все, что успели, даже комплекты посуды на более чем тысячу человек экипажа. На каждой тарелке и каждой кружке, как положено, стояла свастика. Советские товарищи, принимавшие крейсер, решили «нечаянно» перебить всю посуду и потребовать новую без свастик. Ради этого была устроена проверка «надежности упаковки». Ящики с тарелками трясли и бросали, но ни одна тарелка так и не разбилась. Все было сделано с немецкой точностью и аккуратностью и упаковано на совесть. Пришлось брать со свастиками.

5

Можно повторять, что Сталин поверил Гитлеру, но люди, которые стояли близко к Сталину в те годы, эту легенду не подтверждают.

Адмирал флота Советского Союза Н.Г. Кузнецов: «И.В. Сталин не особенно верил в силу договора с Германией и вообще мало доверял Гитлеру» (Накануне. С. 241).

Маршал Советского Союза Г.К. Жуков: «Что касается пакта о ненападении, заключенного с Германией... нет никаких оснований утверждать, что И.В. Сталин полагался на него» (Воспоминания и размышления. С. 236).

А Никита Хрущев свидетельствует о том, что Сталин после подписания пакта радостно кричал, что обманул Гитлера. Пакт был ловушкой для Гитлера. Представьте, что преступник всю ночь подделывал фальшивый вексель и утром вам его вручил. Может ли сам преступник верить в то, что вексель настоящий? Пакт Молотова—Риббентропа был придуман Сталиным ради того, чтобы руками Гитлера начать Вторую мировую войну, разорить и ослабить Европу, в том числе и Германию. Мог ли Сталин верить этому пакту, если его изначальная цель — обмануть Гитлера?

Если это не убеждает, обратимся к статистике.

На 21 июня 1939 года Сталин имел 94 стрелковые и горнострелковые дивизии. Ровно через два года, 21 июня 1941 года, он имел 198 стрелковых и горнострелковых дивизий. Кроме того, была проведена подготовительная работа и отданы приказы о формировании еще более 60 стрелковых дивизий, которые должны появиться после нанесения внезапных ударов и объявления Дня «М».

За эти два года количество мотострелковых и моторизованных дивизий возросло с 1 до 31.

Количество танковых дивизий увеличилось с 0 до 61. Еще несколько десятков танковых дивизий находились в стадии формирования, которое должно было завершиться после объявления Дня «М».

Количество авиационных дивизий увеличилось за два года с 0 до 79, стрелковых корпусов — с 25 до 62, артиллерийских полков (не считая зенитных) — со 144 до 900, и еще несколько сот полков готовились к развертыванию после нанесения Красной Армией первых ударов.

Количество механизированных (танковых) корпусов возросло с 4 до 29, воздушно-десантных бригад — с 6 до 16, воздушно-десантных корпусов — с 0 до 5 и еще 5 планировалось быстро развернуть в День «М» и несколько последующих дней.

Количество армий в европейской части СССР увеличилось за два года с 0 до 26.

Коммунисты 50 лет уверяли нас в том, что Сталин верил Гитлеру. Статистикой сии уверения не подтверждаются.

Дело обстояло как раз наоборот. Гитлер поверил Сталину и подписал пакт, который создал для Германии заведомо проигрышную ситуацию войны против всей Европы и всего мира. Пакт поставил Германию в положение единственного виновника войны. 19 августа 1939 года Сталин начал тайную мобилизацию Красной Армии, после чего Вторая мировая война стала совершенно неизбежной. Но Гитлер не обратил внимания на происходящие в Советском Союзе события. Еще раньше Сталин начал мобилизацию промышленности, транспорта, государственного аппарата, людских ресурсов. Гитлер на все это внимания не обращал и аналогичных мероприятий в Германии не проводил.

Гитлер слишком долго верил Сталину. Имея Сталина у себя в тылу, Гитлер беззаботно воевал против Франции и Британии, бросив против них все танки, всю боевую авиацию, лучших генералов и подавляющую часть артиллерии. Летом 1940 года на восточных границах Германии оставалось всего 10 дивизий, без единого танка и без авиационного прикрытия. Это был смертельный риск, но Гитлер этого не осознавал.

В это время Сталин готовил топор.

Гитлер прозрел слишком поздно.

Удар Гитлера уже не мог спасти Германию. У Сталина не просто было больше танков, пушек и самолетов, больше солдат и офицеров, Сталин уже перевел свою промышленность на режим военного времени и мог производить вооружение в любых потребных количествах.

Сталин был уголовным преступником. В начале века под руководством Сталина, при личном его участии было осуществлено ограбление Тифлисского банка — преступление, которое удивило Европу. Подготовка к нападению на Германию велась Сталиным так же тщательно, как и знаменитое ограбление. Но завершить тайную мобилизацию Сталин не успел. Гитлер нанес удар в момент, когда Красная Армия и весь Советский Союз находились в самой неудобной для отражения нападения ситуации — сами готовили нападение. Произошло то, что могло произойти на площади перед банком, если бы один из охранников сообразил, что происходит, и выстрелил первым...

В последний момент перед нападением Красная Армия была так же уязвима, как бывают уязвимы преступники на открытой площади, если их план раскрыт охраной, если охрана начала стрелять. У Сталина было все рассчитано до каждого шага, до каждой секунды, а проснувшийся Гитлер одним выстрелом испортил все... Давайте представим, мы с вами наготовили веревки, лестницы, динамит для подрыва стен, ключи и отмычки, и вдруг после первого выстрела охраны все это становится ненужным и мы вынуждены спасаться бегством...

Гитлер ударил первым, и потому сталинская подготовка войны обернулась для Сталина катастрофой. В результате войны Сталину достались всего только Польша, Восточная Германия, Венгрия, Югославия, Румыния, Болгария, Чехословакия, Китай, половина Кореи, половина Вьетнама. Разве на такой скромный результат рассчитывал Сталин?

Подведем итоги.

Начало тайной мобилизации было фактическим вступлением во Вторую мировую войну. Сталин это понимал и сознательно отдал приказ о начале тайной мобилизации 19 августа 1939 года. С этого дня при любом развитии событий войну остановить было нельзя.

Поэтому 19 АВГУСТА 1939 ГОДА — ЭТО ДЕНЬ, КОГДА СТАЛИН НАЧАЛ ВТОРУЮ МИРОВУЮ ВОЙНУ.

Тайная мобилизация должна была завершиться нападением на Германию и Румынию 6 июля 1941 года. Одновременно в Советском Союзе должен был быть объявлен День «М» — день, когда мобилизация превращается из тайной в открытую и всеобщую.

Тайная мобилизация была направлена на подготовку агрессии, для обороны страны не делалось ничего. Тайная мобилизация была столь колоссальна, что скрыть ее не удалось. Гитлеру оставался только один шанс — спасать себя превентивным ударом. Гитлер упредил Сталина на две недели.

Вот почему День «М» не наступил.

1968—1993 гг.

СПИСОК ЦИТИРУЕМОЙ ЛИТЕРАТУРЫ

Авторханов А. Загадка смерти Сталина. — Франкфурт-на-Майне: Посев, 1976.

Авторханов А. Происхождение партократии. — Франкфурт-на-Майне: Посев, 1973.

Азаров И.И. Осажденная Одесса. — М.: Воениздат, 1962.

Антипенко Н.А. На главном направлении: Воспоминания зам. командующего фронтом. — М.: Наука, 1967.

Антонов-Овсеенко А. Портрет тирана. — Нью-Йорк: Хроника, 1980.

Анфилов В.А. Бессмертный подвиг. — М.: Наука, 1971.

Анфилов В.А. Провал «блицкрига». — М.: Наука, 1974.

Баграмян И.Х. Так начиналась война. — М.: Воениздат, 1971.

Баграмян И.Х. Так шли мы к Победе. — М.: Воениздат, 1977.

Бажанов Б. Воспоминания бывшего секретаря Сталина. — Париж: Третья волна, 1980.

Басов А.В. Флот в Великой Отечественной войне. 1941—1945. — М.: Наука, 1980.

Бирюзов С.С. Когда гремели пушки.— М.: Воениздат, 1962.

Битва за Ленинград. 1941—1944 /Под ред. С.П. Платонова.— М.: Воениздат, 1964.

Болдин И.В. Страницы жизни. — М.: Воениздат, 1961.

Борьба за Советскую Прибалтику. — Таллинн: Ээсти раамат, 1980.

Брежнев Л.И. Малая земля. — М.: Политиздат, 1978.

Василевский А.М. Дело всей жизни.— М.: Политиздат, 1973.

Ваупшасов С.А. На тревожных перекрестках: Записки чекиста.— М.: Политиздат, 1971.

Великая Отечественная война (1941—1945): Краткий науч.-попул. очерк/ Под ред. П.А. Жилина.— М.: Политиздат, 1973.

Великая Отечественная война 1941—1945. Энциклопедия.— М.: Советская энциклопедия, 1985.

Военная стратегия/ Под ред. В.Д. Соколовского.— М.: Воениздат, 1962.

Вознесенский Н.А. Военная экономика СССР в период Великой Отечественной войны.— М.: Госполитиздат, 1947.

Вопросы стратегии оперативного искусства в советских военных трудах 1937—1940 гг.— М.: Воениздат, 1965.

Воронов Н.Н. На службе военной.— М.: Воениздат, 1963.

Восемнадцатая в сражениях за Родину: Боевой путь 18-й армии.— М.: Воениздат, 1982.

Галицкий К.Н. Годы суровых испытаний.— М.: Наука, 1973.

Галлай М.Л. Третье измерение.— М.: Советский писатель, 1979.

Гальдер Ф. Военный дневник. Ежедневные записи начальника Генерального штаба сухопутных войск. 1939—1942 гг./ Пер. с нем. — М.: Воениздат, 1968—1971.

Горбатов А.В. Годы и войны.— М.: Воениздат, 1965.

Григоренко П.В. В подполье можно встретить только крыс.— Нью-Йорк: Детинец, 1981.

Демин М. Блатной.— Нью-Йорк: Русика, 1981.

Дозорные западных рубежей: Документальные очерки по истории войск Западного Краснознаменного пограничного округа /Авт. коллектив.— Киев: Политиздат Украины, 1972.

Еременко А.И. В начале войны.— М.: Наука, 1964.

Жолудев Л.В. Стальная эскадрилья.— М.: Воениздат, 1972.

Жуков Г.К. Воспоминания и размышления.— М.: АПН, 1969.

Забайкальский военный округ: Краткий военно-истор. очерк.— Иркутск: Вост.-Сиб. книж. издательство, 1972.

Захаров Г.Н. Повесть об истребителях. — М.: ДОСААФ, 1977.

Зверев А.Г. Записки министра.— М.: Политиздат, 1973.

Здравствуй, небо: Сборник.— М.: Воениздат, 1966.

Иссерсон Г.С. Новые формы борьбы.— М.: Воениздат, 1940.

Иссерсон Г.С. Эволюция оперативного искусства.— М.: Воениздат, 1937.

Итоги второй мировой войны: Сборник статей/ Пер. с нем. — М.: Иностранная литература, 1957.

Казаков М.И. Над картой былых сражений.— М.: Воениздат, 1971.

Калинин С.А. Размышления о минувшем.— М.: Воениздат, 1963.

Кербер Л.Л. След в небе.— М.: Политиздат, 1971.

Кербер Л.Л. Ту — человек и самолет.— М.: Советская Россия, 1973.

Киевский Краснознаменный: История Краснознаменного Киевского военного округа. 1919—1972.— М.: Воениздат, 1974.

Ковалев И.В. Транспорт в Великой Отечественной войне 1941— 1945 гг.— М.: Наука, 1981.

Кожевников М.Н. Командование и штаб ВВС Советской Армии в Великой Отечественной войне 1941—1945 гг. — М.: Наука, 1977.

Конев И.С. Сорок пятый.— М.: Воениздат, 1966.

Кочетков Д.И. С закрытыми люками.— М.: Воениздат, 1962.

КПСС о Вооруженных Силах Советского Союза: Документы 1917—1968. — М.: Воениздат, 1969.

Краснознаменный Белорусский военный округ.— Минск: Беларусь, 1973.

Краснознаменный Уральский. История Краснознаменного Уральского военного округа.— М.: Воениздат, 1983.

Красовский С.А. Жизнь в авиации.— М.: Воениздат, 1968.

Кривошеин С.М. Ратная быль.— М.: Молодая гвардия, 1962.

Кузнецов В.А. Серебряные крылья.— М.: Воениздат, 1972.

Кузнецов Н.Г. Накануне.— М.: Воениздат, 1966.

Кузьмина Л.М. Генеральный конструктор Павел Сухой.— М.: Молодая гвардия, 1983.

Куманев Г.А. Советские железнодорожники в годы Великой Отечественной войны (1941—1945). — М.: АН СССР, 1963.

Курочкин П.М. Позывные фронта.— М.: Воениздат, 1969.

Лапчинский А.Н. Воздушная Армия.— М.: Воениздат, 1939.

Лобачев А.А. Трудными дорогами.— М.: Воениздат, 1960.

Людников И.И. Дорога длиною в жизнь.— М.: Воениздат, 1969.

Людников И.И. Сквозь грозы: Автобиографический очерк.— Донецк: Донбасс, 1973.

Майский И.М. Кто помогал Гитлеру: Из воспоминаний советского посла.— М.: ИМО, 1962.

Меликов В.А. Проблемы стратегического развертывания по опыту мировой и гражданской войны. Изд. Военной Академии РККА им. М.В.Фрунзе. М., 1935.

Мерецков К.А. На службе народу: Страницы воспоминаний.— М.: Политиздат, 1968.

Миддельдорф Э. Тактика в русской кампании/Пер. с нем. — М.: Воениздат, 1958.

Москаленко К.С. На юго-западном направлении: Воспоминания командарма.— М.: Наука, 1969.

На Северо-Западном фронте (1941—1943): Сборник статей участников боевых действий/Под ред. П.А. Жилина. — М.: Наука, 1969.

Начальный период войны/Под ред. С.П. Иванова. — М.: Воениздат, 1974.

Новиков А.А. В небе Ленинграда: Записки командующего авиацией.— М.: Наука, 1970.

Озеров Г. Туполевская шарага. — Франкфурт-на-Майне: Посев, 1973.

Ордена Ленина Забайкальский. — М.: Воениздат, 1980.

Ордена Ленина Московский военный округ. — М.: Московский рабочий, 1985.

Ортенберг Д.И. Июнь — декабрь сорок первого.— М.: Советский писатель, 1984.

Пантелеев Ю.А. Морской фронт.— М.: Воениздат, 1965.

Партия и Армия/ Под ред. А.А. Епишева.— М.: Политиздат, 1980.

Пересыпкин И.Т. Связисты в годы Великой Отечественной. — М.: Связь, 1972.

Пласков Г.Д. Под грохот канонады. — М.: Воениздат, 1969.

По приказу Родины: Боевой путь 6-й гвардейской армии в Великой Отечественной войне 1941—1945 гг.— М.: Воениздат, 1971.

Пограничные войска СССР. 1939 — июнь 1941: Сборник документов и материалов.— М.: Наука, 1970.

Покрышкин А.И. Небо войны.— М.: Молодая гвардия, 1968.

Пономарев А.П. Покорители неба.— М.: Воениздат, 1980.

Развитие тыла Советских Вооруженных Сил. 1918—1988.— М.: Воениздат, 1989.

Решин Е.Г. Генерал Карбышев.— М.: ДОСААФ, 1971.

Рокоссовский К.К. Солдатский долг.— М.: Воениздат, 1968.

Рослый И.П. Последний привал — в Берлине.— М.: Воениздат, 1983.

Рябчиков Е.И., Магид А.С. Становление.— М.: Знание, 1978.

Сандалов Л.М. На московском направлении. — М.: Наука, 1970.

Сандалов Л.М. Пережитое. — М.: Воениздат, 1966.

Свиридов А.А. Батальоны вступают в бой. — М.: Воениздат, 1967.

Севастьянов П.В. Неман—Волга—Дунай.— М.: Воениздат, 1961.

Сивков Г.Ф. Готовность номер один.— М.: Советская Россия, 1973.

Сикорский В. Будущая война. Ее возможности, характер и связанные с ними проблемы обороны страны/ Пер. с польск. — М.: Воениздат, 1936.

Сквозь огненные вихри: Боевой путь 11-й гвардейской армии в Великой Отечественной войне 1941—1945 гг.: Сборник.— М.: Воениздат, 1987.

След в небе: Сборник.— М.: Политиздат, 1971.

Советские Вооруженные Силы.— М.: Воениздат, 1978.

Советские танковые войска.— М.: Воениздат, 1973.

Соколовский В.Д. Военная стратегия.— М.: Воениздат, 1963.

Старинов И.Г. Мины ждут своего часа.— М.: Воениздат, 1964.

Стефановский П.М. Триста неизвестных.— М.: Воениздат, 1968.

Триандафиллов В.К. Размах операций современных армий.— М.: Воениздат, 1932.

Триандафиллов В.К. Характер операций современных армий.— М.; Л.: Госиздат, 1929.

Тухачевский М.Н. Избранные произведения.— М.: Воениздат, 1964.

Тыл Советских Вооруженных Сил в Великой Отечественной войне 1941—1945 гг./ Под ред. С.К. Куркоткина. — М.: Воениздат, 1977.

Тюленев И.В. Через три войны.— М.: Воениздат, 1960.

Уманский Р.Г. На боевых рубежах.— М.: Воениздат, 1960.

Устинов Д.Ф. Во имя победы: Записки наркома вооружения.— М.: Воениздат, 1988.

Федюнинский И.И. Поднятые по тревоге.— М.: Воениздат, 1964.

Фрунзе М.В. Избранные произведения. В 2 т.— М.: Воениздат, 1957.

Хизенко И.А. Ожившие страницы: Дневник политработника 80-й ордена Ленина стрелковой дивизии.— М.: Воениздат, 1963.

Хренов А.Ф. Мосты к победе.— М.: Воениздат, 1982.

Часовые советских границ: Краткий очерк истории пограничных войск СССР.— М.: Политиздат, 1983.

Шавров В.Б. История конструкций самолетов в СССР 1938—1950 гг.— М.: Машиностроение, 1988.

Шапошников Б.М. Мозг армии. В 3 кн.— М.; Л.: Госиздат (отдел военной литературы), 1927—1929.

Шебунин А.И. Сколько нами пройдено...— М.: Воениздат, 1971.

Штеменко С.М. Генеральный штаб в годы войны.— М.: Воениздат, 1968.

Шумихин В.С. Советская военная авиация. 1917—1941.— М.: Наука, 1986.

Эстонский народ в Великой Отечественной войне Советского Союза. 1941—1945.— Таллинн: Ээсти раамат, 1973.

Язов Д.Т. Верны Отчизне.— М.: Воениздат, 1988.

Яковлев А.С. Цель жизни: Записки авиаконструктора.— М.: Политиздат, 1968.

История Великой Отечественной войны Советского Союза. 1941—1945. В 6 т.— М.: Воениздат, 1960—1965.

История второй мировой войны (1939—1945). В 12 т. — М.: Воениздат, 1973—1982.

Собрание сочинений В.И. Ленина.

Собрание сочинений К. Маркса и Ф. Энгельса.

Собрание сочинений И.В. Сталина.

Советская военная энциклопедия. В 8 т.— М.: Воениздат, 1976—1980.

Газеты «Известия», «Комсомольская правда», «Красная звезда», «На страже», «Правда».

Журналы «Бюллетень оппозиции», «Военный вестник», «Война и революция», «Вопросы истории», «Военно-исторический журнал», «Коммунист», «Международная жизнь», «Мобилизационный сборник», «Новое время», «Огонек», «Проблемы экономики».

Combat Aircraft of the World. — London: Ed. and comp. by John W.R.Taylor, 1969.

Goralski R. World War II Almanac. 1931—1945. — London: Hamish Hamilton, 1981.

Gregory B., Batchelor D. Airborne Warfare 1918—1941. — Leeds: Petty & Sons, 1978.

Hearing on American Aspects of the Richard Sorge Spy Case. House of Representatives Eighty Second Congress. First Session. August 9, 22 and 23.— Washington, 1951.

Hitler A. Mein Kampf. München: Zentralverlag der NSDAP, Eher, 1940.

Kesselring A. Gedanken zum Zweiten Weltkrieg. — Bonn, 1955.

Le Bon G. Psychologies des foules. — Paris, 1895.

Liddell Hart B. History of the Second World War. — London: PAN, 1978.

Mallory K. and Ottar A. Architecture of Aggression. — Architectural Press: Wallop G.B., 1973.

Müller-Hillebrand B. Das Heer, 1933—1945. — Frankfurt/Main, 1954—1956.

Nemecek V. The History of Soviet Aircraft from 1918. — London: Willow Books, 1986.

Price A. World War II Fighter Conflict. — London: Macdonald and Jane's, 1975.

Sutton A. National Suicide; Military Aid to the Soviet Union. — New Rochelle (NY): Arington House, 1973.

ОГЛАВЛЕНИЕ

Звезды сцены, экрана и спорта.
Исторические личности и наши современники
Андрей Миронов, Фаина Раневская,
Изабелла Юрьева, Леонид Утесов...
Читайте о них в книгах серии

«Биографии»

В серии вышли:

Н. Пушнова
«Андрей Миронов: история жизни»
Л. Васильева
«Жены русской короны» — 2 тт.
Г. Скороходов
«Разговоры с Раневской»
К. Келли
«Королевская семья Англии» — 2 тт.

Суворов Виктор

ДЕНЬ «М»

Когда началась Вторая мировая война?

Художественный редактор О.Н. Адаскина
Компьютерный дизайн: С.В. Шумилин
Технический редактор О.В. Панкрашина

Подписано в печать с готовых диапозитивов 07.02.00.
Формат 84×108^1/$_{32}$. Печать высокая с ФПФ. Бумага
типографская. Усл. печ. л. 22,68. Тираж 5000 экз.
Заказ 280.

Налоговая льгота – общероссийский классификатор продукции
ОК-00-93, том 2; 953000 – книги, брошюры

Гигиенический сертификат
№ 77.ЦС.01.952.П.01659.Т.98 от 01.09.98 г.

ООО "Фирма "Издательство АСТ"
ЛР № 066236 от 22.12.98.
366720, РФ, Республика Ингушетия,
г.Назрань, ул.Московская, 13а
Наши электронные адреса:
WWW.AST.RU
E-mail: astpub@aha.ru

При участии ООО «Харвест». Лицензия ЛВ № 32 от
27.08.97. 220013, Минск, ул. Я. Коласа, 35-305.

Ордена Трудового Красного Знамени полиграфкомбинат
ППП им. Я. Коласа. 220005, Минск, ул. Красная, 23.